JN113839

新聞が見つめた沖縄

諸見里 道浩
Michihiro Moromizato

沖縄タイムス社

「島に　風が絶える　ことはない」

大城立裕（作家）

新聞が見つめた沖縄

＊

目次

III

沖縄の選択—基地問題

Ⅳ

「実相」を語り継ぐ――沖縄戦

『新聞が見つめた沖縄』関連年表 386

引用文はすべて新かな新漢字に改めた。「／」は中略、ポイントを落とした（ ）は引用者による注釈をそれぞれ意味している。

はじめに

この本は二つの主題を持っている。一つは、戦後の沖縄ジャーナリズム成立の軌跡をたどる試論。二つ目は筆者が見た復帰後の断面を通して、沖縄問題を考えてもらいたいという願いである。

私は1972年の沖縄施政権返還から2年後の74年に沖縄タイムス記者となった。40年近い記者生活のなかで、所属する新聞社の成り立ちに関心がいくようになった。

戦前・戦中に軍国主義を担った記者たちが、戦後、米軍占領の下で新たに創刊した沖縄タイムス。戦後をどのような意識で迎え、27年間の米軍政下を沖縄の言論としてどのように表現してきたのか。そこには沖縄ジャーナリズムを特徴づける契機はあったのだろうか。

「新聞が見つめた沖縄」「沖縄ジャーナリズムにみる憲法と安保」は、沖縄タイムスを中心に戦後の言論の成り立ちを確かめる試みだった。九州大学への出向と論説室という二つの機会を得て、社説を中心とした社論から新聞の歩みを考えはじめた。

戦争責任を抱きつつ、戦後の沖縄社会とともに歩むなかで「抗う新聞になった」というのが、私の結論である。そこには日本と米国、二つの国を相対化する記者たちの眼差しがあった。

当然に紆余曲折の歴史をたどっている。

敗戦によって全国の新聞も大きな転換点を迎えたが、組織的には戦前の新聞統合の姿を継続した。全国と同じ道を歩んだ沖縄の新聞は沖縄戦のなかで潰えた。沖縄戦直後の捕虜収容所のなかでウルマ新報（現在の琉球新報）が、3年後の48年に沖縄タイムスが発刊される。ともに米軍の許可のもとの誕生である。

戦後の出発にあたっての社説は、米国の「暖かい援助」を歓迎し「(琉米親善を) 崇高な気持で讃えたい」とうたっている。しかし米国デモクラシーへの期待は、基地拡張にともなう土地の強制接収の動きとともに反転し米軍政との対峙の時代を迎える。1950年代半ばの島ぐるみ闘争にあって、新聞は「住民は名だけ与えられて実を伴わない〝自治〟に軍政の息吹きを感じ」「半植民地的隷属の懸念」を表明していく。

同時に「わが琉球を支配した悪い統治制度が、わが民族性を毒した」と書いている。過去の日本時代を否定的にとらえる認識と表裏をなしていることは重要な点だ。

51年のサンフランシスコ講和条約を前に帰属問題における沖縄タイムス、琉球新報両紙の社説には、米軍政からの脱却が必ずしも祖国選択へ直線を描くものではない論調がうかがえる。復帰を主張する沖縄タイムスと国連信託を論ずる琉球新報は鋭く対立する。しかし注意深く読んでいくと、沖縄の自立の一点で交差する。両紙の帰属論には、後の祖国復帰運動に色濃い民族主義的な主張とは異なる、現実的な選択としての提起があった。

60年代に入り、基地の被害と人権の保障の主張は日本国憲法への期待と結びつき、社説は熱をおびて展開する。しかし、72年施政権返還による祖国との再会は深刻な課題を沖縄社会と新聞に提示する。希望を託した平和憲法の形骸化を知り、米軍基地の固定化を決定づける日米安保体制の巨大な姿であった。社説は祖国復帰に「新たな差別と疎外」を見定めることで、県民に来たるべき時代への覚悟をうながしていく。

新聞はその属する社会のなかで視点を育て言論を培う。沖縄の新聞は戦後の沖縄社会のなかで、住民とともに「抗う新聞」へと自らを形づくっていった。米軍政との一筋縄ではいかない関係を含め、沖縄新聞人たちの息遣いを感じてもらいたい。

「時代の断面」を知ってもらう意味で、主に1980年代から90年代にかけ雑誌などの依頼を受けての原稿をまとめた。沖縄の「時計」の針は復帰10年から20年目をさしている。在沖米軍基地問題と安全保障、沖縄戦と教科書検定問題、それに昭和天皇の死去に伴うご逝去報道などである。

なかでも80年代の「日の丸・君が代」の学校現場への急速な浸透のなかでの高校生たちの姿を知ってもらいたい。教科書検定による沖縄戦の実相が歪められることへの県民の憤りからは、国家による住民の死の意味が繰り返し問い直されてきた。昭和天皇の死去に伴う報道にはメディアの現在が問われ、沖縄戦や戦後の長期の米軍政と昭和天皇との関わりが映しだされている。

大きくは本土化の強い潮流のなかで、県民が自己のアイデンティティを求め葛藤した時代だった。これらの前史があって95年の米軍基地に対する「沖縄の異議申し立て」へつながっていく。

雑誌『ＥＤＧＥ』の連載「沖縄の選択」は、95年から98年の基地問題の解決を求めた「沖縄の異議申し立て」の推移を追った。政経部デスクのころで、日々の記事をベースに大田県政の決断と揺れを書いた。ドキュメント風の連載は、時代の熱気に押されるままに筆も走ったように思う。

大田県政は辺野古への普天間代替基地建設をめぐり政府と対立し、国際都市形成構想という振興策では政府との協調を演出しようとした。その失速は「地球の引力から逃れられない月」と形容したが、中央と地方の力関係を映し出していた。3年半の沖縄の決断と揺れを今一度ふり返り、沖縄問題の本質をたどることになればと思う。

「沖縄の選択」と沖縄戦については、「あとがきにかえて」で現在の課題を含めてふれることにした。新聞記事は沖縄戦関連を選んだ。2004年、戦後60年を迎えての社説、1995年建立の「平和の礎」解説、80年代に取材した八重山・波照間島のマラリアによる悲劇、宮古のハンセン病施設・南静園の証言を加えた。沖縄戦の多層なあらわれを知っていただきたい。

ほか、コラムや安全保障研究会の報告、新聞協会発行の『新聞研究』などへの拙稿も加えた。

◇　◇　◇

「復帰ぬ喰ぇーぬくさー」。40年近くの記者生活の残光ともいえる記事や沖縄の新聞論をまとめながら、この言葉につきあたった。批評家の仲里効さん（1947年生まれ）が自身と同世代に向けた言葉として使っていた。

『『復帰』後の時間に対して同化できない齟齬を抱きつづけながら、『復帰』を繰り返し問い、糺していくところに立ち上がってくる意識的な存在のカタチといえばいいえようか」（『オキナワ、イメージの縁（エッジ）』仲里効著、未来社）と書いている。２００７年のインタビュー（沖縄タイムス「東奔西走・編集局長インタビュー」5月27日付）で仲里さんは次の言葉を引用した。

「戦前・戦中の教師たちが皇民化教育によって戦争責任を追及されるべきであるならば、戦後の教師たちが国民教育によって戦後責任を問われる」（友利雅人「ひとつの前提―戦後世代と天皇制」『新沖縄文学』74年4月号）。

復帰運動の中心を担った教師たちの戦前と戦後における責任を論じているが、ならば次の世代には「復帰後責任」が生じると仲里さんは問いかける。この課題を抱き続けているのが「復帰ぬ喰ぇーぬくさー」たちである。

原意の「艦砲ぬ喰ぇーぬくさー（米軍砲弾の食い残し）」は、沖縄の人たちが「沖縄戦を生き残ってしまった」者として、隣りあう死者たちと戦後を生きはじめた言葉だと理解してきた。仲里さんは、沖縄の人々の「戦後意識の原像」だという。

私たちの世代は沖縄戦ではなく復帰、が意識の原像となっている。正直にいえば私の力を越える世代責任論なのだが、沖縄と国家（日本）の関係を考える意識がどこかに常にあって記事を書いてきたように思う。いやむしろ、沖縄を取材することは「国家と沖縄」を意識せざるをえない。内に県民の国への抗いを感じ取り、外には国の統合へ向けた力を見つめてきた。そのようなせめぎ合いを取材してきた。

沖縄の戦後史は「艦砲」と「復帰」の「喰ぇーぬくさー」たちが織りなしてきたと思う。それは日々の暮らしを守るための懸命な営みでもあり、次の世代に安寧な「世（ゆー）」を残したいとする叫びでもあった。沖縄の新聞もまた、その一員だった。

１９７０年４月、日本留学生として東北の山形大学に入り、72年5月15日の復帰の日をかの地の目抜き通りで沖縄返還協定粉砕デモのなかにいた。そのような「復帰世代」としての記憶が、仲里さんの世代責任の言葉に反応したようにも思う。

「復帰ぬ喰ぇーぬくさー」の一記者の目を通した事象が、沖縄を知り、考える手がかりとなれば幸いだ。

新聞論をまとめるにあたっては、特に門奈直樹著『アメリカ占領時代沖縄言論統制史』（雄山閣）、辻村明・大田昌秀著『沖縄の言論―新聞と放送』（南方同胞援護会）から学ぶことが大きかった。宮里政玄著『アメリカの沖縄統治』（岩波書店）とあわせ、沖縄への真摯な眼差しが導いてくれたと思う。あらためて感謝したい。

執筆にあたって上間了氏（琉球新報元論説委員長、専務）、同僚の真久田巧氏にお世話になった。出版を引き受けてくれた沖縄タイムス社、編集において緻密な作業に労をいとわなかった出版部・友利仁氏にお礼を申しあげる。

I　新聞が見つめた沖縄

「詩人の想像力がいとも簡単にナショナリズムの熱狂の中へ取りこまれることを私たちに教えています」

「詩人といえども、自らを新しい歴史的経験の文脈に見出さない限り、既成の思考の枠組を無意識に受容してしまうことがよく分かります」

（米須興文『文学作品の誕生』）

序章

沖縄タイムスには、論説委員が担当する「大弦小弦」という朝刊コラムがある。創刊して2年後の1950年8月、横文字の「TIMES EYE」から中国古典に題をとった現在のコラム名にかわった。紙面は一面の左肩に社説、下段には「大弦小弦」を置き、新聞社の顔が二つ並んでいた。後漢書に「大弦(絃)急なれば小弦(絃)絶ゆ」とあり、琴は大きな弦を強くかければ小さな弦は切れてしまう。政治の過酷さが民を疲弊させ国を滅ぼすという、いわば権力者への戒めの意味がある。

1面に社説とコラムの二つを置くことで主張する新聞を意図したことには、タイムス創刊メンバーの戦前、戦中のジャーナリストとしての反省と、米軍政における住民の代弁者としての覚悟が込められている、と私なりに考えてきた。

2006年8月、筑紫哲也さん(ジャーナリスト)にインタビューをする機会があり、創刊メンバーの豊平良顕のことへ話が及んだ。まだ米軍政下の時代、筑紫さんは「新聞は公平さを目指すものだが、なぜタイムスは住民側に立つ報道をするのか」と聞いた。豊平は「米軍の権力は強く、声は大きい。平等に扱うことが中立・公正と言えるのか。新聞が、住民の小さな声を大きくしてはじめて対等にな

沖縄タイムス

晋州10キロに進出
キーン作戰軍善戰

敵の抵抗を排し
浦項で市街戰展開

米戰闘機基地
浦項飛行場で戰闘

正面の敵せん滅
第一騎兵師團進撃

ゲ師團長自ら
掃蕩戰を指揮

ソ連代表、祕密會で
西歐側提案を拒否

安保理事會
結論得ず
遂に散會

南鮮代表の出席問題で
ソ連再び大論戰

韓國政府大邱撤退か
米英大使館も撤退準備

スパイ暗躍
ゲリラに悩む
こうして戰つている

朝鮮戰局には樂觀
マ元帥とは意見一致

日本人義勇兵
募集決案

海軍航空隊出撃
各地で戰果多大

50年度
琉球民政府決算

豫算不執行三千八百五十二万円
歳入減四千八百餘万円

沖縄から出撃の
B29機爆撃
最大の攻擊加う

北鮮軍
東江へ

大弦小弦

那覇劇場

「大弦小弦」が初めて掲載された1950年8月12日付沖縄タイムス1面

れる」という意味のことを話したという。

戦前から戦中の日本の軍国主義、そして戦後の米軍政――沖縄では強い弦の音が鳴り響いてきた。県民を死に追いつめ生活と文化を破壊した沖縄戦において、豊平ら戦前の新聞人たちは大弦を強くかける側にいた。戦後、彼らは住民の声を聞き取り小弦を守ることに努めてきたように思う。

しかし必ずしもはじめから響き渡るものではなかったことは確かなようだ。大弦の強い引き締めに切れてしまいそうになることはなかったのだろうか。沖縄の新聞はどのようにして「小弦」の音を響かせようとしてきたのか。その歩みを社説を主な手がかりに時代背景とともにたどってみたい。

（2006年1月、沖縄県立図書館歴史講座で沖縄の新聞について話す機会を得た。同じ「新聞が見つめた沖縄」のタイトルでまとめなおした。）

「時代」と歩んだ新聞　沖縄戦・米軍統治の下で

「渇望の平和　愈々到来!!」「戦争終結の大詔渙発さる」

1945（昭和20）年8月15日、日本敗戦の同じ日に出た沖縄と東京の新聞は、戦争の同じ結末を伝えながらも言葉（記事）はずいぶんと違っている。それは主に、受け手（読者）と発信者（新聞社）の違いから生じてくるものと考えられる。時の権力者との距離や圧力を指摘することも忘れてはならないが、基本的な構図は、誰のための記事でどのような姿勢で書くのかという新聞社の判断と、その判断を共有する社会、という二つの要素が大きく影響してくると思われる。

事実は同じでも「記事」は異なってくる。この事実に対する価値判断、選択にジャーナリズムの本質が問われている。

「渇望の平和」はすでに沖縄戦が終結し米軍占領下にあって米軍の意図の下に発刊されたウルマ新報の見出し。「戦争終結の大詔渙発さる」は朝日新聞で、天皇の名の下の戦争遂行に協力してきた帝都の新聞。

わら半紙にガリ版刷り、かたや大判の活字印刷とつくりも違えば、なにより伝える相手が大きく異なっている。沖縄戦で捕虜となった収容所の住民へ「平和」を伝える新聞と、勝利を信じている国民へ天皇の「大御心」による敗戦を伝える新聞。二つの記事の背景には、読む人々の異なる風景が広がっていた。

戦争前夜の新聞は東京も沖縄もほぼ同じ風景の中にいた。それが戦局の変化のなかで大きく異なっていく。沖縄の新聞を、戦前の様子からたどってみる。

戦前・戦中期　戦意高揚の沖縄新報

全国の日刊新聞は1937（昭和12）年ごろ190社、41年104社、43年には54社と減少し、統合が一挙に進んだことがわかる（『日本新聞百年史』日本新聞連盟、1962年）。戦時体制へ新聞界も動員されている。むしろ積極的に協力してきたというべきだろう。戦後に戦争責任論議の中で経営陣や編集幹部の交代がなされた新聞社は多かったが、戦時の全国紙統合や一県一紙となった「体制」はほぼ継続し、現在の日本の新聞発刊へつながっている。

「蟋蟀（こおろぎ）は鳴き続けたり嵐の夜」

軍国主義へと進む30年代の日本にあって、疑問を直截に書き論陣を張った信濃毎日新聞社の主筆・桐生悠々の句である。

33年8月11日、桐生は「関東防空大演習を嗤（わら）う」と題し、陸軍の演習に異を唱えた。「若し敵機を、帝都の空に迎えて、撃つようなことがあったならば、人心阻喪の結果、我は或は、敵に対して和を求めるべきを余儀なくされないだろうか」と疑問を示した上で、「打ち漏らされた敵機の爆弾投下こそは、木造家屋の多い東京市をして、一挙に、焼土たらしめるだろう」と書いた。

「一挙に焼土」は10年後の連合国軍の空襲で現実と化し、「敵に和を求め」たことは歴史が証明することになる。桐生はこれにより軍部から圧力を受け、新聞社を追われることになるが、その後も個人誌（「他山の石」）を発刊、ジャーナリストとして発言を続けたことはよく知られている。

戦中期においての新聞界に、桐生悠々や「小日本主義」を掲げ軍国主義を批判した石橋湛山ら優れたジャーナリストによる客観的な視点と批評は皆無ではなかった。しかし新聞が総じて軍国主義という時代に迎合、積極的に担ったことは事実である。新聞の客観的な目は後退し、むしろ戦争への道を鼓舞するものとなった（注1）。

◆沖縄の3紙統合

37年には軍機保護法改正で軍事、外交の記事が制限される。翌年の38年3月に国家総動員法、太平洋戦争の始まる41年5月には日本新聞連盟が国家的使命を達成する自主的統制団体として結成される。政府に協力すると同時に新聞用紙など資材の割り当ての調整などを行った。太平洋戦争開戦の12月、新聞事業令によって全国紙、ブロック紙、地方紙ごとの統合が進められる。新聞が戦争遂行へ協力を惜しまない体制である。

沖縄の新聞とて例外ではない。全国の潮流の中で「一県一紙」へと統合されていく。

統合の動きは九州・沖縄は全国的にも早かったようだ。新聞事業令前年の40年11月に宮崎、次いで沖縄は12月に統合される。41年以降、佐賀、鹿児島、熊本、大分、福岡、長崎の順で一紙体制になる。当時の沖縄の主要紙は琉球新報、沖縄朝日、沖縄日報だった。沖縄朝日編集局長で、戦後沖縄タイムス初代社長となる高嶺朝光（１８９５〜１９７７年）によると、県警察本部から新聞統合の話がきたのは40年春だった。

高嶺は「来るべきものが来た」と受け止めたが、「長い歳月をかけ、情熱をそそいで築き上げた新聞への愛着は、簡単には断ち切れなかった。そうかといって、反対はできなかった」と書いている（『新聞五十年』沖縄タイムス社、１９７３年）。物資統制で新聞社は用紙供給を政府に押さえられ、反対して用紙を断たれるか服して発刊を続けるかの二者択一を迫られた。

３紙は統合され「沖縄新報」が誕生する。３紙競合から１紙へ、経営的には思わぬ恩恵があった。販売競争はなくなり、戦時下に購読も増え経営は安定した。高嶺は「沖縄の新聞はじまって以来の黒

注１　門奈直樹著『ジャーナリズムの現在』（日本評論社、１９９３年）は「反軍ジャーナリストとして激しく軍部に異を唱えていた桐生悠々でさえ」、１９３１年10月17日信濃毎日夕刊で「難有（ありがた）迷惑な国際連盟」という評論で、国際連盟を虎に中国を狐にたとえて「小賢しい狐が虎の威を借りて、満洲での日本の既得権益を侵そうとしている」と訴えたとしている。門奈は、同時代の他の日本人と同様、「軍事大国」日本へのおごり、たかぶりがあったことは否定できない、と指摘している。須田禎一著『ペンの自由を支えるために』（評論社、１９７１年）は「防空演習そのものに原則として反対しているのではなく、単に演習の方法に異議をとなえたにすぎない」と反軍ではないと論じている。

字経営に成功して、社員の待遇も改善された」。かわりに競争がなくなったことで「みるみる紙面は精彩を欠いた／一県一紙は編集を萎微沈滞させ」、読者からは「官庁の掲示板か」と批判されたという。

41年12月８日の開戦の日について、「私は今でも苦笑する／『来栖大使の渡米で太平洋に平和がもたらされることを』といった社説を八日の沖縄新報に書いたら、いきなり開戦だ」。新聞が平和への期待をぎりぎりまで主張していたことはうかがえるが、その自嘲気味な回顧には当時の限界をも感じとれる。

沖縄新報は戦時色を強め、戦争遂行へと走る。

当時、沖縄新報記者で戦後、沖縄タイムス創刊に加わる牧港篤三（元専務）は、憲兵隊や連隊区司令部から記事の制限があり、徐々に自己検閲の形になっていったと語っている（『別冊　新聞研究「聴き取りでつづる新聞史」』発行１９８２年11月、聴き取り１９７７年10月。日本新聞協会）。「連隊区司令部に行きますと、君の召集令状があるのだ」と脅しをかけられ、髪が長いといわれ丸坊主にならざる得なかったなど述べている。この「聴き取り」で沖縄戦時に朝日新聞那覇支局記者で、同じく沖縄タイムス創刊メンバーの上間正諭（元編集局長・社長）は「戦意昂揚というのが新聞記者の使命じゃないか、というようなことがありました」と、白地に丸い斑点のある山羊を「日の丸山羊で吉兆」の記事にしたことを語っている。

当時の紙面の一例として44年11月15日の沖縄新報をみてみよう。

前月には延べ９００機に及ぶ米軍機の大規模な攻撃（10・10空襲）を受け、那覇市は９割が灰燼に帰すなど全県で多くの犠牲者が出た。翌年３月の沖縄戦が迫るなかでの新聞である。「航空兵になり

たい　大空へ闘魂燃やす」の見出しをつけた学童紙上座談会が載っている。

「家を焼かれ校舎を焼かれた那覇市の／罹災学童の明るくも力強い雄叫び」と記事はつづられる。「憎い敵機へ体当り」「ゴム鉄砲で射撃す」の見出しに「寒いとかあれが欲しいこれが欲しいと□□□（判読できず）は敵に負けてしまいます／我慢をおしとおしていくことが勝ち抜く力になる」と、小学6年生の話を載せている。

ほかに「敢然と戦い抜け　○○部隊長　県民を激励」「空母八隻撃沈破　戦艦二隻撃破」の見出しをつけた記事。大本営発表を中心に、地元取材を含め戦時の記事で埋まる紙面である。

◆壕の中での新聞発行

米軍上陸直前の45年3月中旬、高嶺はじめ沖縄新報の社員30人余は首里城本殿裏の師範学校生徒らが掘った「留魂壕」に入る。米艦載機の空襲、艦砲射撃が激しさを増し、高嶺は3月末、「壮麗な首里城正殿の屋根も忽然と消えている」ことを目撃する。

米軍は3月26日慶良間列島、27日渡嘉敷島に上陸、追いつめられた住民の「集団自決」（強制集団死）が島々で起こった。4月1日に嘉手納・北谷海岸に上陸した米軍は、同日、海軍軍政府布告第1号を公布し、日本政府の沖縄へのすべての権限の停止を宣言する。沖縄の米軍政はこの日からはじまった。

同じ4月、沖縄新報は沖縄守備軍（第32軍）の長勇参謀長から「戦車に対する戦術―指導」の5千部のビラ印刷を依頼されている。高嶺は、敵軍が目前に迫る中での戦術指導を「泥縄」と形容しているが、沖縄新報が印刷したビラや新聞は翼賛壮年団の役員らが空襲と艦砲射撃の合間を縫って近隣の壕に隠れる住民へ配っていったという。

大田昌秀編著『総史沖縄戦』（岩波書店、1982年）に同じ4月29日付の沖縄新報と米軍発行の「琉球週報」第1号が資料として掲載されている。

沖縄新報は「総合戦果　一万八千余を殺傷　戦車二九四両その他火器多数」「瀕死の空母群に替り敵北中飛行場使用」などの見出しと記事。「きょう天長節　戦場で奉祝」の1段の記事も。社説の「壕生活の組織化」では、壕内の秩序と保健衛生を保つよう書いている。

琉球週報は「沖縄にて米軍　着々南進す」の見出しに司令官のバクナー中将の顔写真。戦況地図として黒く塗り潰されている米軍占領地域は、沖縄本島の浦添以北と伊江島、慶良間諸島。日本軍の白地は浦添あたりから那覇、南部だけとなっている。ほかに「戦艦大和撃沈」「連合軍ベルリンに向け猛進」の記事も。

米軍の琉球週報は沖縄戦やヨーロッパの戦況などほぼ正確に伝えている。沖縄新報は日本守備軍の発表などを取材するのみで、過剰な戦果の報告がなされている。社説に住民と新聞の接点がわずかに垣間見れるのだが、戦時の社説については後述したい。

5月22日から守備軍は首里から南部へ撤退を始める。沖縄新報の社員たちは25日未明、自主的に首里の壕を出て、軍とは別行動をとり南部へ移動する。沖縄新報はこの日をもって廃刊となり、「一県一紙」体制は沖縄戦のなかで崩れた。

沖縄の新聞は、戦後、米軍政下で新たな刊行の歴史を歩むことになる。

戦後初期　軍政下の新聞復刊

45年8月15日、敗戦を告げる紙面に戻る。「戦争終結の大詔渙発さる」を主見出しとした朝日新聞。読売新聞は「大御心に帰一せん」、毎日新聞「太平洋戦争に畏き聖断を拝す」と、主語を天皇にしての敗戦の報道である。

朝日新聞の『新聞と戦争』（朝日新聞紙面2007年4月〜08年3月、出版08年6月）によると、14日御前会議で終戦は最終決定し、現在の内閣官房長官にあたる書記官長によって新聞社に終戦の詔書が発表されたのは15日午前0時だった。場所は首相官邸の地下防空壕、敗戦を伝える新聞の配達は正午の玉音放送後となっていた。「戦争継続派の決起など不測の事態を招きかねないとの理由だった」という。

「一億相哭（そうこく）の秋（とき）」と題された朝日新聞の1面社説は、天皇の決断が発せられた以上これに従おう、という国民への呼びかけとなっている。「敗戦直後の紙面では、まず、国民に『敗戦、降伏』という現実を理解させ、納得させせようという努力が試みられた／ただの『降伏』ではなく『聖断による平和回復』であるという趣旨の記事が多く書かれ／これによって、徹底抗戦の立場から暴発しかねない強硬派をなだめ」と『朝日新聞社史　昭和戦後編』（1995年）はこの日の紙面を説明している。敗戦という受け入れがたい事実と、軍部の動きへの警戒感からか紙面には緊迫感が漂う。

社説の主題は国民の天皇に向けたお詫びの色調を帯びている。「一億の臣子」の「自省自責、自粛自戒」

の対象は、敗戦という事実に対するというより「君国の直面する新事態について同胞相哭し、そして大君と天地神明とに対する申し訳なさで一ぱいである」と、天皇に向けた申し訳なさでつづられている。天皇によって始められた戦争はその聖断で終わった。敗戦の日の新聞もまた、天皇へ集約しその名の下で国家再興を誓うものとなった（注2）。

◆ウルマ新報

「渇望の平和　愈々到来!!」としたウルマ新報は、1945年8月15日第4号となっている。配った捕虜収容所では日本が敗けたことに「デタラメだ」と新聞を棚ざらしにした地区もあった（『琉球新報百年史』1993年）という。

「八月十五日ワシントン発　今朝八時ツルーマン大統領は『日本政府が連合国の再回答を受理した』」と手書きの文字はつづり、日本の軍事管理はマッカーサー元帥によって行われると伝える。日本政府の発表として「天皇は日本がポツダム宣言の条件を受理せる旨のみことのりを発せられた」「天皇は日本の陸海空軍の最高指揮官及其の部隊に、『軍事行動を中止して、連合国指揮官の命令に服せよ』と発令せられた」などと報じ、同内容をモスコー放送としても載せている。

B4サイズの小さな手書き新聞は8面（2面は原本が白項）まであり、終戦間近の国際政治、軍事の状況が伝えられている。1面の日本のポツダム宣言受理に続いて、3面に「米英支三国政府首脳の日本への降伏勧告文、速報として11日長崎市への原爆投下やソ連（赤軍と表記）の満州侵入、4面には「偉大さが確認された」と6日広島市への初めての原爆投下が破壊力を含め載っている。一方で、戦争孤児の引き取り手の協力呼び掛けや軍医部からの注意など生活ニュースもある。

現在の新聞でいえば1段余の小さな見出しにすぎない「渇望の平和　愈々到来!!」。捕虜収容所において戦場で生き残った人々に配られた新聞は、住民の戦争終結の願いを簡潔に表現していた。

ウルマ新報は45年7月25日、石川市（現うるま市）で発刊される。ガリ版刷りで週2回発行、米軍の広報宣伝紙と位置づけられ、社員は軍に雇用されていた。すでに戦後の占領政策は始まっており、収容所生活をする住民への宣撫のための新聞であった。

米軍は戦前の新聞記者たちを除外した。日本の軍国主義に加担したとみており、ウルマ新報は機械を扱う制作作業をのぞき、記者は〝素人〟が選ばれた。題字の「ウルマ」はサンゴの島を意味する沖縄の言葉で、戦前の新聞と関連する沖縄、琉球、朝日などの名は使っていない。

初代社長の島清（弁護士・旧姓島袋）が書いた覚書によると、本人は社会主義者であり日本の軍国主義にも反対だったが、米軍の権力を盾にすることにも批判的だったという。米軍は援助をしても干渉しないという条件で、島はウルマ新報を引き受けた（森口豁著『紙ハブと呼ばれた男』彩流社、2019年）。

注2　『新聞と戦争』は、1945年8月14日付で内閣情報局から戦争終結交渉に伴う世論指導方針が示され国民の責任と天皇へ「深く謝し奉り」するよう新聞社に求めていた資料を紹介しつつ、「国体護持のため／天皇にわびるという『一億総懺悔論』もまたあらかじめ情報局によって示されていた」としている。

「うるま新報」とひらがなに改題されるのは46年5月29日、その翌週には社告で「五月二十二日付を以て米軍政府並びに沖縄民政府の機関紙として指定されました」と役割をうたっている。米軍に加えて住民側の行政組織として誕生した沖縄民政府の広報宣伝の機関紙としても位置づけられていた。

◆創刊続々　競争時代へ

戦中に沖縄新報が廃刊となり、戦後の沖縄では新聞はゼロからの出発となった。米軍によるウルマ新報を皮切りに、48年から50年にかけて多くの新聞が発刊される。全国の「一県一紙」とは異なり、許諾権を持つ米軍政のもとの発行という環境のなかで沖縄の新聞は独自な歴史を歩むことになる。

本土と異なる重要な点は、戦前の新聞社幹部を中心とした公職追放などの戦争責任が問われることはなかったことだ。これは沖縄社会全体にいえることで、米軍は沖縄の占領政策として、戦後復興のために沖縄住民の協力を優先した。戦争責任は、公にではなく一人びとりに問われることになったともいえよう。

48年7月に沖縄タイムス、50年にかけて沖縄毎日新聞、沖縄ヘラルド、琉球日報、沖縄日日新聞などが次々に創刊されていく。宮古、八重山でも時期を前後して新聞が発刊されていった。沖縄の新聞はうるま新報の1社時代から一気に競争時代へと移っていく。

米軍政という圧倒的な力の下でのジャーナリズムのありようが問われ、戦後復興、帰属問題と祖国復帰、基地問題など戦後の選択をめぐって新聞が淘汰されていく。経営の一貫性や取材力も要素となって、50年代半ばには沖縄本島においては、うるま新報を改題した琉球新報と沖縄タイムスの2紙へほぼ収れんされていく。

沖縄タイムスの創刊について見ていく。48年5月、米軍政府が元新聞人たちの発刊を認めるという情報を得て、高嶺朝光ら旧沖縄朝日を中心としたメンバーは動いていた。そこに米軍側から「重大なニュースがあるから、早急に報道してほしい」(高嶺『新聞五十年』)と頼まれ、同時に発行許可も得ることができた。そこで創刊2日前の6月29日「通貨切換断行さる」の「号外」を出している。創刊には「沖縄民政府から横やりが入ったが、軍政府はそれを無視した／独占させずに競争させるというアメリカ流の考えがあったようだ」とタイムスの社史は書いている(『激動の半世紀』1998年)。

戦前の軍国主義を担った新聞人をパージしていた米軍がこの時期に方針を転換し、そのうえ〝スクープ記事〟まで提供している。複数の新聞による自由な言論という米国流の考え方だと社史はとらえているが、背景として考えられることの一つは米軍のうるま新報への評価の変化だろう。

うるま新報は46年9月に島社長の後任として瀬長亀次郎(1907〜2001年、沖縄人民党委員長、那覇市長、復帰後日本共産党副委員長、衆院議員7期)が社長に就任、47年4月に民間企業として軍政府から独立、無料から有料の販売制に移行していた。その直後の7月に沖縄人民党が結成されるが、瀬長と編集局長の池宮城秀意は中央委員となり、初代委員長はうるま新報前原支局長の浦崎康華だった。新聞社と新政党は重なりあっていた。軍政府の新聞担当者から「唯一の新聞である、うるま新報の社長と編集者が、一政党の幹部であることは、好ましくない」と政党からの離脱と中立公正の立場を求められた(『琉球新報百年史』)という。

新聞の自由な競争という軍政の方針は、日本占領初期に連合国軍総司令部(GHQ)のとったリベラルな方針と一致する面があると思える。しかし占領軍が検閲など厳しいプレスコードを敷いたように、沖縄においても発刊の許認可、記事検閲、資材提供まで新聞発行のすべての決定権は米軍が握っていた。沖縄統治の新聞利用という意図があったことは十分に考えられよう。新報の独立もタイムスの創刊も、戦後の新聞は米軍政のコントロールの下にあった。

◆記者たちの戦争責任

沖縄タイムスは戦前の沖縄新報、統合前の沖縄朝日の同人を中心としている。つい3年前まで戦意高揚の記事を書いていた新聞人たちは、戦後どのような新聞をめざしたのだろうか。

創刊のことばは「荒廃した沖縄には戦前の姿を見出すことは出来ない。吾々の生活はことにみすぼらしいもの」と戦後3年の状況を述べた上で、言論機関として郷土再建の使命を強調するとともに、「暖かい援助」をする米軍政への協力をうたっている。1面には創刊の辞とともに、トップ記事は在沖米軍司令官で民政副長官のタイムスへの祝意で飾られている。

注目すべきは戦争の傷痕が深い中で「新らしい文化の創造/子孫に伝える文化を築こう」と郷土と伝統を意識した文化復興を沖縄再建の柱にすえていたことだろう。

この郷土文化への強い志向にタイムス新聞人の反省と選択があったことは確かなことと思われる。創刊メンバーの豊平良顕(1904~90年)を通して考えみたい。

豊平は戦前、沖縄朝日の記者や朝日新聞那覇支局長として離島の貧困など沖縄の実情を取材していた。44年からは統合された沖縄新報の編集局長となり、首里城下の壕で最後の新聞づくりのあと南部に逃れ捕虜となった。戦後、崩壊した首里で散逸した文化遺産の収集に努めるなど、いち早く沖縄の再生を郷土の文化に求めた。創刊の翌49年に総合美術展「沖展」、50年に沖縄戦の住民証言集『鉄の暴風』刊行、さらに琉球古典芸能の復興に取り組んだことは、豊平の意志と実行力があったからだといわれる。

ここでいま一度、45年の戦時下の沖縄新報にもどる。戦前の新聞人たちの軍国主義の論理を確かめるために。

戦意高揚で埋まる紙面を先に紹介したが、米軍上陸のおよそ1カ月半前の45年2月16日の社説から考えてみたい。トップ記事は敵機動部隊の南西諸島接近、16日以降厳戒を要する、と伝えている。沖縄戦は目前に迫っていた。

社説は「郷土を護れ　戦うのみだ」。コピーされた新聞は字が潰れ読み取りが難しい部分もあるが

1948年6月29日 THE OKINAWA TIMES

沖縄タイムス　号外

通貨切換断行さる

交換期間7月16日―20日まで

經濟生活安定へ

悪性インフレに終止符

新貨幣に法定制限

クレイグ副長官談

1948年7月1日 THE OKINAWA TIMES

沖縄タイムス

沖縄再建の重大使命

創刊を祝す

㊤ 1948年6月29日付号外
㊦創刊の同年7月1日付一面

大要、次のような言葉が綴られている。書き出しは「戦場には軍も官も民もないすべてが戦闘員だ。一丸となって戦うのだ」（□は判読できず。以下同）と総力戦の決意ではじまる。

「竹槍であろうが鍬や鋤であろうがそれが武器となるものであればてんでに掲げ、一人十殺の必殺／これが県民の絶対的使命となったのだ／郷土沖縄は皇土の一部であるこれを敵の泥□に踏み□らせてよいものか／県民が全責任を持って郷土を護り抜かなければ一体誰れが護るのだ／軍ばかりを頼って一身の安危に汲々とするものが居たら却て軍の作戦行動に邪魔するのが落ちであろう／試練は火の如く／厳しければきびしい程人間を□く鍛えあげる／敵の本格的来襲、それは大規模の□□空襲と敵艦隊の艦砲射撃と上陸作戦が一つ束となってやってくるであろう、恐ろしい試練であろうが、これによく耐え抜いて戦って行けば、われ〳〵は今まで想像もなし得なかった□□の強い力をもって居たのを発見してびっくりするに違いない。これが□□の力であり敵を撃滅する力だ」

この社説の筆者が編集局長だった豊平であったかどうかはわからないが、戦中の沖縄新報の姿を知ることができよう。

郷土を皇土ととらえ、軍に頼らず県民自ら守り抜く決意を迫り、「きびしいほどに人間を鍛えあげる」という精神論で住民を鼓舞する。大規模な空襲、艦砲射撃、上陸作戦など情報としては具体的で、沖縄戦はまさにそのような米軍の攻撃で始まった。住民が体験する〝鉄の暴風〟がすでにイメージされ、敵は「一つ束でやってくる」と的確な情勢予測をもちながら、住民には竹槍で一人十殺を唱えている。

戦力の差、予測される戦闘の状況を伝える情報を持ちながらも、論旨はすべてが国ための戦闘参加を促し、精神論に集約され、客観的な判断へと生かされることはない。結果として県民を死へ追いつめていく。沖縄守備軍第32軍が県民に指示した「軍官民共生共死の一体化」との共通性がみてとれよう。多くの人々が軍とともにあり、生き延びることを選び得なかった沖縄戦、その結果をも予測させる社説の論理となっている。

豊平の首里の壕に移ってからの様子を牧港は次のように記している。「物に動じないというより、何か毎日が張りのない状態／新聞づくりに見せたあの情熱は吹き飛んだようであった」（引用は真久田巧著『戦後沖縄の新聞人』沖縄タイムス社、1999年、より）。5月25日、豊平は沖縄新報の社員らと南部へ逃れた後、6月19日に真壁村（現・糸満市真壁）で捕虜となる。

高嶺は「沖縄新報最後の編集局長をつとめた豊平君は、戦時中のジャーナリストの責任を感じて（タイムスの）編集局長就任を固辞した」と書いている。「ジャーナリストの戦争責任は、私たちみんなが同等に負わねばならなかった／その反省に立って、やり直したい―と私は豊平君と話したことがある。豊平君はデリケートな人だから、なかなか感情的にふっきれず、心を痛めているようすだった」（『新聞五十年』）。

豊平は編集局長とはならず、論説の執筆とともに文化復興事業を担っていく。創刊の辞にある「新しい文化の創造」とは郷土文化の復興から戦後をはじめようという、高嶺や豊平らの再出発宣言と読み取れる。タイムス初期に、豊平が書いたであろう社説でたびたび登場する「民族」という言葉に象徴されるように、精神的な自立と沖縄の文化復興を社論の柱にすえ、戦後の道標とした（注3）。

高嶺、豊平とともに沖縄戦を体験し、戦後のタイムス創刊にかかわった上間、牧港は、戦争責任ついて次のように語っている（『別冊　新聞研究「聴き取りでつづる新聞史」』）。

「戦犯的な意識もありましたし、自責の念が強かった／戦争に協力したのは時代の波に流されたというだけではすまないものがありますね」（上間）。「高嶺さんや豊平さんは、戦争が終わった時期に、いままでのような新聞はやるべきではない、と考えておられましたね／戦争が終わってから、考えれば考えるほど、大変なことをした、という意識が私たちにもありましたから／こわいですね、新聞記者というものは」（牧港）。

このなかでタイムス創刊時について「当初から、物をはっきり言おうという気持ちが、お互いの中にありましてね。今度、新聞をつくる時は、従来の繰り返しではいけない、という反省が多分にありました」（上間）と語っている。

◆戦後の出発

創刊の翌49年のタイムス社説は次のように「自主的精神」を強調する。

「（沖縄には再建に必要な金と物がなく）政治的経済的事情からみて援助を与え得るのはアメリカ以外にはないがしからばアメリカが援助してくれたら沖縄の再建はたやすく出来ると考えていゝかどうか、金や物を使うのは吾々であり、吾々の生活行動が自主的精神によって行われて始めて金も物も生きてくる／究極に於て吾々を救い得るものは吾々以外にはない／他からの援助や指示のみに従う以外には何事もなし得ない（となると）民族の興隆は望めない」（49年3月2日）

戦中の沖縄新報の「郷土を護れ」との違いは明白である。守るべきは「皇土」ではなく「民族（沖縄）」であり「文化」だった。国家ではなく、足元の沖縄に目を移している。沖縄戦において住民を死に追い詰めていった社説の論旨は、身近な郷土や家族を守ることと国体護持を結びつけることで、国の方針である軍国主義と一体化させ戦争へと導くものだった。これを郷土の自立へ、暮らしの再建へと目標を変えていったところに戦後の新聞の出発はあった。

しかし、戦後のジャーナリズムは論旨の方向性を変えただけで生まれかわれたのだろうか。国の情報を一方的に読者（県民）に伝え、国の政策への賛同を強制していった、その新聞の機能に問題は潜んでいないのだろうか。読者と新聞の関係、情報取得における新聞の主体性の二つの面から、戦後の新聞は問われていたように思う。

高嶺や豊平、琉球新報の池宮城秀意（琉球新報編集局長・社長、１９０７〜89年）ら戦前と戦後を生きた新聞人たちはなにを考え、乗り越えようとしたのか。戦前と戦後の間には、ジャーナリストして、人間として、埋めることのできない深淵が横たわっていたのは確かなことなのだろう。再び同じ言論

注3　豊平良顕は沖縄新報の時代について「必死で作った紙面は、軍国主義そのもの。私は戦犯だ」（朝日新聞社『新人国記』第10巻、１９８６年）と述べている。豊平の文化論については戦後初期の「文化の雑婚と民族文化」（『月刊タイムス』第2号、１９４９年3月）などに詳しい。豊平は「（琉球文化の）個性は無比、優れた異色を持っている、それは、孤島沖縄の在来文化ではなく、日本、支那、朝鮮、南方諸国との混血文化ではある」とし、明治後を「日本政府から独善的な画一文化を強いられ／世界文化との雑婚を禁止された民族の奴隷化」と書いている。戦後の希望を「世界文化との混血時代がいまに洪水の如き時代風潮として展開される／素晴らしい混血文化を産み、朝薫の組おどりに優る琉球演劇その他凡ゆる琉球新文化が創造されて世界文化の一隅を占めることが可能かも知れない。否それを目指してこそ琉球民族の在り方は厳存する」とうたっている。

の道を選んだ彼らの戦争責任は、戦後の新聞づくりに仮託されていった。戦後の新聞の軌跡に「答え」を探していきたい。

さらにもう一つの重要な要素が加わる。戦後の沖縄は、米軍という圧倒的な権力の下にあった。新聞はこの現実と向かいあい、祖国復帰という政治的選択を問われ、軍政下の住民の暮らしに立った紙面づくりに向かっていく。

この戦後の模索する日々の紙面づくりにこそ、新聞と読者の図式を変えていく契機があったのではないだろうか。戦後の沖縄ジャーナリズムの動きをさらに具体的にみていきたい。

50年代初期 「解放軍」に見た夢

戦後初期の沖縄社会において特徴的なことは米国（軍）に対する高い評価があって、民主主義をもたらすことへの期待と重なっていたことだろう。つまりは「解放軍」として米軍を好意的にとらえていた。それは戦後の日本においてＧＨＱの統治に期待感を抱いたこととも共通するものといえよう。

「解放軍規定」という言葉をもちいて戦後初期のアメリカ占領軍への受け止め方を指摘した国場幸太郎（元沖縄人民党員、著書『沖縄の歩み』岩波現代文庫）は、戦後初期に日本共産党や本土の沖縄人同盟が沖縄の独立を主張した根拠として、「アメリカ占領軍を解放軍とみた、いわゆる〝解放軍規定〟」があったことをあげている。また「『沖縄人』を『日本民族』とは別個の一種の〝少数民族〟と見る見解」

も指摘している（1962年『思想』2月号）。

後述するように、51年サンフランシスコ講和条約を前に、沖縄では帰属をめぐり祖国復帰以外にも、独立論や国連信託、米国への帰属までさまざまな選択肢が提起された。これらの選択には米軍を解放軍とする見方も影響を与えている。新しい支配者となった米軍に対する新聞の評価の変遷をみていきたい。

タイムス創刊の辞でも住民生活の基盤として「アメリカの暖かい援助」をあげていたが、後に復帰運動の先頭に立ち米軍政批判を掲げた瀬長亀次郎もうるま新報社長の時期に、米軍を解放軍だと言及している。

49年8月5日のうるま新報に、瀬長亀次郎社長の退社声明書が掲載されている。「民族解放運動の一ぺい(兵)卒として、琉球民族戦線結成のため」と政治活動への決意を込めて退任の理由を述べるなかで、うるま新報については「アメリカぐん(軍)の御用新聞だとまで悪口をたゝかれながらも敢然として刊行を継続し、解放ぐん(軍)としての米ぐん(軍)に協力し、民しゅ(主)沖なわ(縄)建設のため果敢な報道の戦を戦いつゞけて来た歴史にかざられてます」と書いている。

琉球民族戦線結成と米軍を解放軍とする認識が矛盾なく語られている。声明書はうるま新報社長として米軍への配慮を込めたとする見方もできようが、「解放軍としての米軍に協力」した新聞という位置づけに無理はなく、むしろ軍とともに混乱期を歩んだ「果敢な」新聞としての自負さえ感じられる。

54年ごろの執筆と思われるが池宮城もまた「解放軍として上陸した米軍が沖縄に蒔いた禁断の実、自由の精神は、間違いなく沖縄に芽を出しつつある」（池宮城秀意セレクション『沖縄反骨のジャーナリスト』ニライ社、1996年）と、戦前からの転換をもたらした解放軍という見方をしている。
新聞に見いだせる米軍を解放軍とするとらえ方は、戦後初期において「民主主義、自由をもたらす米国」への期待と二重写しになっていた。

◆沖縄基地の固定化

しかし解放軍という見方は、50年代半ばに入り急速にしぼんでいく。反共のための防衛ラインとしての長期維持という米国の沖縄統治政策の確定は、新たな基地建設と住民の土地の強制接収や言論の抑圧となって表面化する。軍政による民主化という、本来成立しえない関係に住民は気がついていく。日本が占領から独立に向けて日米交渉が本格化する時期と重なり、51年のサンフランシスコ講和条約の締結という「祖国日本の慶事」（注4）と「基地沖縄の固定化」は並行して進むことになる。

戦後初期の解放軍とまでいわれた米軍とはどのような状況だったのか、よく知られている米紙報道からみていく。米軍政の変化は沖縄の長期統治政策と結びついており、沖縄基地問題の発生の地点が浮き彫りとなる。

米国記者は、沖縄統治にあたる米陸軍を痛烈に批判している。タイムスが「暖かい米援助」とたたえた同じ時期である。ただしこの米軍の混迷ぶりを炙り出す二つのレポート記事は、取材を許可した新しい司令官への賛辞がすぎるところもあり記事の中立性には疑問なしとしない。

タイム誌（49年11月28日）でフランク・ギブニイ記者は「忘れられた島―沖縄」を次のように描く。
「司令官たちの中の或者は怠慢で仕事に非能率的」で「そのぐん（軍）紀は世界中の他の米駐屯ぐん（軍）のど

れよりも悪く、その一万五千人の沖縄駐屯米ぐん（軍）部隊が絶望的貧困の中に暮している六十万の住民を統治して来た」（「タイム誌記者の見た占領四年後の沖縄」うるま新報49年12月3日掲載）

ＡＰのトム・ラムバート記者のレポートは沖縄タイムスに掲載された（50年4月28日～5月2日、4回）。

「優柔不断、倦怠、占領行政に対する無関心から誘致された沖縄に於ける無為無策の政治は／アメリカ人及び沖縄人両口の活動力と独創性を骨抜きにしてしまった／沖縄は米陸軍にとって『太平洋のシベリア流刑地』として知られるようになった」

これらの記事には二つの共通点がある。米陸軍の沖縄統治への批判的な視点と、対称をなす形での49年末に就任したシーツ琉球米軍政長官への賛辞である。

タイム誌は「朝鮮のぐん（軍）隊で立派な仕事をした明朗で精力家」の就任で「米軍の士気は大いに是正された」。ＡＰは「荒廃沖縄の再建を胸一寸に秘めて勇躍着任してきた／軍紀粛正の『とてつもない大きな、新しい箒』を持ってきて容赦なく其れで掃除を始めた」。

米記者に自由な取材を許可したのが「明朗な精力家」で「新しい箒」を持って赴任したシーツ長官だった。

注4　1952年4月28日、サンフランシスコ講和条約が発効し、日本は7年の連合軍占領から独立を果たす。翌29日、沖縄タイムスは社説「歴史の峠に立ちて」と題し、「祖国日本の慶事」を「祝福」するとともに「取残された嘆息が深く／残存主権が日本にあるから、将来日本へ復帰する」ことへの期待を書いている。拙稿「沖縄ジャーナリズムに見る安保と憲法」（本書154ページ）参照

タイム誌記事を掲載したうるま新報は同じ日の社説「善意の実現」で「相当に忌憚ない批評を米国並に米ぐん(軍)政の面においてやっている／これはかつての日本では全く考えられないことである」と記事を評価した上で、自由な取材を許可した「(シーツ新長官の) 善意と熱意」に賛辞を送り、さらには「善意に応える沖なわ(縄)人自身の自らを救おうとする努力」を求めている。

シーツ政策によって沖縄は戦後の本格的な経済復興が始まったといわれる。海運、石油、食糧、保険など現在に続く県内主要企業の設立は49年から50年のこの時期に集中している。また琉球大学創立、米国留学の実施、琉球放送（ラジオ）の開始と多岐にわたる。沖縄復興の土台ともいえる政策が打ち出された時期で「シーツ善政」と新聞は評価した。

宮里政玄著『アメリカの沖縄統治』（注5）は49年から53年を「アメリカの基本政策の確定期」ととらえている。次に要約する。

戦後の国際情勢は大きく動いていた。49年10月中華人民共和国の成立、同12月に国民党の蒋介石政権は台湾へ逃れている。アチソン米国務長官は50年1月の声明で、米国の防衛ラインをアリューシャンから日本、沖縄、フィリピンと表明。そして同年5月、トルーマン大統領は対日講和交渉の早期開始を要望する声明を出し、ダレスを担当にする。

初期の米軍の沖縄運営は米記者のレポートにあるように、沖縄戦に続く占領状態であり「無為無策」の状態だった。そこから大転換する。非軍事化を目指した日本政策の転換と沖縄の恒久基地化――並行した形で米国は大きく舵を切り、51年サンフランシスコ講和条約とともに日米安保条約が締結される。日本の独立と米国による沖縄の長期維持はセットだった。沖縄の恒久基地化のスタートはいわゆる「シーツ善政」であり、その目的は「沖縄を米軍基地として恒久的に保有する」ためには「住民の支持を必要とした」からであったと宮里は分析している。

「楽観主義」に基づいていたシーツ政策は、本国における外交の硬化や反共のマッカーシー旋風などでしだいに修正されていく。シーツ政策の矛盾に住民は気づきはじめ、新聞も論調を変えていく。その現れとして「米琉親善の日」の報道などを次にみていきたい。

50年代半ば「民意」を選択した新聞

1950年代の米軍政への評価と祖国復帰に関する新聞論調を中心にみていきたい。51年に締結されたサンフランシスコ講和条約第3条は、沖縄について日本に潜在主権はあるとしつつも、実態としては米国の長期保有を認めるものだった（注6）。沖縄の地位が確定するとともに、住民生活と軍事優先の米軍政との矛盾は深まっていく。ここでは「米琉親善」と反基地闘争のはじまりとなった「島ぐるみ闘争」を通して新聞論調の変化をたどる。続いて祖国復帰や国連信託などの「帰属論」をめぐ

注5『アメリカの沖縄統治』(岩波書店、1966年)。著者・宮里政玄(1931～2019年)は国際政治学者、国際大学、独協大学教授を歴任、琉球大学名誉教授。沖縄対外問題研究会代表。著書に『日米関係と沖縄』『学問と現実の津梁』など。

る新聞の主張を詳しくみていきたい。新聞は「民意」を選択することで視点を確立していくことになるが、それは必ずしも一本道ではなかった。

◆米琉親善と「軍政の息吹」

50年5月26日の沖縄タイムス1面は、「米琉親善」を祝うシーツ軍政長官の挨拶を写真入りで掲載している。１８５３年のペリーの琉球来航から約１００年の時を刻み、「相互の友愛と理解で　築く復興の『礎』」の見出しが躍っている。志喜屋孝信知事の「米琉親善についてシーツ長官が常日頃深い御関心」を持っていることに対する感謝の弁が続く。

1面左肩の社説は「米琉親善を祝う」の題。陸上、野球、庭球のスポーツ大会など多彩な記念行事が行われ、「国境を越え人種を越えてのむつましい愉しい歓びを倶(とも)にする祝典」を「崇高な気持で讃えたい」という書き出しだ。

「戦災で丸裸にされたため／末世的な言動をわれわれ沖縄人は敢えて犯した」と、〝戦果〟といわれた米軍物資盗み、横流しの行為に言及する。そのうえで「正直、親切、勤勉」「知性と教養」を備えようと啓蒙的な書き方である。アメリカとの関係について「米人のヒューマニティを飽く迄信じたい／米琉親善のくさびは矢張りヒューマニティで結ばれる友愛と理解である」と締めくくっている。

ここで示されているのは米国の民主主義への強い期待であり、シーツ政策の沖縄振興策への評価と結びついている。恒久的な基地政策を前提にしながらも、軍政は経済振興による安定的な統治をめざしていた。

3年後の53年の「米琉親善週間」では論調に大きな変化が現れる。51年にサンフランシスコ講和条約が調印され、日本の独立と第3条による米国の沖縄統治の長期化が決まった。軍政による基地拡張が本格化の兆しを示す。一方で、住民側の軍用地接収への反対の声が高まりを見せはじめる。この3年間の変化を新聞は反映していく。

ペリー来航100周年にあたる53年、米国民政府は5月20日からの1週間を「ペルリ百年祭」と位置づけ、盛大な米琉親善の記念行事が繰り広げられた。タイムスは米軍と共催で花火大会を那覇市泊港で行っている。

5月20日のタイムス社説は「親善を増進するもの…」と言葉を濁すようなタイトルながら、「軍政の息吹きを強く感じ」ると批判的に書いている。

社説は記念行事を紹介し米琉親善を祝しつつも、軍用地問題に言及する。4月には布令109号「土地収用令」が出され基地拡張のための強制的な土地接収が始まっていた。「住民は名だけ与えられ実の伴わない〝自治〟に軍政の息吹きを強く感じ／経済的自立への道程において半植民地的隷属の懸念

注6　第3条は日本に潜在主権があるとする一方で、米国が国連に信託統治の提案を行うまで沖縄、奄美、小笠原の統治を認めている。米国の長期保有を日本が容認するものとなっている。条文は南西諸島、小笠原群島などについて「日本国は、米国を唯一の施政権者とする信託統治制度の下におくこととする国際連合に対する米国のいかなる提案にも同意する」「このような提案が行われ、かつ可決されるまで、米国はこれらの諸島の領域及び住民に対して、行政、立法及び司法上の権力の全部及び一部を行使する権利を有するものとする」

への反発は政治的自由への強い欲望となって現われて居る」と踏み込んでいる。

「世界にも稀れな位温順（な琉球の）／住民が声を大きくして叫ぶことはよくよくのこと／心耳を傾けて」とあくまで要望の書き方だが、「軍政の息吹」「半植民地的隷属の懸念」という言葉は米軍政の本質をとらえた批判であり、3年前の「ヒューマニティ賛美」とは明らかに異なっている。

続く26日の社説は、日の丸と星条旗の二つの国旗について書いている。親善週間の期間は日の丸掲揚が許されていたが、祖国日本と沖縄の関係をめぐって論旨は複雑にからみあう。

「米軍当局と琉球住民は統治、被統治者の関係にあるとは言え、人間解放を目指す両者の近代感覚に曇りを生ぜぬかぎり、必ずや星条旗と日の丸に栄光あらしめるであろう」という書き方は、米国統治を認めつつも両国国旗を並び立てることで日本の一部だと主張し、日の丸を米軍政への注文の道具立てとする。そこから社説は過去へ向かう。「わが琉球を支配した悪い統治制度が、わが民族性を毒した。この民族性を改める米軍当局の民主主義に基く統治を祝って」。今度は「日本時代」を否定的にとらえるなかで、過去に毒された民族性の回復の手がかりとして米国の民主主義に期待を寄せる。

戦前と戦後の日米それぞれの統治を語る社説には、日の丸と星条旗のはざまに揺れる沖縄がある。同時に過去と現在の統治者を冷静に見つめる。二つの国旗に対する視線を通して、二つの国家に対する沖縄の意思を語りはじめている。

さらに2年後の55年5月23日の米琉親善週間初日は、軍用地強制接収に反対する比嘉秀平主席ら渡米使節団の出発の日と重なっていた。前日の22日、買い上げ反対の軍用地問題解決促進住民大会が開かれている。立法院が決議した「土地を守る四原則」（後述）の堅持を決意、比嘉主席ら渡米団を激励している。この動きを受けて24日、タイムス社説は「米琉親善の要諦」を書く。

社説はまず「深刻な文化の孤島苦」にあって、米側の協力で世界的な米管弦楽団公演が実現したことを米琉親善にプラスするものだと大いにたたえている。その上で「ところで例の軍用地問題があって」と本論へ進む。前日の住民大会にふれ、土地問題は全住民の関心事であると詳しく説明し、米側に「米琉親善と土地問題、この二つに横たわる矛盾を解決しない限り、米琉親善を真に結実させることは、とうてい不可能ではあるまいか」と主張していく。

一方で比嘉主席ら渡米団に対し「米軍当局に媚びてばかりいた『沖縄の政治』を、この際改めたらどうだろう／相互の利益と協力に基いて／正義的に解決するのに遠慮は無用であろう」と注文する。軍政よりの比嘉主席に住民代表としての覚悟を迫り、「それが琉米親善の要諦だ」と結んでいる。

1行目に「米琉親善」をうたった社説は末尾で「琉米親善」と主体を代えている。「要諦」とは住民側からの軍政、民政双方への土地問題解決への要求だった。

◆「銃剣とブルドーザー」による土地接収

50年から55年の「米琉親善」を通して、米軍政への新聞の変化をみてきた。その背景には並行して進んでいた基地建設の拡大と住民の抵抗があった。サンフランシスコ講和条約で沖縄の統治権を得た米国は、日本政府の暗黙の了解もあって「新しい占領政策」を進めていく。

米軍の「銃剣とブルドーザー」による強制土地接収がはじまり、土地を守るために立ち上がった住民は行政、立法、市町村を含めた「島ぐるみ闘争」へと動いていく。

米国民政府は52年11月、布令91号「軍用地の契約権について」を出し、契約期間20年、地価の6％地料を一方的に設定した。これに多くの地主は反対し、対等な立場での契約を求めた。53年4月、布令109号「土地収用令」を施行、強制接収が本格化する。その理由を民政副長官は「米軍が琉球に駐屯する唯一の目的は（共産主義の）侵略を防ぐため琉球列島に要塞を築くことである」（宮里『アメリカの沖縄統治』）と述べた。

54年3月、米陸軍省は、沖縄で軍用地1万8000ヘクタールを買い上げ、3500世帯を八重山へ移住させると公表。その直後に米国民政府が軍用地料の一括支払いを発表した。4月には「人民党は共産党である」と声明を出し、「メーデーはマルクスの誕生日」だから参加しないよう勧告するなど、米軍政の強硬な反共政策が際立った時期だ。

これに対し立法院は4月30日、「軍用地処理に関する請願決議」を行う。軍用地使用料が極めて低廉で、住民の窮乏は言語に絶すると訴え、「民主主義を確立し、共産主義の浸透を防ぐ上からも、軍用地問題の円満解決は必要である」と要請している。決議の「土地を守る四原則」（一括払い反対、適正補償、損害賠償、新規接収反対）は、住民側の統一的な主張となっていく。

米国民政府は決議を、社大党や人民党の扇動によるものと考え、接収に反対する人々を共産主義者とみなし弾圧していく（宮里『アメリカの沖縄統治』）。強制接収は本格化し、55年には宜野湾・伊佐浜、伊江島などで反対する住民の強制退去が行われる。5月22日、買い上げ反対の軍用地問題解決促進住民大会が那覇市で開かれ、比嘉秀平主席ら渡米交渉団を激励、タイムス社説が米琉親善には土地問題解決が必要だと米軍政に求めたのは前述した。

記憶しておくべきことは、現在の在沖米軍の主要兵力である第3海兵師団の富士演習場などの本土からの移駐開始はこの時期であり57年に完了している。国民の米軍基地反対の世論や運動を受けての日米政府の決定であった。

本土の米軍基地削減と沖縄の基地拡大はパラレルで、52年当時、沖縄基地の5倍の面積だった全国の米軍基地は60年代までに約4分の1まで激減した。さらに復帰を前にした70年初頭に全国的な基地縮小（面積で58％）が行われたが沖縄ではわずか5％の減少にとどまっている。50年代に強まった沖縄の基地の過重負担は現在まで続くことになる。

◆反基地闘争の原点

この時期に、朝日新聞の「米軍の『沖縄民政』を衝く」の特集記事が掲載される（55年1月13日）。国際人権連盟の要請によって日本の自由人権協会が沖縄について調査、その結果を朝日新聞が報道した。土地、労働、人権の3分野について詳細に紹介、土地問題を「農地を強制借上げ―煙草も買えぬ地代」、労働問題では軍作業において人種による労賃の差別があり、米人、フィリピン人、日本人、そして沖縄人の順だと指摘した。

翌14日の朝日社説は次のように書く（引用は中野好夫編『戦後資料　沖縄』日本評論社、1969年より）。

「沖縄県民は、われわれの同胞である／その同胞が、土地の強制借上げ、労賃の人種的差別、基本的人権の侵害などで、文字通り最低の生活さえ営みえない状態に立至っているということは、日本人の強い関心をよばずにはおかない／わが政府は、すみやかにアメリカ政府ならびに軍当局にたいして、諸般の事情につき説明を求め、事態改善を要請すべきである」

『アメリカの沖縄統治』で宮里は『朝日新聞報道』によって軍用地問題は本土の世論に訴えられ、もはや沖縄自体だけの問題ではなくなった／米国民政府の強硬政策のもとで萎縮していた沖縄住民はにわかに生気を取り戻した」と報道の影響に言及している。

土地闘争は56年6月の「プライス勧告」で一挙に島ぐるみ闘争へと広がりをみせる。

比嘉主席らによる米議会交渉を受けて、55年に訪れた同下院のプライス調査団に対する住民側の期待は大きいものがあった。しかし同調査団の報告書は、沖縄の基地の重要性を強調、一括払いによる基地建設計画を認めた。小学生にも星条旗の小旗を振らせ歓迎した住民の願いは、「軍事的必要性が断乎として優先する」としてはねかえされた。

立法院は「非民主的措置」だとして不満を表明、土地連合会は緊急総会で一括払い拒否を確認、「無慈悲な施政権者の代行機関になるべきではなく、共同の責任を負うことを拒否すべき」と琉球政府、立法院、市町村長、議員、住民へ呼びかけた。比嘉主席や立法院議員、民間を含めた幅広い機関で総辞職を決意、四者協議会は代表の本土派遣、住民大会開催など行動へ移る。

タイムス社説は「『四原則貫徹』のスローガンに、いま全沖縄は火の玉となって燃えさかっているような感である／プライス勧告に端を発したこんどの問題は、きのうきょうのように起ったことではなく、戦後十年間、なんとか持ちこたえてきたものが、一ぺんにセキを切って流れ出たようなものだろう。いわば『忍従』の極限にあらわれた抵抗である」（6月19日）と、島ぐるみ闘争を支持した。

この時の四者協議会は、秩序ある行動のほか「無抵抗の抵抗をもって、力に対処する／米国の方針と争うのであって、在留個々の米人とではない」など闘争の実践要綱を決定する。「命どぅ宝」を訴えた阿波根昌鴻の伊江島土地闘争を含め、沖縄の反基地闘争の原点が形づくられたというべき時代だった。しかし島ぐるみ闘争は、米軍による中部を中心にしたオフ・リミッツ（軍人・軍属などの立ち入り禁止令）などの揺さぶりや四者協議会の分裂、軍用地料の大幅引き上げなどもあって急速に収束へと向かう。

しかしながら大規模な大衆運動をつくりあげ米国の政策に修正を迫った住民の抗議行動は、祖国復帰運動、さらには反基地運動へと結びついていくことになる。新聞もまた、戦後の米軍政10年間を「忍従」と位置づけ、土地を奪われることに対する「極限にあらわれた抵抗」だと住民の声を代弁していった。

この時期と重なったタイムスの社屋建設についてふれてみたい。島ぐるみ闘争が盛り上がっていた56年、琉球銀行からの建設費融資が米国民政府によって止められた。その頃の様子を『新聞五十年』で高嶺は、「米民政府のある係官が沖縄タイムスに来て編集の諸君に、『一週間ばかり、一括払い支持の記事を書いてくれたら、空気も変わりますよ』と言った」というエピソードを載せている。

社屋は沖縄相互銀行の融資もあって建設（57年6月）され、落成式には米国民政府の全高官を招き、花火大会で盛大に祝った。ただし、本土からの花火の輸入許可を妨害していた財務担当官だけは招待しなかったという。

支配者と新聞の一筋縄ではいかない関係が見えてくる。

◆帰属の行方

51年9月8日、米・サンフランシスコで対日講和条約は調印され、日本の独立が決まると同時に、同第3条によって米国は沖縄への独占的統治権を確保した。翌52年4月28日の条約発効の日付は、祖国から切り離された「屈辱の日（4・28）」として60年代に入り祖国復帰運動で象徴化されていく。

講和条約を前に日米政府の交渉は本格化し、沖縄の戦略的位置づけがかたまっていく。当事者である沖縄では祖国復帰や独立論、米施政の継続を意味する国連信託統治など、将来をめぐって議論が湧き起こる。沖縄戦から5年余り、捕虜収容所からはじまった戦後は復興へ歩みはじめていた。住民は、将来像を描くために帰属問題で選択を迫られ、新聞もまた方針を表明していく。

帰属問題は50年9月の群島知事選（奄美、沖縄、宮古、八重山の4群島）ですでに重要な選択肢となっていた。沖縄において、親米派の松岡政保に対し祖国復帰を訴えた平良辰雄が勝利。復帰を目指す沖縄社会大衆党（社大党）は平良を委員長に同年10月31日に結成されている。

帰属問題は祖国復帰論へ収れんされていくことになるが、この時期は、社大党と人民党の復帰論に対し、独立を掲げた共和党（50年9月〜52年2月、保守派の松岡政保派により結成）と国連信託の社会党（47年10月結成、親米政策を掲げる）があった。共和党は日本統治下の沖縄は植民地のように差別され、復帰すると同じことだと独立を訴えた。社会党は信託統治（米施政）で復興していくことを主張した。

沖縄タイムスは51年1月、役員会で「はっきり復帰を主張すべき」と方針を決める。「米軍から弾圧をくうかも知れない。それを覚悟して」の全会一致の決定だった（高嶺『新聞五十年』）。高嶺社長が社説を書き、全役員に回覧した上で掲載した。

新聞社における経営と論説の関係と、高嶺らの選択の背景について簡単に触れておきたい。

筆者の経験からしても、役員会で社説について論議することはほとんどない。というよりも新聞社においては経営側と、紙面をつくる編集局や論説委員会とは一定の距離を置いている。そのことが報道の公正公平性を保つことになる、という認識が経営側と編集現場にはある。沖縄タイムスにおいて創刊メンバーが社長や編集局長など幹部を占めていた50年代初期であったとしても、社説を役員で協議することは普段はなかっただろう。

社長が社説を担当し役員に回覧する慎重な対応からは、「日本復帰」の表明が沖縄社会への重要なメッセージであるとともに、新聞社において米軍政との緊張をはらむものであったことがうかがえる。この時点ですでに高嶺らも講和条約交渉において米国の沖縄統治（当時は信託統治案としていた）は決定的とみており、米軍政の継続を見通した上での「日本復帰論」だった。

高嶺はこの社説について『新聞五十年』で次のように振り返っている。「別に日本が祖国だからとか、日本人が優れた民族だからという理由で帰りたいと思ってはいなかった。ただ、ひたすらアメリカの軍事的支配下から一日も早く脱出したいと思った」。もう一つの選択肢である独立論については、経済的に不可能と否定し、「(日米の）〝両属政治〟になってしまうのが落ちである／独立がダメなら、帰るより仕様がない。沖縄が生きる道は、それ以外にはない」と断定的だ。王朝期の中国（冊封体制）と日本（薩摩支配）の両属時代は近い歴史だった。

つけ加えるならば、60年代半ばから主論となる平和主義に基づく米軍基地への批判はここではみられないが、「自決権」をベースにした論旨はすでに現れている。国家への帰属の意味を読者へ提起していると考えたい。後述する琉球新報の社説とあわせ、戦前と戦後に体験を重ね持つ新聞人たちの「国家とは」の問いかけの意味もあったとするのは深読みであろうか。

◆沖縄の自決権

2月3日、タイムスは「日本復帰論」を社説で掲載する。題は「琉球の帰属」とストレートだ。琉球人と日本人が人種や言語風俗などを異にするものではないとしつつも、「日本帰属を希望するものは郷愁といったような感傷から出ただけのものでないことは明らかであろう」とし本論に入る。「琉球人が日本人と同一みん族であるという所謂血のつながりと、政治的自主心をもちたいという民族の政治意識は前途に如何なる苦難が横って居ても敢然として乗り越えて行こうとする精神を湧起せしめる。これが日本に帰りたい願望となってくるのではないか」と書く。日本とのつながりを前提にしつつも主題が「民族」の政治的自主心の獲得であることは明らかだろう。

さらに、米国の援助に頼ることや日本への帰属が経済援助を求めてのことならば「乞食民族」だと批判する。「吾々は経済的独立を念願するがそれは必然的に政治的独立への願望ともなってくる／民族の政治的自主性という遠い慮りによって冷静に考えなければ吾々自らは勿論児孫のためにも賢明とは言えない」と強調する。この場合の民族とは沖縄人をさしていることは明らかで、日本復帰論は現実には米軍政からの脱却を意図し、遠い未来であっても「民族の政治的自主性」が目標とされていた。

このように「政治的自主心」「政治的自主性」の言葉が反復され、その主語として「民族」が使われている。今日的にいえば「沖縄の自決権」こそが目的だと明確に論じている。

しかし社説は一転して、日米両政府の琉球政策の直視を読者に求める。

「日本の政党方面では琉球の主権及び領土権は日本に帰して貰い、アメリカの必要とする軍事基地は租借の形式をとるという希望も出て居るようである」と日本側の考え方を示す。その上で「琉球の帰属はどうなるかは一にアメリカの意志によって決定される／アメリカのアジアに於ける国防第一線がアリューシャン、日本、琉球、台湾、比律賓(フィリピン)の線におかれて居るという冷厳なる事実と国際情勢とを吾々は正視し、如何に運命づけらるかを自らの判断でにん識(認識)してこれに対処する心構えを整えておかなければならぬ。希望と現実は同一ではない」と結んでいる。

日本復帰という選択肢を提示しながらも、日米両国の政策に読者を引き戻す。「運命」という言い方は復帰志向の抑制、直接には米軍政を認めるものと読み取ることもできないわけではない。しかし、日米に依存することなく子孫のためにも政治的自主性を確立していこうという論旨は、住民に対し現実を直視し運命を切り開いていこうという提案だった。

翌2月4日、社説は「琉球の帰属(再)」として掲載される。住民へ復帰のありようを説いた社説は、今度は米軍政に対し日本復帰論を擁護していく必要があった。

「平良(辰雄)知事は帰属問題の討議に当り反米主義は排斥しなければならないと言うて居るがまさにその通りである」とし、反米闘争の具として帰属問題を扱うことを「断平排斥すべき」と強調している。その上で、「(アメリカの援助に)心から感謝しなければならない。が、帰属の問題に就て日本復帰を希望することと、感謝の念とは明らかに別個のものである」と帰属論の正当性を主張し、軍政の介入に釘をさしている。

社説の反響について、高嶺は「奄美大島では、この社説が読まれると『総立ちになった』と当時、名瀬市長の泉芳朗氏が、後に私に話している」と回顧している（『新聞五十年』）。51年は先述したように、サンフランシスコ講和条約で沖縄・奄美の「政治的運命」が決まることになるが、住民側からは「祖国復帰」への発火点となった年であった。

社説掲載の51年2月に奄美で日本復帰協議会が結成され、14歳以上の復帰署名は人口の99・80％に達した。3月、沖縄群島会議（奄美を含む）は復帰決議を15対3で採択。沖縄では社大党と人民党が中心となり日本復帰促進期成会が4月に発足、沖青連を中心とする署名運動で8月末までに有権者の72％、19万9000人余が集まった。社説「琉球の帰属」が「(希望を明確にするには）人民投票を行う外はない」と書いた通りに、住民は米軍政下にあって「祖国復帰」の意思を初めて表明していった。

◆国連信託を主張

祖国復帰支持が圧倒的な世論に立ち向かうかのように琉球新報の池宮城秀意編集局長は「国連信託論」を展開する（『沖縄反骨のジャーナリスト』より。以下の引用も同著による）。ここにも、戦前・戦中を体験した新聞人の視点が表現されている。

社説掲載はタイムス社説前日の51年2月2日。「沖縄は国連信託たるべし」と主張する。

「アメリカにコビる必要もなければ、同様に日本に感傷を送る必要もない。あくまで現実に琉球或は沖縄に住む全人民の生活の再建を脚下の目標におかねばならぬ」とし、「破壊された沖縄の再建は第二次大戦に参加した諸国の責任において遂行／国連に沖縄復興の責任をとらしめることを実現するよう努力すべし」と論陣を張っている。

「遠き将来において沖縄或は琉球が独立し得れば独立でもよし、或は日本に帰属するかアメリカに帰属するかは、その時における情勢によって全人民の意志によって決定すればよい」と、時間をかけた議論を呼びかけている。

続く6日から9日の社説「何故国連信託を主張するか」において〝激しさ〟を増していく。タイムス社説の「日本復帰論」への反論を含んでの展開である。

帰属の選択において日米どちらが経済的な支援をするのか、なし得るのか、は重要なテーマであった。池宮城は、沖縄は戦後の混乱の中にあり「生活の建て直し」が主軸であることが強調され、沖縄戦への責任から支援に期待する日本に対しても「今度の戦争で沖縄人に劣らず惨めな生活にたたき落されたのは日本には何百万といる／日本経済はアメリカの援助に支えられている」として、日本からの経済援助は期待できないとする。

その上で「日本帰属を主張する人たちは生活上余裕のある階級に多いようであるが／日本に帰属しても島から一歩も出られない多くの島民は／無関係である」とするのは、階級論的な視点からの復帰論への批判だった。

池宮城はさらに論を進める。

「文化的にも人種的にも沖縄が最も日本に近いことは、今更言うまでもない。ところがそれだけで日本帰属を主張する理由とするのは小児の思考力にひとしい／人種論はしばしば排外的侵略政治家の利用した言葉であって、日本の天孫民族論やナチスのゲルマンの血の純潔を守れ、など今なお耳新しい迷盲のスローガンであった。人種や文化というものが自然あたたかいふん囲気を漂わせるということも考えられはしようが、それよりも常に経済と政治が人間歴史を動かす場合優位にあることを忘れてはならぬ」と、民族的な感情よりも生活の再建こそが優先すると主張する。

このフレーズには二つの論旨が含まれている。生活の再建については、「終戦以来アメリカの援助を受けて復興に努力してきたし／沖縄人は決して乞食根性に堕してはいない／より多く援助を得てより以上に経済復興をなし、一日も早く人間らしく自立し得てこそ沖縄人は救われる」と米援助による経済復興という現実的選択を提起する。

そしてもう一つが池宮城の主論とも思われる。日本と沖縄の歴史的経緯を踏まえつつ、戦後の選択を迎えた沖縄側へ強く警告し、表裏をなす形で日本感が現れている。

「沖縄人が日本人という意識を持つようになったのは一体いつの事であったか、を振り返ってみた時に驚かぬ沖縄人は少ないであろう／人間は今日の事実は百年も千年も昔からそうであったと考えたがるものであるし／今日の事実は永久に変らぬものであると錯覚を起こし勝ちなものである／それが政治家の狙いであるし、また大衆の弱点ともなっている」

戦後わずか5年、戦争へと国民を駆り立てた記憶の生々しい時代だった。池宮城はこの時期、帰属論を集中して書いている。同年6月の『琉球帰属論』第10号に掲載された「日本帰属は何を意味するか」では、明治の琉球処分から沖縄戦までの歴史を背景に、沖縄の新たな目標とともに日本国（人）への不信感を鮮明にしている。

「日本施政時代において沖縄人は日本から植民地扱いを受けてきたという歴史」の想起を促し、「敗戦後の日本がいかに民主化されたとしても、人間の感性というものは十年や二十年で変るものではない」と、戦後の日本（人）に対しても懐疑的な見方を崩さない。「戦時中にわれわれ沖縄人が日本軍政とアメリカ軍政とから受けた待遇の壁を今一度われわれは思い出すべきだろう／日本帰属によって沖縄人が再び『狭き門』に潜っていく結果にならなければ幸いであるが／沖縄人の解放という点から考えるならば、むしろ仲宗根源和氏の唱える『沖縄独立論』がまともな議論であろう」。

将来像として「狭い日本人という感情を捨て去り第二次戦争を契機として、新しい世界人としての第一歩をふみ出す覚悟を持ちたい」と、国連信託は沖縄を羽ばたかせる機会であり、日本離脱の方法とさえ考えている。

池宮城の日本への強い不信の背景に32年（昭和7）に非合法活動で逮捕、拷問され懲役刑を受けたことや沖縄戦の体験があったことは知られている。しかしその論拠は個人的な体験を超えて、沖縄の歴史に刻まれた日本と沖縄の関係にあったといえよう。戦後の日本の民主化について「人間の感性は十年、二十年で変るものではない」という池宮城の視線は、60年代後半の復帰運動において、さらには復帰後の現在において、沖縄が日本と直面する際によみがえる言葉であろう。

池宮城はこの社説を書いた年の8月、うるま新報を退職する。4年後の55年10月に復職するが、その間に社名は「うるま新報」から「琉球新報」へ変わっていた。

沖縄タイムスの日本復帰論と、うるま新報・池宮城の国連信託論は大きく異なるようだが、時代認識や方向性において共通点が浮かびあがる。

前者が「政治的自主心」といい、後者が「新しい世界人としての第一歩」を目標にしたのは、祖国日本や米国、国連への依存ではなく「沖縄の自立」と言い換えることはできよう。また戦前の日本時代を忌避し、戦後の日本に対しても懐疑的な見方も共通するように思う。

この2社の社論を支えたのは、戦前からの体験とともに、戦後の混沌とした中で復興へ向かう沖縄社会の熱気にあったように思う。日米政府によって沖縄の地位が決定されるなか、「民族」や「独立」「全人民の意志」などの言葉で熱く語られた帰属問題。両新聞が共通項とした「沖縄の自立」は現在も課題として残り、沖縄の針路を語る際の主要なテーマとなっている。

米琉親善週間の受け止め方の変化と「島ぐるみ闘争」「帰属論」をみてきたが、ほぼ同時期のできごとであり、相互に影響、関連しあう中で、新聞は「民意」と共振し、共鳴板の役割を担っていく。一方で軍政との距離を慎重にはかりつつ言論を獲得していく。

民意の重視は今日では当たり前のことのように思えるが、戦前の新聞人たちの「戦後への回答」であり、「自主的沖縄」を目指すことに役割を定めたように思える。「自主的沖縄」と「民意」が戦後の新聞を基礎づける原点となり、国家ではなく県民に依拠することを選択することで方向性は明確になった。

戦後初期の新聞の展開を、軍政のなかのしたたかさとみるか、「迎合」ととらえるか。次項では復帰前にまとめられた沖縄新聞研究を通して沖縄のジャーナリズムを考える。

新聞研究「権力への迎合」

沖縄の新聞について書かれた2つの著作を紹介したい。1966年出版の『沖縄の言論』（著者・辻村明、大田昌秀）、初版が70年の『沖縄言論統制史』（著者・門奈直樹、96年『アメリカ占領時代沖縄言論統制史』として復刊。引用は後者より）である。どちらも米軍政下に取材し書かれた沖縄メディアの研究書である（注7）。

沖縄の新聞研究の嚆矢をなす著作であるとともに、今日からいえば、復帰前夜の社会の中でまとめられた点でも時代の空気感を伝え貴重である。研究の主題である「言論の自由」の視点から、どの

注7　『沖縄の言論―新聞と放送』（南方同胞援護会、1966年）は辻村明東京大学助教授（当時。後に東京大学名誉教授。社会学博士）、大田昌秀琉球大学助教授（当時。後に同大名誉教授、沖縄県知事）の共同執筆。新聞、放送の創立経緯や論調など調査・分析している。『沖縄言論統制史』は初版70年（現代ジャーナリズム出版会発行）。著者・門奈直樹立教大学教授（当時。後に立教大名誉教授。社会学者）は96年の増補・改題（雄山閣出版発行）に際し、「27歳の作品で稚拙、分析力も乏しいと回顧しつつ『あの時代の熱気』を残すために初版当時とした」と書いている。

ように見えてくるのか。時代状況を知る上で、先述の宮里政玄著『アメリカの沖縄統治』(66年出版)にも登場いただく。両著に先行して出版され、国際政治学からのアプローチは客観的に軍政下の沖縄をとらえ、両著においても数多く引用されている。

ではどのように沖縄の新聞を読み解いたのか。沖縄タイムス、琉球新報に対し厳しい指摘がなされている。主要な部分をできるだけ再掲することで読者とともに考えていきたい。

◆権力と新聞の関係

『沖縄の言論』がどのように分析しているかを見ていくが、先に結論部分から紹介する。

「五一年末ごろまでは、米軍政府を批判できなかったばかりでなく、沖縄人はみずからの政府を批判する自由さえもたなかった/だれより『自由』を必要としたはずの新聞でさえ、この時期には公然と自由を要請する発言をほとんどまったくしていない。むしろ権力側に迎合的な発言をするかあるいはみずから口を封ずるような実情であった」

具体的に『沖縄の言論』をみていく。各紙の社説を分析しているが、ここでは主に沖縄タイムスを取り上げる。

創刊間もない48、49年のタイムス社説をいくつか取り上げ「読者にたいして精神面の自己改革を訴え」ていること、また早くから教育・文化の重要性を説いたことに注目し、次のように評価する。「沖縄の言論史上、きわだってめだつものである。現時点で読むといかにも当然すぎる論旨だが、食っていくことにのみ追われていた当時の困難な社会状況を考えあわすと、新聞と論説が、この時期ほど本来の指導性を発揮し、社会成員に大きな影響をあたえたことは、例がないといえるのである」

結論を読んだ後では対象は同じ新聞だろうか、と疑問を覚えるほどの高い評価からはじまる。

「他力依存を否定するような正論をかかげているのが注目される」として創刊初期の48年の二つの社説を例にし引用している。社説「焦土のなかに起上る」（48年7月14日）は米議会の沖縄救済費議決やハワイの同胞による救済運動を伝えつつ「復興を自らの手で成し遂げる覚悟であることはいうまでもない」。同じく社説「民主化を阻むもの」（12月8日）では「（沖縄の官尊民卑下の風習は）物事を自主的に考え、判断する力を失わしめ奴隷根性に安住する／奴隷根性を一掃しない限り民主化など到底出来るものではない」

また、急激な物価高騰など戦後の混乱が続くなかで「吾々は宿命的諦観に生きるべきでなくどこまでも環境を処理して自主的に自らの運命を切りひらいていく力を養いたいものだ。そうでなければ沖縄人は〝石にひしがれた雑草〟にしかすぎなくなるであろう」（49年2月16日「今こそ政治力の発揮」）を引用し、『沖縄の言論』は「住民の声に敏感に反応し、住民の側から物事を見て論じたのは、今日以上であった／社説は現実生活の次元のみに目を向けていたのではなく、その指向する点は、物資の豊富な現在以上に、高い次元にあったのである」と、ここでも高く評価している。

しかし、ここで評価されているのはすべて「吾々」や「沖縄人」に向けたものだということに留意したい。『沖縄の言論』は評価を反転するように「新聞が自由な批判を許されていなかった」「新聞は常に権力者の意向に気を配らなければならない状態であった」と当時の状況を解説し、その端的な例として49年末の「軍が民に示した政策を（住民側の）民政府が施行する努力を批判することは、軍政府を批判することと同一である」というシーツ軍政長官発言を挙げ、以下のように結論づける。

『沖縄タイムス』のかずかずのすぐれた論説も、ほとんどすべてが沖縄住民内部の問題に限られていた。批判の矛先が権力側に向けられたことは、きわめて少ないことに注目する必要があろう。どのようなきびしい状況下にあったにせよ、権力にたいする批判を重要な任務の一つとする新聞の建て前と関連して、めだつ点である」

◆言論弾圧

『沖縄の言論』第3章「新聞の問題性」では、軍政による言論弾圧の歴史をたどりつつ、言論の自由と新聞の指導性について分析している。

48年4月、反共的で米軍政寄りだった沖縄民主同盟の機関紙『自由沖縄』が民政府批判をしたことで発行停止命令を受ける。50年9月、人民党の事実上の機関紙『人民文化』の発刊禁止。同10月、『琉球日報』筆禍事件では、新聞投書をめぐり米国と米軍政府に敵意を示し誹謗、名誉を毀損する文を掲載したとして、担当記者と投書者が軍事裁判所で懲役9カ月と18カ月の有罪判決（ともに執行猶予2年）を受けた。このように50年前後の軍政による言論弾圧を列挙するなかで、新聞の役割を分析している。

53年4月の「天願事件」は、『アメリカの沖縄統治』で宮里が「米国民政府の政策に反対する沖縄住民の組織的な最初の運動であった」と解説しているように、戦後史でもエポックとなるできごとだった。さらに米軍政が反共とみられる活動を徹底して押さえ込もうとした「暗黒時代」を象徴するできごとともされる。

新聞論とも関連していくだけに、宮里著を手がかりに詳しくみていこう。

中部地区（第4選挙区）の補欠選挙で野党連合の統一候補（天願朝行）が当選したが、与党側は当選者が過去に横領罪で刑に服したことがあるため被選挙権の欠格事項にあたるとして、当選無効の異議申し立てを行った。琉球政府法務局は横領罪は欠格事項には「該当しない」という見解を出したが、米国民政府は「該当する」と群島選挙管理委員会に通告する。しかし選管は当選を告示、これに米国民政府は無効として再選挙を指示した。米国民政府の選挙介入に対し、野党の社大党と人民党は植民地化反対共同闘争委員会を結成して抗議していく。

この時期、米国民政府は「(日本復帰運動などは) 共産主義者によって教唆されている」とするなど、住民側の組織的な運動への弾圧を強めている。

宮里は、天願事件のあと「(与党の) 民主党はもはやタブーとされた日本復帰を綱領から実質的に削除した」。さらに「米国民政府の強硬政策は民主党を米国民政府に迎合せしめた」。一方野党も「社大党は統一戦線から完全に脱落し、萎縮し／日本復帰などについて大幅に後退」、人民党は「米国民政府によって弾圧され／弱体化したのである」と分析した。

復帰運動は51年の署名活動をになった日本復帰促進期成会が有名無実化し、沖縄教職員会や沖青協などの超党派による沖縄諸島祖国復帰期成会が53年1月に新たに結成されていた。その中心であった沖縄教職員会の活動に対し、オグデン民政副長官は「共産主義を教え、共産党員の補給の目的で教育を行なっている」と新聞社代表との懇談会で語る。その後、屋良朝苗会長は辞任に追い込まれ、復帰運動は後退の季節を迎える。

54年8月には、米国民政府が日本共産党の「秘密文書」を公表し、人民党との関係性を指摘、瀬長委員長を含む大規模な逮捕へつながっていく（人民党事件）。

『沖縄の言論』はこうした言論弾圧の中「権力側に迎合的」との具体例としてタイムス社説を例にあげている。

「現在沖縄の社会生活を規律しているのはニミッツ布告、軍政府布告と戦前の日本の法律及び沖縄の慣習である。軍布告は別として日本の法律及び慣習は改むべきものが多い」（48年12月1日、傍点は『沖縄の言論』）。同じく「軍政下、許された範囲の自由な生き方を／果敢に実践したい」（50年4月27日）。軍布告への高い評価や軍政下に許された範囲、と書くこれらの社説から「枠をのりこえようとの意欲はまったくない」と結論づけた。

◆言論の自由

『沖縄の言論』ではさらに、52年に「『言論の自由』の問題が初めて新聞論調にとり上げられる」として、第1回メーデーをめぐる米軍高官の発言について触れている。ここでは宮里著『アメリカの沖縄統治』に依拠しており、引用された社説もほぼ重複している。

人民党那覇支部が主催した最初のメーデーで、日本復帰、平和条約第3条撤廃、労働者保護法・労働組合法の制定などのスローガンが掲げられた。これに対し、ビートラー米国民政府副長官は「人民党の主義および目的が国際共産主義の原則及び目的と軌を一にしている疑うべからざる証拠」を持っていると断言し、「人民党が、テロ行為や非合法的圧力を以って／人民戦線の結成を企図している」

と警告した。

宮里によると、基地建設の本格化とともに49年ごろから日本本土やアメリカの土建業者が進出、日米人やフィリピン人と、沖縄人との差別が問題となったとする（55年の朝日報道でも、日本人、フィリピン人と沖縄人の賃金格差が指摘されている）。労働争議が起き、労働三法の立法が立法院でも取り上げられるようになっていた。「人民党に関するビートラー民政副長官の声明にたいして、地元の新聞は、労働法の制定を支持しながらも、好意的であった」と書いている。

そのタイムス社説（52年8月21日「共産主義の排除」）は「沖縄が米軍の重要基地となって居る以上、基地に対し脅威を与えるものを極力排除せんとするのは自然であり、殊に米国が最大の敵とする共産主義勢力が沖縄に侵入するのを防止するに断乎たる決意を示したのは当然であろう」。琉球新報は「ビ少将の声明を通して琉球処分を思う」（52年8月24日）と題した社説で、「廃藩処分当時における沖縄の当路者(ママ)の時勢に対する認識不足が新沖縄の立おくれの原因となり、この立おくれの沖縄に対する他府県人の認識不足が県民の権益を阻害した」とし、「一種の不可抗力」である時勢に逆らわないよう呼びかけている——と要約している（注8）。

宮里は両紙に続いて「『沖縄朝日』だけがビートラー声明を「言論封鎖の前兆」として警戒している」

注8　琉球新報社説の「廃藩処分と時勢に対する認識不足」という視点は、琉球処分後の旧慣温存政策による沖縄振興の遅滞と本土からの差別意識の醸成を指摘した戦前の琉球新報主筆・社長の大田朝敷の言論と通底している。石田正治著『沖縄の言論人　大田朝敷』（彩流社、２００１年）参照

とふれている。新聞の論調から社会の動きをとらえる宮里と違い、『沖縄の言論』は新聞社の主張のありようとして社説を考えていく。

タイムス、新報両紙の社説について「かかる論調は統治者の言論統制が極端にきびしかったがために出てきたかといえば、けっしてそうではない。これらの発言は自発的に出てきたことをとくに指摘しなければなるまい。なぜなら例外的な新聞社もあった」として、宮里が指摘した沖縄朝日（注9）の社説「言論封鎖の前兆」（8月25日）をあげる。

『沖縄の言論』から沖縄朝日の社説を要約して紹介する。

「〝人民党は共産党なり〟とのビ声明は全琉に恒久的な効果を及ぼそうとしている／われわれが最も警戒しなければならないことは、自らの立場に立ち理性を働かせてビートラー声明を受けとることである／人民党がこれまでいかなる形の暴力活動にも従事したことを聞かない／人民党は共産党の定義にあてはまらないと思う。人民党は、なるほど痛烈な言論を以て比嘉政府を攻撃するかもしれないが、それはあくまで基本的人権としての〝言論の自由〟の行使であって批判に真剣に反省することなく、人民党は共産党だと宣伝することは琉球人らしからぬふるまいである」。比嘉政府とは、米軍政に任命された比嘉秀平主席のもとにある琉球政府で、〝民政府の批判は、軍政府の批判とみなす〟とした軍政府方針に直結する。

『沖縄の言論』は「この論説は『言論の自由』を基本的権利として正面から論じた最初でほとんど唯一のものといえよう」と評価、同紙が人民党と関係なかったことも強調している。

この時期のタイムスの論調については「積極的に『言論の自由』を伸張させようとする意欲はない」

と指摘し、逆に軍政下において『新聞の自由』があることを／強調している」事例として次を引用する。

社説「真実な(ママ)報道と自由」（52年10月1日）は、この月に初めて行われる新聞週間を意識したものと考えられる（新聞週間については後述する）。「現在の琉球は米軍の占領下にあり、広い意味では『住民の自由』は制約されたものであるが／新聞に対する権力によるプレス・コード（新聞統制）といった特別な布令布告はなく、従って新聞は比較的自由な立場が維持されている／米国民政府は／言論の自由を封ずることが／大きな社会不安を招くという賢明さで、敢えて新聞の自由を認めていると信ずる。戦後の沖縄の新聞が／目覚しい発展を見ていることの一端の原因もそこに発見することが出来よう」

さらに翌53年10月1日の同じく新聞週間における社説。「琉球は軍政下にある／住民の完全なる自治はない、だから住民の新聞にも完全なる自由はない。しかし米軍政当局の新聞に対する理解によって完全ではないが、大幅な自治が住民に与えられているのと同じように、新聞の自由な活動が寛容されている。戦時中日本政府乃至は軍部によって住民を見ざる、聞かざる、言わざるの三匹猿にしていたことを思うと、まさに隔世の感である。といって軍政下に於ては自然遠慮気兼ねが存在する、これ

注9　『沖縄の言論』第1章「戦後沖縄の新聞の歴史」によると、沖縄朝日新聞は「政治・経済・社会のあらゆる問題にわたって熱っぽい論陣」を張った沖縄ヘラルド（49年12月12日創刊）から2度目の改題紙。戦前の沖縄朝日との関係はない。この時期は西銘順治（後に政治家に転身。復帰後の衆院議員・県知事）が再び社長に就任し、社説を執筆していた。同紙は社長が替わると紙名と編集内容も変わっていき、「これほどあざやかに変節した新聞は、沖縄の言論史上、匹敵する例がない」としている。

は琉球の現実ではやむを得ないことだが、これがとれない間は、新聞の自由も完全なものとは言えない」

『沖縄の言論』はこの二つの社説などを例にしつつ「沖縄の新聞は、はたして『指導性』を発揮しえただろうか」と提起し、「新聞が戦争直後から沖縄民衆のあいだに潜在的に存在していたものを引き出し、意見の形成を助け、明瞭なる目的をあたえる役割をはたしたとは言えない／むしろ逆に、もり上る一般民衆の声が新聞論調を変え、やがて新聞に指向すべき目標をあたえたともいえるのである」と結論づけていく。

◆復帰問題

新聞のもつ役割である「指導性」をめぐり、さらに具体例として「復帰問題」をあげている。

「沖縄の新聞は、すでに戦争直後から民衆のあいだで主張されていた『日本復帰』の願望を一九五一年ごろまで、ほとんどまったくとり上げなかった。とり上げはじめたばあいも、大衆の願望や要求を、むしろ抑制する論議を重ねたのである」とする。

引用された51年から53年にわたる四つの琉球新報社説を紹介する。

51年8月、サンフランシスコ講和条約を前に、日本復帰促進期成会は参加国に復帰署名と嘆願書を送付、群島議会も議長名で日本全権の吉田茂首相、ダレス米特使あてに日本復帰の善処を求める陳情の電報を打っている。「このような住民の動きをよそに」と次の社説をあげる。

「講和会議が真に日本を幸福な国にするかが今後にある如く、琉球が楽土になるか否かもこの講和を転機とする琉球人自身の働きに専らかかっている。すなわちこの講和をわれわれは楽観もしなければ悲観もしない。ただ時の流れに即応して琉球人は自身の生命力をつちかえばよいのである」（51年9月10日）。

「琉球の地位は日清戦争によって日支間で明確にされたと同様、現在の国際情勢がからりと晴れた後でないと明確にされないであろう。すなわちそれまでは名実ともに日本の一部となるということは出来ないとみるのが正しいであろう」（52年1月21日）

同紙は「実質的復帰（帰属）」を主張するようになる。

「立法院が徒らに実現困難な平和条約第三条にこだわることなく、実質的帰属に邁進せんことを望む」（52年12月29日）

「対日平和条約第三条を撤廃させようとするがごときは夢物語としては面白いかも知れないが／真に日本復帰を願うもののとらざるところである／日本に復帰することによって、琉球の民衆は今日より以上に米国に協力するものになることを信頼させることが近道である」（53年8月16日）

これらの社説に対し、「民衆に目的をあたえるのはおろか、積極的にみずから問題にたいして主張しようとの姿勢がまったくうかがえないのである」とした上で、「これらの論旨に一貫してめだつことは、人間の基本的権利、とくに民主政治のもっとも基本的な原理の一つである思想の自由、言論の自由というものにたいする顧慮がまったくないということである」と指摘する。

『沖縄の言論』が根拠とする論理は「戦後の沖縄が異民族によって統治されているといういびつな状況下にありながら、まがりなりにも民主政治を指向してきた過程で、同新聞は、民主政治下の新聞に期待されるような役割をになっていなかった」に集約されよう。

沖縄タイムスに対しても「大同小異である」と指摘して、同じように社説を紹介する。「琉球が日本に復帰するとか、昔ナポレオンをして目を丸くさせたという『武器なき琉球国』を再現させるといったことは／全くの夢であるが、われ〳〵は近づく講和に無関心であることはゆるされない」（50年8月22日）。「（復帰を）訴える手段方法はどこまでも穏健なる態度をとるべきであるが、そうかというて微温的な温柔さを以て哀願するものであってはならない」（53年8月15日）。

『沖縄の言論』はこれらの社説を示しながら「『復帰論』に厚意的で肯定的な発言がめだつだけで、世論を形成しリードしていく積極性には欠けていた」とタイムスの姿勢を評している。

この結論に続いて、時代は少し下って59年11月の米民政官のマスコミ批判に対する琉球新報の反論には次のように言及している。「『民政官のマス・コミ批判は素人の理想論』と題して、社説で手厳しく反論した。その論調は四〇年代から五〇年の中ごろと比較すると、きわめて対照的である。沖縄の新聞は明らかに発言力を増大し、『言論の自由』はその内容においてまた範囲においても伸張している」と付け加えている（琉球新報社説59年12月2日）。

◆「強者への卑屈」

門奈著『沖縄言論統制史』も、引用が重なっている点も含め『沖縄の言論』と同様の指摘が多い。異なる部分を含め手短にふれる。

先にも紹介した社説「民主化を阻むもの」（48年12月8日）について、同時期の沖縄毎日新聞などと同じく「『強者への卑屈』が『弱者をいましめる』という論調にすりかわる点で、共通していたように思われる」と分析する。

同著から「権力への迎合」とする箇所は次のような点だ。講和条約の発効に合わせ、米国民政府は従来の暫定的な臨時中央政府を廃止し、「琉球政府の設立」（布告13号）と「琉球政府章典」（布令68号）を52年2月29日付で公布するが、この評価をめぐる社説を例にあげている。

ここでも『アメリカの沖縄統治』の見方を含めつつ、門奈の指摘を考えたい。宮里は、ビートラー副長官の人民党声明との関連で「沖縄の新聞論調からみる限り一般大衆は布告一三号『琉球政府の設立』についてはは好意的であり、人民党についてはは批判的であった」として、布告13号についてのタイムス社説「琉球憲法と軍の拒否権」（52年3月6日）を引用している。

「(布告の公布と琉球政府の発足は）琉球自治の画期的躍進と言えよう／この憲法は、われわれを植民地化するものでもなければ、奴隷化するものでもない。だから徒らな威圧感を抱くことがあっては、米民政府の善意を裏切ることになろう／われわれは、本布告において（示された）立法、行政、司法の三権分立という先進国米国のチェックアンドバランス（抑制均衡方式）といわれる民主々義制度の適正な運営に努力し、われわれ琉球住民の福祉の増進を最大に念願すべきであろう。かかるわれわれの要請が軍政の基本方針に反く筈がない、むしろ軍当局もそれを望み、そのための琉球政府の発足であり、軍布告の公布であることを理解しないでは、琉球政府による琉球政治の全権実施という真の意義の大半解しないことになろう。そうだとわれわれ琉球住民の福祉増進を阻む障害となりかねないのである」

宮里は続いて「この社説は立法院議員選挙で一部の候補者が『琉球の完全自治』と米国民政府の拒否権反対を唱えたことについて、『あまりに観念論に過ぎる』と批判している」と付け加えている。

さて門奈の指摘に戻ると、『アメリカの沖縄統治』から社説を引用し、次のように書いている。「この論説は『強者への卑屈』が問題の所在をあいまいにすることによって、みごとに権力に迎合していく過程を示している」と厳しく指摘している。

この時、米国民政府は布告・布令に従い行政主席の公選を約束しているが68年まで公選は実現せず、米側による任命が続くことになる。

二つの新聞研究と並行して国際政治学者の時代分析を紹介した。メディア研究者の意見は思いのほか新聞に手厳しいものであったが、二つの著書に沿って引用することを心がけた。戦後の沖縄の新聞への理解が深まることを期待している。

◆「三匹猿」への危惧

この項の最後に両著が触れた沖縄の新聞と「言論の自由」について、筆者の考えを二つの点からふれておきたい。キーワードは53年10月の新聞週間社説にあった「三匹猿」と時代性である。

『沖縄の言論』において、同社説は言論の自由を伸張させる意欲はなく、むしろ米軍政において「新聞の自由」があるかのように書いていると指摘された部分である。筆者が注目するのは「戦時中日本政府乃至は軍部によって住民を見ざる、聞かざる、言わざるの三匹猿にしていたことを思うと、まさに隔世の感である」という時代認識である。

その2年前の51年10月、戦後初めての新聞週間が取り組まれた。沖縄新聞協会の構成は琉球新報、琉球新聞、沖縄朝日、沖縄タイムスの4社だった。その際のタイムス社説を紹介する。

「新聞週間に当りて」（51年10月21日）と題された社説は「新聞は民衆と共に」を宣言する。「民主主義は個人の尊厳と言論の自由を基礎として成りたち／言論の自由を失った民衆程みじめなものはない／過去に於て吾々は骨身に徹する程これを体験して居る。民衆が自ら思考し判断しそれに基いて自由に行動する社会をつくるには吾々の生活を民主化する外に道はない／新聞は民衆と共に生きて行く」

先の新聞研究から『言論の自由』を伸張させようとする意欲はない」「『指導性』を発揮しえただろうか」とされた時代である。新聞週間における社説は「決意表明」にすぎないという指摘もあろうが、51年、52年、53年のこの日の社説で共通しているのは「言論の自由」の重要性だった。「言論の自由を失った民衆程みじめなものはない」ことを「骨身に徹する程」の体験を通して毎年、言葉をかえて語っている。

戦前、戦中を体験した沖縄の新聞人にとって、「日本政府と軍部による三匹猿」状態はもっとも忌避すべき生々しい記憶であり、自由な言論空間の追及は優先されるべき戦後の原点だったのではないだろうか。戦前の日本時代への反省と強い批判に重心をおいて、戦後初期の米軍政下の「言論の自由」を読み解くことは可能と思える。

では50年代半ばにおいて、言論の自由をめぐる新聞と民衆の関係はどのように変化を見せていたのだろうか。55年のタイムス社説「われわれ新聞人を監視せよ」（10月2日）と、豊平良顕常務の署名入りで書かれた「新聞への註文に答える」（10月10日）が手がかりを与えてくれている。

社説は、戦火ですべてを失い、米軍当局の絶えざる指導と絶大な援助があったとはいえ住みよい沖縄社会はまだ築かれていない。米琉間に横たわる土地問題、外人暴行などの難題の解決には沖縄の特殊な立場という壁がある、と現状を示す。

その上で、新聞は「訴えんと欲するもその手段を持たない者に代って訴える気概をもつことが肝要」と住民の代弁者としての役割を語っている。「新聞の公器たる本質」を住民の声を伝える点に置くことは、すでに紹介した豊平の発言やコラム「大弦小弦」と通じる。「大衆の参加と新聞批判」の重要性を述べ、「大衆の公正な意志に従う新聞」という基調が語られている。

住民の民主化が強調されていることなど、啓蒙主義的な色彩を含め51年新聞週間の「新聞は民衆と共に」と大きな違いはない。しかし社説は意外な形で結ばれている。

「沖縄にジャーナリズムは無い、との酷評がある。言論の自由に疑問をもつ人も、現にいるようである。新聞人への警告としてこれを頂き、つつしんで反省することにしよう」

批判に対し自戒を込めての結びのようだが、「酷評」の文字には憤慨の様子も読み取れようか。紹介してきた新聞研究の論考は60年代であり時期的には異なっているが、すでに「権力に迎合的な」（『沖縄の言論』）新聞への批判があったことを示唆している。

8日後に掲載された「新聞への註文に答える」は新聞週間における読者からの質問に対するもので、主に言論の自由について書いている。内容の類似から、前の社説も豊平が書いたと考えられる。

新聞に対する「言論の自由への疑い」や「米軍への余りに控えめな表現」への批判が寄せられていた。

これに豊平は、住民の民主的自覚の高まりや政党の言論の自由が活発になったことで、軍関係の記事でも控え目にしない「大幅な報道の自由」が目立つのではないか、と反論している。背景として、住民はいつまでも泣き寝入りしていては土地問題や外人暴行問題などの解決が望めぬことを悟り、言論の自由を行使する決意を求めているのだとする。

「米軍の寛容にも因るが、言論の自由を求めてやまぬ新聞と住民の相互的な啓蒙と努力の賜であり、米軍当局の友愛と理解と寛容に訴えつつ、つとめて健常な道を選んで歩み続けてきたおかげだろう」「住民と歩調をあわせながら、言論の自由を求めてやまぬところに新聞人の並大抵でない苦心が多々あることを察してもらいたいのである」

この回答は住民の理解を得られたのだろうか。すでに軍政による基地建設のための土地の強制接収は始まっており、翌年には「島ぐるみ闘争」へと一挙に拡大する。「軍政の息吹」を批判してきた新聞だが、社会の緊張感の高まりとのズレを見せているように思われる。

「真実の報道と公正な評論を支持してやまぬ住民の民主的自覚が世論となり、新聞と直結するか否かが新聞の自由を強くも弱くもする基本的要素である」とするのは、「新聞は民衆と共に」とタイムスが考える根本的スタンスだ。だがこの時期に問われはじめていたのは住民の民主的自覚ではなく、新聞の軍政への姿勢だったと捉えるべきだろう。

戦後初期、新聞は戦前の日本時代に変わる沖縄の方向性を民主化に求め、民衆に自立を説いた。軍政の10年を経験するなかで住民は、政治的な民主化と言論の自由を強く求めはじめた。住民が新聞に期待する「言論の自由」の獲得は「三匹猿」から「軍政」へ対象を大きく変えた。新聞と民衆は相互に影響しあいながら進んでいくことになる。

◆時代性と視点

もう一つは「時代性と視点」についてである。

二つの新聞研究が書かれたのは60年代半ば以降であり、対象とする50年代初期の新聞からはやや時代が下っている。戦後初期の戦塵の残る住民の暮らしの一方で反共政策の強化に伴う米軍政の確立期の50年代前後と、復帰が日程に上りはじめ日米政府の返還交渉が進む一方で反戦復帰へと沖縄の大衆運動が大きく転換する60年代半ば、の状況の違いは「視点」そのものに影響を与えよう。「物差し」は時代に左右される側面があるのではないか、という問いである。

例えば、「民主主義を指向」してきたことは戦後の一貫した動きとして戦後初期と60年代ともに共通理解が可能であろう。しかしながら「戦後の沖縄が異民族によって統治されているといういびつな状況」という60年代の認識が、果たして50年代初期から半ばにかけての沖縄言論を判断する物差しになり得るかどうか、である。

帰属論でみるように「異民族」に対置されるのが「日本民族」とは簡単にはいえない戦後初期の沖縄社会の認識や体験があって、祖国復帰から国連信託、独立まで選択の幅を持った帰属論が展開された。祖国復帰へと沖縄社会の選択は収れんされていくことにはなるが、沖縄タイムス、琉球新報ともにその言論は民族主義的な祖国へ帰ろうといった復帰論ではなかった。住民からの復帰願望を取り上げず「大衆の願望や要求を、むしろ抑制する論議を重ねた」という見方は、米軍政と対峙し復帰を唱えることを是とした立場であろうが、この段階では有力とはいえ祖国復帰は選択肢の一つであった。

米国に対しても、日本時代と異なり民主主義を携えてきたという期待感があった。それが50年代に入り基地化と長期の統治政策が明らかになるにつれ、そこに新たな「三匹猿」への危惧を感じ取り「軍政の息吹」だとして批判的な立場を明らかにしていく。その明確な分岐点は米軍政による52年以降の軍用地強制接収と考えていいのだろう。

米国による軍政を「異民族に統治されたいびつな状況」という認識は、時代の中でつくられてきた。住民も新聞も「答え」を最初から用意できるものではなく、状況の変化への対応力こそが問われてきたのである。

「時代性と視点」で付け加えるならば、二つの新聞研究よりさらに下って60年代後半に入ると、日米政府の沖縄基地維持政策と対峙するように大衆運動は反戦反基地の主張を強めていく。ここにいたって「祖国復帰の是非」さえ、論議の対象とされていくことになる。「異民族支配からの脱却」という目標が現実となるにつれ、日本国家との軋みが生じ民族主義的な運動は限界と矛盾をあらわにしていく。「異民族」という言葉に込められた排外主義的な主張は、同民族国家へ自ら進んで包含されていくことを前提にしており、その後の復帰運動の激しい変転はこの民族主義ゆえのねじれの表出だったともいえよう。

ともあれ戦後の新聞は土地の歴史的体験に基づき、住民とともに日々の変化のなかで視点を形づくっていくことを課してきた。それは「言論の自由」を獲得していく過程においても同様であった。

この項の最後にタイムスのエピソードを付け加えたい。高嶺は『新聞五十年』で53年4月の「天願事件」にふれて書いている。やや長い引用となるが時代の雰囲気を感じてもらいたい。

沖縄タイムス社説は「植民地風景の一コマを見る」と題して次のように述べた。

「天願氏の横領罪なるものが報道されたていどであるとするならば、われわれの常識では破廉恥罪とは言えないと思う。米軍の要人は、琉球を植民地化する意志はないと機会ある毎に述べている。その言をわれわれは額面通りに受け取ろうと思いながら、具体的事実によって十分なる裏付けがなされていないのを常に遺憾に思うのである」

「オグデン副長官は社大、人民両党の掲げた選挙スローガンを反米だと述べたそうである。われわれには社大、人民両党を殊更に弁護する義理合いはないが、日本復帰、講和条約第三条撤廃などは九十余万住民の民族的悲願であって決して反米的精神から出たものではない」

「これらを、もし反米とするならば、住民はどんなにひどい目に会わされても泣き寝入りし絶対服従するのが、米国に協力する所以であるというのか…」

この社説を私が書いたころ、専務の座安盛徳君が編集の諸君に「高嶺さんをフチバンタカラ、アッカスナヨー（断崖を歩かせるな）」と心配していたという話を後で聞いた。言論に対して直接の弾圧はなかったけれども、それらしい兆候がボツボツ現れていた。／

（天願事件は）米民政府に対し沖縄側からはじめて抵抗する姿勢が出たこと、さらに、これがその後の米民政府の弾圧政策の先ぶれをなしたということで、忘れられない事件である。

祖国復帰　「差別と疎外」の時代へ

１９６０年４月28日、沖縄県祖国復帰協議会（復帰協）が結成され、50年代に抑圧された復帰運動は再び盛り上がりをみせはじめる。60年代半ば、日米政府による施政権返還交渉が本格化し沖縄の米軍基地の維持が明確になるなかで、運動の内容は祖国復帰の内実を問う形で反基地闘争へと転換していく。沖縄の民意と日米政府の政策が大きな軋みを生ずるなかで、社説は民意と共鳴していく。60年代後半から72年復帰まで激動期の社説を通し、沖縄の姿を振り返る。

その前段として、59年に起きた「宮森小ジェット機墜落事故」における社説と、復帰運動の底流にあった「祖国への憧れ」の例として日の丸掲揚運動や「憲法記念日」を含む祝祭日の制定、65年８月の佐藤栄作首相の沖縄初訪問の場面を通して「激動の前夜」にふれておきたい。

◆宮森小米軍機墜落事故

59年６月30日午前10時40分ごろ、米軍Ｆ１００Ｄジェット戦闘機が整備後の飛行訓練中、石川市（現うるま市）の宮森小学校へ墜落した。児童ら17人が死亡、１２１人が重軽傷を負う大惨事となった。新聞は犠牲となった子どもたちの状況や家族の悲しみなど、連日詳しく報道した。パイロットは墜落前に脱出、米軍の「事故は不可抗力」の発表に対し住民の反発の声を載せている。

しかし翌日の両紙の社説には、米軍への抗議や責任追及はほとんどみられない。

7月1日のタイムス社説「Z機墜落事故について（ママ）」からみていきたい。「戦前戦後を通じて最大の惨事を生んだことを遺憾に思う」とした上で、「こうした事故は不測なことであり、一種の不可抗力なできごととはいえ／学童に多数の死傷者を出していることはかえすがえすも残念なことといわなければなるまい」。

再発防止策について「米琉双方の理解と信頼によって不意の災拒防止をできうる限り真剣に講じてもらいたい／人口の密集した都市や村落を避けて空軍の演習をしてもらうことであろう／空軍としてもムリな注文と考えずにこの点を配慮してもらえれば、こんどのような事故発生の条件も緩和されるものと信ずる」と米軍へ要望している。

新報社説「宮森小学校の惨事をいたむ」は「惨事はまことにいたましい限りである」としながら、「この際望まれることは、住宅地区を毎日のように飛び回っている米軍機の整備に万全を期し、ふたたびこのような不慮の惨事がおきないように米空軍関係者たちが細心の注意を払うことである」（7月1日）にとどまっている。

「事故は不測なこと」「一種の不可抗力」で米空軍関係者に「細心の注意」を求める。米側に被災者への補償を要請しているとはいえ、両紙ともに住民の悲しみや怒りを代弁することはなく、むしろかけ離れている。

事故の当日、立法院は「米軍当局に厳重に抗議する」決議を採択している（6月30日）。高等弁務官、空軍あてに「米軍当局が速やかにその責任を明らかにして適切な措置を講じ、かつ、今後かかる不祥事が絶対に発生しないよう強く要求する」は、事故の重大さを受けての抗議決議であろう。

7月3日、新報はワシントン・ポストの社説「沖縄の大惨害」を記事で紹介している。日米関係にも影響するとの見方を示すなかで、パイロットの責任について「米国内でもパイロットが飛行機を放棄した事故はいくらでもある。しかし多くの場合パイロットは一般市民に危害をおよぼさないためには自分を犠牲にしてもよいと考えている」と言及している。

これらと比べても両紙社説の米軍への追及の弱さが目立つ。島ぐるみ闘争時に「忍従の極限の抵抗」と論じた緊張感はここにはない。

米軍へ直接的な批判はできない環境にあったとはいえ、なぜ両紙は低調ともいえる論旨なのか。この時期の沖縄の状況を重ねてみたい。

前年の58年9月、軍票のB円からドルへ通貨切り替えがあり、沖縄はドル経済圏に強く結びつけられる。米国は61年以降の沖縄の経済5ヵ年計画の立案に入り、59年琉球開発金融公社が設立される。一方で日本政府の技術援助なども59年以降に進み「日米琉新時代」がいわれた。

52年以来の軍用地問題が決着したのも58年である。同年6月、当間重剛主席、立法院議長、地主代表らが米陸軍省の招待で渡米、島ぐるみ闘争の終息が図られる。折衝団は「沖縄基地が共産主義侵略にたいする自由世界の重要な堡塁であることをじゅうぶんに理解していることを表明した。すなわち沖縄の基地には反対しないことを表明したのである」（宮里『アメリカの沖縄統治』）。

軍用地問題は地料の一括払い廃止、適正補償がなされた。その代償として沖縄側は「軍用地の新規接収を認め、かつ核兵器の持ち込みにも間接的な同意を与えた」(宮里『日米関係と沖縄』2000年、岩波書店)。核兵器とは当時、沖縄に配備計画が発表されていた中距離弾道ミサイルのメースB(61年2月配備、69年撤去)で、立法院は反対決議(60年3月29日)をしている。

米国は強行策から政治的解決を図る方向へと沖縄統治策を変更し、日本政府の関与が強まってくるのもこの時期である。沖縄側から「祖国政府」への期待が増していくことになるが、その現れが墜落事故においてもみられる。

宮森小事故に対する米軍側の賠償は進展しなかった。事故から8カ月後の60年2月9日、立法院は高等弁務官に対し「(賠償金支払いに尽力すべき米国民政府が)権限外だとして、その解決促進に何ら誠意ある態度が見られない」と積極的な関与を求める決議を行う。注目すべきは同じ日に、「祖国政府」に対し「賠償支払いの促進に関しアメリカ政府へ申し入れる」ことを要請する決議を採択している。

島ぐるみ闘争が収束に向かい、米日の経済的梃入れもあって沖縄社会は落ち着きを見せていた時期といえよう。そのことが新聞の論調にどのように影響を及ぼしたか、にわかに判断できるものではない。

事故から4日後のタイムス社説は「(住民の不安を考慮することで)未然に事故を防ごうと思えばできないわけはないだろう。補償の問題も大切だが、基地の中で生活する沖縄人にとって、最大の関心事はなんといっても事故による災害を起さないことだと考える」(59年7月4日)と一歩踏み込んだ。だが戦後最大の米軍事故となった宮森小米軍機墜落に対し、新聞の論調は米軍への責任の追及に鋭さを欠いていたことは確かなことだった。

◆日の丸への憧れ

沖縄県祖国復帰協議会（復帰協）が結成（60年）された4月28日は講和条約発効の日付にあたり、「屈辱の日」と位置づけられていく。53年11月設立の沖縄諸島祖国復帰期成会は54年には米軍政の圧力のなかで消滅状態になっており、復帰運動は新たに構築されることになった。

60年の日米安保条約改定、アイゼンハワー米大統領の来沖という大きな課題に直面していくが、復帰協は活動方針のなかで「基地の強化と、経済的政治的面でも米国の影響力の強化という形が／復帰を熱望する全県民をして憂慮せしめている」と米国の沖縄政策を分析した上で、「(復帰の早期達成なしには）県民の真の幸福はあり得ない」と方針を掲げている。

広がりを見せる運動の底流として、沖縄社会での「祖国への憧れ」の増幅があった。象徴する動きとして立法院の祝祭日制定と教職員会の日の丸掲揚運動を簡単にみておきたい。

61年、立法院で「住民の祝祭日」が議論された。58年には国民の祝日が制定されており「日本に近づけていく」ことを目指したものだった。

祝祭日についてはすでに51年8月に群島政府から実施についての通達がなされている。元日、敬老の日、春分の日、こどもの日、母の日、秋分の日、文化の日、勤労感謝の日など、当初から日本の祝祭日に沿った設定だったことがわかる。米軍の直接占領から住民サイドの群島政府となったこの時期に、すでに祖国は強く意識されていた。沖縄独自の祝祭日としては、現在につながる沖縄戦の慰霊の日（当初は6月22日、65年から23日に改正）のほか、旧盆（8月中の満月の日とその翌日）、群島政府創立記念日（11月4日）、そしてクリスマス（12月25日、キリストの誕生を祝う）があった。

61年の新たな制定で目立つことは「天皇誕生日」が加えられたことである（ほかに「体育の日」）。沖縄独自では、群島政府に代わり琉球政府創立記念日（4月1日）、慰霊の日と旧盆は継続され、クリスマス休日がなくなった。より日本化した祝祭日の制定といえよう。

復帰運動の推進母体ともなった教職員会は、53年から「各家庭の国旗掲揚」を呼びかけてきた。58年の「日の丸を立てよう運動」で本格化し、年に1万本の注文を受けた。中央教育委員会（現在の県教育委員会にあたる）は60年に米国民政府へ「日の丸は日本国民として琉球住民の憧れの的であり、心のよりどころである」と新年の掲揚を要請している。

あわせて学校における標準語励行も積極的に取り組まれた。子どもたちが学校で沖縄の言葉を使うと「方言札」を首からさげる、という戦前の言語教育と似た方法さえ取られた。教職員会の教師たちにとって、米軍政下において児童生徒の「日本人意識」を育てることは、来るべき復帰に備えるための重要な教育であった。

日の丸掲揚は61年4月に認められていく（祝祭日に限定）。先述したように米国の経済政策、日本政府の経済協力も合わせ「日米琉新時代」の象徴といわれた。

65年4月、立法院は61年には否決した「憲法記念日」を祝祭日に加える。「日本国憲法の施行を記念し、沖縄への適用を期す」という文言を付しての制定だった。65年5月3日、県民は戦後20年を経て初めての憲法記念日を迎えた。沖縄と日本国憲法の出会いといえよう。同日のタイムス朝刊には松岡政保主席の祝辞が載っている。

「(戦前の帝国憲法が) 天皇神裁による絶対的中央集権制度であり／このような国家至上主義がこうじてついには他国とことをかまえるに至り／敗戦という悲劇を招いた」とした上で、戦後は「新しい平和的、民主的な憲法によって日本は民主主義国家として出発した」と称えている。松岡主席は米高等弁務官に指名されたいわば親米派だが、その祝辞には当時の沖縄社会が抱く日本国憲法と祖国への憧れが映し出されていよう。平和で民主的な憲法への強い期待は、本土においての憲法発布の戦後初期と似通うものだった。

同じ日のタイムス社説もまた「憲法記念日と沖縄」と題し、米軍政下ゆえに基本的人権を味わうことがなかった20年を振り返り、「憲法の保障がないという矛盾と不自然さに対する人間的な反発、自然な姿にかえりたい、という欲求」が祖国復帰へ向かうものだと論じている。

その3カ月後の8月、佐藤栄作首相が日本の総理として戦後初めて来沖する。

◆「戦前」への不安

沖縄タイムス社説「佐藤首相にのぞむ」は、65年8月19日、来沖当日の朝刊に掲載される。首相への「直訴状」の形で、県民の20年の歩みを、平和憲法への強い期待と国家意識の維持に努めてきた教育などを通し伝えている。だが祖国の首相に心情を「訴える」ことにとどまってはいない。注目されるのは、講和条約第3条批判を含む米軍政の不当性の指摘、ベトナム出撃基地となった米軍基地の変化による「新しい『戦前』への不安」という現状認識に基づいた日米政府批判がなされていることだ。

この「新しい『戦前』への不安」は、72年施政権返還の決定に際し書かれた「新たな差別と疎外」

（69年11月22日夕刊社説「歴史の転換のなかで」、後述）と呼応する。新聞は今日につながる日米政府の沖縄基地政策への不安を、65年夏、初めてまみえる故国の首相にみていた。

「沖縄の祖国復帰が実現しない限り、わが国にとって戦後は終わっていない」と述べることになる佐藤首相の初来沖を、住民は沿道における日の丸の小旗と復帰協による「祖国復帰要求県民大会」の二つの動きで迎えた。大会のデモ隊は首相宿泊予定のホテルを囲み、「沖縄を返せ」「アメリカよ沖縄から出て行け」と叫び、座り込みをするなど警察隊とにらみあった。佐藤首相はホテルに戻れず米軍基地内に泊まることになる。

復帰に向けた首相への期待と不満が交差するなかで、社説「佐藤首相にのぞむ」は書かれている。サンフランシスコ講和条約第3条について「『信託統治』は、時間の経過とともに、国連憲章からの借り物であることがハッキリしてきた」と米軍政に根拠のないことを論じる。その上で、「戦争の犠牲、占領、第三条、そして共同声明による固定―これは変則というよりも、まさに政治によるほんろうであろう」と日米政府の責任を論じる。

ここでの共同声明とは、同年1月の佐藤首相とジョンソン米大統領の首脳会談における「沖縄、小笠原の米軍施設が極東の安全のために重要であることを認めた」ことを指す。米国の軍事拠点として沖縄の重要性を日本の首相が初めて確認した意味は大きく、その後の施政権返還に向けた日米政府の基本方針となったといえよう。

日米共同声明は沖縄側から抗議の対象となった。社説は「（借り物の）信託統治は背後に消え去り、極東の緊張が統治の根拠にされるようになっている」と、あやふやな講和条約第3条をかなぐり捨て、米国の沖縄統治に「極東の緊張」という新たな理由が加わったことを指摘する。米国の沖縄統治の目的はベトナム戦争の激化、特に65年2月の北爆開始以降、出撃、兵站基地としての役割が明確になっていた。この構図を日本のトップが認めたことを追及する。社説は「沖縄の現状は、戦後そのものであり、占領の継続とみられないこともない。いなむしろ/新しい『戦前』の不安さえ感じられるのではないか」と首相に言い寄る。

復帰協は首相が沖縄を去った21日、「強い怒り」を込めた抗議声明を出す。「経済援助の増大を約束して県民の要求をそらして現状固定化を企図している」「本土と沖縄の一体化という美名のもとに日本の安全のためには沖縄の原水爆基地化/アメリカの軍事的植民地支配」を肯定しているととらえての抗議であった。

この社説でもう一つ注目されるのは、国民意識と平和憲法への言及である。戦後初めて訪れる祖国の首相へ、沖縄では米軍政下において国家意識の維持に努めてきたことと平和憲法への期待が強く打ち出されている。

同年5月に初めて憲法記念日を迎えたことについて、「戦後二十年、沖縄の悲劇といえば憲法の保障がなかったことだ/不自然な政治のほんろうから解放され、一日でも早く憲法が適用されるよう」住民の切なる願いを込めた祝日化だとする。憲法の空白が住民のなかに国民、国家の不在になるおそれがあるからだと、論旨は展開する。また「国民意識の維持の努力」の一例として、58年に制定された教育基本法（注10）に「日本国民として」の文言が加わっていることにも触れている。憲法記念日を定め、教育基本法に日本国民だと明記しても「たんなる意識だけにとどまり、身体にすみずみまで、それがしみこむまでには、いたっていないのではないか」と、憲法のもとでの日本国民としての教育を求めている。憲法が目指す平和主義への参加と、憲法の不在による「国家意識の希薄」が結びついて論じられる。

タイムス社説はその後、平和憲法を主題に展開していくことになる。しかし戦後日本は憲法とともに日米安保体制というもう一つの国家の「主柱」を備えていた。60年代後半にいたって、沖縄は憲法と安保の二つの顔を持つ祖国とまみえることになる。続いて「沖縄の心」を論じ、平和憲法への復帰を強く主張した沖縄タイムス論説委員長の比嘉盛香の執筆した社説を中心に考えていきたい。

◆比嘉盛香の主張

1967年から73年まで復帰前後の激動期における「新聞が見つめた沖縄」を、当時の沖縄タイムス論説委員長・比嘉盛香の社説からたどる。69年11月22日の施政権返還が決定した佐藤・ニクソン首脳会談を受けて、比嘉が執筆した社説「歴史の転換のなかで」は、筆者が30年余後に同職についた時、社論を考える指針としてきた論考の一つである。

比嘉は1922（大正11）年生まれ。40年4月、東京外国語学校（現東京外語大学）ヒンドスタニー語部（後に印度科）へ進学、43年12月学徒出陣で満州へ、45年敗戦とともに捕虜となり2年間のシベリア抑留を経て47年冬に帰国した。タイムス入社は48年8月、創刊からひと月後だった。記者になって4年後の52年に政経部長、その頃から社説を担当するなどタイムスの論陣に加わっている。77年死去、その年の6月23日慰霊の日の社説が絶筆となった（真久田『戦後沖縄の新聞人』より。本書191ページに関連）。

まず初期の社説の一例として比嘉が書いたとされる52年3月6日の「琉球憲法と軍の拒否権」に再度触れたい。米国民政府が公布した「琉球政府の設立」（布告13号）と「琉球政府章典」（布令68号）に関するもので、『沖縄言論統制史』で「権力に迎合した」として引用されている社説である。

比嘉は3月5日紙面で記事として「琉球の憲法に類するもので、これにより立法院は立法権が付与され、行政、司法の権限を明確にし、三権分立の制度をとり、住民の信教、言論、集会、請願及び出版の自由を保障」と書いている。その日のタイムス紙面は10条からなる布告全文を掲載しており、翌日の社説は琉球政府設立について「琉球政治史に特筆大書される琉球自治の画期的躍進」と強い期待を示した。

民政府（50年から琉球政府）批判は軍政府批判だとした米軍側の統治政策が続いており、立法院の権限も大きく制約されていた。それだけに住民側の立法、行政、司法の本格的な機関の設立は「画期

注10　教育基本法は1958年1月10日公布、4月1日施行され、72年復帰まで存続した。前文で「われらは、日本国民として」とうたい、民主的で文化的な国家、社会建設と世界平和、人類の福祉に貢献しなければならないとした内容は、日本の教育基本法とほぼ同じである。各条文においては「住民」が使われている。米高等弁務官により2度廃案となり、57年9月の3度目の提案で制定にいたった。それまでは米国民政府による布令教育法（布令66号「琉球教育法」）で、教育行政の独立性や民意の反映という点で評価は高く教育基本法にもその理念は引き継がれていた。（『沖縄大百科事典』より）

的な」ものと受け止められた。「この憲法は、われわれを植民地化するものでもなければ、奴隷化するものでもない」と社説が述べるように、軍政下とはいえ住民自治への期待が膨らんだことは確かだろう。しかし軍政府の統治は反共政策を含め強化され、住民自治は限定的なものでしかなかった。

比嘉は5年後の57年、長期連載「条約三条のもとで」を企画、米国による沖縄統治の根拠となる講和条約第3条の矛盾を現場から発信していく。65年佐藤首相の来沖時に社説で痛烈な第3条批判をしていく下地が、この時期の連載記事にあった。

比嘉は60年代に入り、主張の基本に日本国憲法を置くようになる。「日本国民としての憲法による人権保障」は有力な論旨となった。肌身離さず憲法手帳を持ち歩き、読み直していたと伝えられる比嘉には、平和国家を目指した戦後日本への共感と軍政下の沖縄の目指すべき姿が重なっていたのだろう。だが、その論旨は苦渋を深めていく。取り上げた60年代後半の社説には日米政府批判とともに、県民へも復帰に際しての覚悟を求めていく。

ここで取り上げる社説は主に、比嘉の後輩にあたる又吉稔(元沖縄タイムス論説委員長)のまとめた『比嘉盛香氏　言論の日々』(1989年7月)によった。社説は社論であり原則匿名なのだが、同時期に論説室にいた又吉の思いのもとに16本が選び出されている。

◆復帰運動が「反戦反基地」へ

60年代後半の動きを簡単に振り返っておく。日米政府の方針が日米安保条約に基づく沖縄の米軍基地の維持ということが明らかになるにつれ、民族主義的な復帰運動は反基地闘争へと質的変化をしていく。復帰行進や首相歓迎で振られた日の丸は消えていった。

67年11月の日米首脳会談で、佐藤首相は「両3年内」に返還時期について合意すべきと強調し、それが共同声明にも明記された。年明けの68年2月に北ベトナムを空爆する戦略爆撃機B52がグアムから嘉手納基地に飛来、当初の「低気圧による天候避難」から常駐となり、沖縄はベトナムへの出撃基地の機能をより強めていく。同68年11月11日、高等弁務官による任命制から初の公選となった主席選挙は革新で「即時無条件全面返還」を訴えた屋良朝苗が当選。その直後の11月19日、嘉手納基地で離陸に失敗したB52が墜落、爆発炎上した。「B52撤去・原潜寄港阻止県民共闘会議（いのちを守る県民共闘会議）」が結成され、県民の動きが高まった。その勢いは69年2月4日の「2・4ゼネスト」へと向かう。

復帰協の運動方針は佐藤首相が来沖した65年2月総会のスローガンからみると「対日平和条約第三条を撤廃し祖国復帰をかちとろう」、憲法の適用、参政権の復活、などに続いて原水爆基地への反対にとどまっている。しかし2年後の67年11月の佐藤首相訪米に向けた行動要綱では「即時無条件全面返還要求」という、その後の沖縄闘争において柱となる方針が打ち出されている。さらに安保破棄、軍事基地反対、核付き返還と基地の自由使用返還の粉砕、など日米政府の沖縄返還交渉の進捗と比例するかのように対決姿勢を強めている。復帰運動が反戦反基地の沖縄闘争へと激しく変化していったことを示している。

社説「過小、軽視される沖縄」（67年7月2日）は、11月の佐藤訪米前に日米政府に対し沖縄政策の矛盾点を指摘する。米議会における改正プライス法の成立の見通しが立たず対沖縄援助が決定しないことをとらえ、次のように書いている。

「私たちがほんとうに奇妙に感ずるのは、沖縄基地の重要性の強調である／沖縄は平和と安全のために重要だ重要だといって、二十二年間も米国は沖縄住民をその統治下においてきた／しかも住民は自ら希望して統治下にあるのではない／援助というのは統治ということに対する代償であり、援助というより義務ということになろう」

この社説は米軍政と住民の関係の変化をはっきり示していよう。48年のタイムス創刊の辞にもあったように「暖かい援助」は、20年を経て「統治の義務」だとして統治の矛盾を指摘した上で要求するものとなった。さらに続けて、「負担は少なく、基地は自由に使用、施政権は絶対排他―こんな安価で有効なところは、米国にとっては他にはないかもしれぬが、被統治者の身にもなれば、これ以上の犠牲はないのである／これを黙認しているような日本政府の態度は、さらにはなはだしい矛盾であり変則だといわなければなるまい」と続く。社説は理をつくしながら、米国統治の不当性を指摘し、返す刀で日本政府へもの申す。米軍政は続いているものの、新聞を含め沖縄社会の発言力の高まりは明らかだ。

2日後には「戦後二十二年と復帰懇」（7月4日）を書いている。8月に設立される政府の諮問機関・沖縄問題等懇談会（大浜信泉会長）に対して「（米国による沖縄統治の）矛盾と不当性は鋭くつく方向であってほしい」という注文である。米国の沖縄統治の法的裏づけとされてきた講和条約第3条の矛盾を突き、日米政府を批判する論調は一貫している。

「平和条約の第三条―そこにはもはや、何らの根拠もないのは明白である。十五年間も信託統治を提案しないというのもおかしいし、米国にはいつまでに提案しなければならぬという義務はない、と解釈し国会で答弁してきた日本政府の『ウソ』にも限界がきた感じだ」と言い切る。

比嘉の論点は主眼である憲法へ向かう。

「日本で、平和で民主主義の憲法が施行されて二十年―。その国籍をもつ沖縄百万住民が憲法の恩恵もなく、他国の軍事優先の統治下におかれてきたのは、前例のないことであろう。人権の完全な保障もなく、国政への参加も停止され、しかも住民自体の自治にも多くの制約があることは、あまりにも現実ばなれのしたものだといわざるをえない」と憲法を根拠に論陣をはる。復帰運動において「憲法復帰」の声が高まっていた。

「主席公選と住民の立場」（68年2月2日）は、米国民政府が戦後23年にして初めて主席公選を認めたことを受けて「住民による行政主席の直接選挙―ほんとうにすばらしいことだと思う」と歓迎する。比嘉は52年の琉球政府設立を決めた布令を「画期的」と評価し、主席公選の実施へ期待も書いた。それが反故にされ16年を経過して実現することになる。

米国がなぜこの間、選挙を実施しなかったのか、その理由をひもときつつ主席公選の意義を確かめる。「米民政府の約束は履行されなかった／主席をしっかりつかまえておけば、施政権がおびやかされることはない／米国の第一の目標である軍事基地の保全には心配はない――おそらく、そのような理由からではなかったかと思う」。かつてタブーともされていた米国民政府の政策に対し、ためらいもなく言及がなされている。主席を選ぶ機会は、米国が目指す軍事基地の維持に対する県民の回答になるものだ、と説く。

初の主席公選は保革一騎討ちとなり、革新共闘の屋良朝苗が当選した。「初の革新主席実現」(68年11月12日)は住民が支持した理由を考えていく。

祖国復帰では自民党も革新共闘も一致しているが、自民党の一体化政策は従来の格差是正とかわるところはなく、住民は革新共闘の即時無条件復帰を支持したと選挙結果を分析する。

その理由をベトナム戦争の出撃基地の状況や基地被害など沖縄の現実に求める。「自由と平和と日本国民としての権利——そこから『日本国憲法のもとへの復帰』ということが主張されるようになった/基地依存の生活の問題を越える次元の要求である/いうなれば、そこに『沖縄の心』があるともいえるのではないか」。屋良主席を選んだ住民の意思は、日本国憲法のもとへの即時無条件復帰なのだと明確に論じた。

◆B52墜落とゼネスト回避

屋良主席誕生直後の11月19日早朝、嘉手納基地で米空軍戦略爆撃機B52が離陸に失敗し、爆発炎上した。ベトナムへ出撃する爆撃機の撤去運動が続いている最中の事故だった。

「B52墜落事故の意味」(68年11月20日)は、社説では珍しく会話調で始まり、情景描写と住民の反応を伝えながら論を進める。

「午前四時十五分、嘉手納の米軍基地内で突然地軸をゆるがす大爆発がおこり、数十メートルにおよぶ火柱が吹き出た/とっさに『戦争だ』と/戸外へ飛び出してみたものの、何をどうしてよいかわからない/火は燃えつづける/つぎにまたどのようなことが起こるかはかりしれないという不安な状態は、現場に身を置いたものでなければ、とうていわかるまい／核兵器の貯蔵が公然の秘密のごとく聞かされているので、なおさらのことである」

その描写は社会面記事のようである。住民の衝撃を伝えつつ、その心理の背景を描いていていく。「海に原潜、陸にB52、地下水にガソリン。これが基地公害の三本柱みたよう(ママ)になって、悩まされつづけてきたのだが、こんどはB52の爆音被害が墜落事故に発展した／事故現場とさほど離れていないところに、弾薬貯蔵庫があるのは周知の事実。もしそこへ突っ込んでいたら」

社説は日米政府へと向かう。

「基地の問題は、ほんとうは日米間の外交交渉によって解決されるべきである。けれども本土政府の態度は、あまりに傍観者的だ。『極東の安全に責任を負う米国に無理難題はいえない』という外交姿勢は、裏をかえせば、極東の安全、平和のために、沖縄の人々の生命は、半ば不安にさらされてもかまわぬ――というような矛盾をはらんでいる／沖縄は人命を尊重せよと叫ぶ権利がある」と、大衆運動が訴える「命を守る」主張と連動していく。

しかしながら嘉手納基地のB52墜落の衝撃は、沖縄の大衆運動の側に逆流することになる。「いのちを守る県民共闘会議」が結成され、69年2月4日の初の「2・4ゼネスト」へ向けて盛り上がりを見せた。しかし屋良主席の要望を受ける形で直前に回避され、県民共闘会議議長の辞意表明、嘉手納での県民大会に主要労組は参加,不参加で割れた。全県的な高まりを見せたなかでのゼネスト回避は、大衆運動に大きな亀裂を生んだ。

当日の社説「大衆運動と労働組合」（69年2月4日）は戦後の労働運動史をたどりながら、運動の分裂回避を説く。

沖縄の運動を推進してきたのは労組や教職員組合などの組織された労働者であり、社会的に比重を増したのは10年ほど前だと分析する。米軍の圧力で強力な運動がみられなかったなかで、権利の要求とともに社会的矛盾の改善や沖縄問題の解決は労働者の利益とともに住民の問題と結びついていた。米軍統治下という特殊な地位が大衆運動を成長させる条件となっていた。

「沖縄の現状においては、組織労働者が大衆運動の原動力になり／つねに先頭に立ってきたところの、いわゆる必然性があったわけであろう／大衆の意識の高まりと前進、それに労組の拡大――これが相互に作用し合って、権利回復への全体としての運動を盛り上げてきたと思う。きょう予定されていたゼネストへの盛り上がりに、それが強く感じられた」と評価していく。ゼネスト回避への強い反発が下部組織や学生らから強く出されていたことを意識したものだろう。

共闘会議の中核でありながらゼネスト不参加を表明していた県労協（沖縄県労働組合協議会）が大きな試練に直面しているとした上で、「その方向いかんは、大衆運動と密接に関係する。いずれにせよ、大衆運動の原動力になったものが、大衆運動を低迷させる力になってはなるまい」。社説は軍政下における大衆運動と住民の権利回復を重ね、その原動力としての労組の役割を説く。「低迷させる力」にはなるな、と労組を叱咤激励する書きっぷりには同志的な響きさえ感じられる。

60年代後半から70年代にかけて、重要な労働運動がもう一つあった。全沖縄軍労働組合（全軍労・全駐労沖縄地区本部の前身）のいわゆる「全軍労闘争」は、施政権返還を前に基地労働者を大量解雇する日米政府の政策と対峙するものとなった。

基地従業員は米国民政府の布令により権利が制限されていたが、ベトナム出動命令への拒否や68年には10割年休闘争（事実上の全面スト）などで団交権を得て、大量解雇撤回闘争を展開していく。「首を切るなら基地を返せ」と訴えたが、孤立した厳しい闘いが続いた。雇用の確保と基地撤去という全軍労の主張は、戦後沖縄の矛盾そのものであった。

ストをする全軍労の組合員に対し、米兵らは銃剣を構えて威嚇、けが人も出た。社説「米軍の銃剣を批判する」（69年6月6日）は「沖縄住民が日本国民であるのは明白な事実である。その国籍は強大な米軍でも奪うことはできないはずである」と全軍労を擁護していく。

その根拠として日本国憲法をあげる。「統治の対象が日本国民である以上、日本国憲法が保障する基本的人権を統治の基本とすべきことは、当然のこととして要請されるべきことではないだろうか／基地で働く人たちはストを禁止される、やむをえずストを決行すれば銃剣で威かくされる――そこには真の自由があるとはいえないのではないか」と、米軍統治を越えて憲法の保障を求めた。

◆社説「歴史の転換のなかで」

60年代後半の流れを社説とともにみてきた。その帰結ともいえる社説を読み解きたいと思う。比嘉の憲法への共感と期待は、戦後の日本の民主主義の成熟度を見定めはじめていく。本土においてすでに憲法は日米安保体制という軍事同盟とのせめぎあいの中で形骸化がいわれ、政権政党の自民党は憲法改正を掲げていた。

69年11月22日、米ワシントンで佐藤首相とニクソン大統領の日米首脳会談が行われ、72年中の沖縄の施政権返還が決まった。日米共同声明は日本時間で同日未明に発表され、沖縄タイムスは夜があけると「復帰決定」を号外で伝えた。続く夕刊は詳報記事を1面から載せるのが常道だが、この日だけは異例なつくりになっている。1面トップは、復帰決定の生ニュースではなく長文の社説を掲載した。社史は創刊以来初めてと記している。

新聞はこの日、県民と静かに会話することを選んだ。社説「歴史の転換のなかで」（69年11月22日夕刊）は共同声明を分析しつつ、内容をかみくだきながら、未来に対し覚悟を定めてのぞもうと語りかける。そこには復帰決定の喧騒も浮ついた喜びもなかった。

冒頭で日米共同声明について「満足すべきものではなく、反発さえ感じさせる」と述べつつも、現実となった復帰に「ある種の感懐というものを覚えないわけにはいかない」と言葉をつぐ。「長い道程だった。あと二年余で布告、布令による米軍統治下から解放される」と、軍政下の24年からの離脱に感情の昂りを隠そうとはしない。

しかしこの感懐を断つかのように「万歳を叫ぶほどの感激はむろんない」と本論へ向かう。共同声明は日米安保条約の完全適用を明示したが、そこに沖縄における運動の課題があったのではないか。社説は、県民とともに自問する。

「即時無条件全面返還」、「反戦復帰」を求めながらも、その意味とは異なる「本土なみ」へと集約していった沖縄の主張があったのではないか。核排除に固執した結果、日米政府の「思うツボ」となり、「本土なみ」は「安保完全適用」と同義語として沖縄の主張は絡みとられてしまった。

「（無条件全面返還とは）安保体制下への復帰ではなく、憲法体制下への復帰をということであった」

と再確認を求める。だからこそ返還決定の日に、「本土なみ」を乗り越える大衆運動がこれからも大切なのだと説く。その筆は、新聞が住民とともにあったことを自明のこととし、これからも同じ立場から同じ課題に立ち向かうものとして書き進められる。

原文に沿って紹介する。

沖縄タイムス
夕刊
社説
歴史の転換のなかで
増大する日本の政治責任
共同声明で　日米関係新段階へ
共同声明の内容に不満　主席が見解
核・B52の扱い憂慮
県民の諸権利回復に全力
「本土なみ」にいぜん疑問
返還時の核撤去明らか
有事持ち込みも保証せず

1969年11月22日付夕刊1面（部分）

「（安保強化、自衛隊増強化は）憲法体制の否定の歴史であった／（憲法下への復帰なんて幻想という批判を認め）復帰すれば安保体制内に組み込まれ、運動それ自体が分裂消滅する予想がないのではない／しかし平和への運動は完全に霧散するのであろうか／そういうことになるのであれば、沖縄の大衆運動はまったく根が弱かった、たんなる遠吠えだったということになるのではないか」。反戦反基地闘争の限界を日米首脳共同声明は明示していた。大衆運動の後退が余儀なくされる状況に中で、あえて「（私たちの運動は）遠吠えだった」のかと反問する。

「復帰すれば、体制側からの攻勢は強くなろう。強力な機動隊とも直面もしよう／それだけで憲法復帰が否定される理由にはならない／憲法体制が指向するものと、空洞化の実態に直接かかわることによって、より具体的な運動への出発を可能にするのではないのか／そう考えることによって復帰を意義あるものにしたい／そこに新たな差別と疎外が待ち構えているとしても――。」

「新たな差別と疎外」。復帰後の沖縄をそのように描いた。多くの県民が日米共同声明から受けた憤りともつながるものであったが、社説はそのことを冷静な予測として提示する。２０２０年現在の辺野古新基地問題に象徴されるように、この言葉は69年11月22日の延長線上に私たちはいることを教える。

◆憲法全文を掲載

「歴史の転換」と書いた社説は、72年の復帰の日に「現在の歴史」への参加を県民に求めていく。戦後、県民の平和と人権への歩みをさらに進めようと書く。

69年の日米首脳会談による施政権返還の決定から72年5月まで、沖縄は激しく揺れ動く。主なできごとをあげてみると、70年11月15日国政参加選挙、同年12月20日コザ騒動、71年1月毒ガス移送、同年5月19日・11月10日返還協定反対のゼネスト、同年8月ドル・ショック、同年10月沖縄国会。大衆運動は、日米両政府へ米軍基地の撤去を訴える反戦反基地闘争へ激しさを増していった。

72年5月15日の復帰の日、政府主催の記念式典は日本武道館と那覇市民会館で開かれた。市民会館に隣接する与儀公園では復帰協主催の抗議の県民大会が雨中に行われた。

沖縄タイムスは特集や広告紙面で「祝」の字を使わず、日本国憲法全文を載せることで5月15日を迎えた。この日の社説は「現在の歴史の時点で…」と題されている。

「日本への復帰は、沖縄の地位の正常化を意味するかもしれないが、現実には異常な政治状況のなかにおかれることになろう。それを現在の歴史としてどうとらえるか。そこにわれわれの選択の問題がある」と県民に語りかける。

沖縄タイムス

新生沖縄、自治へ第一歩

日本国民の地位回復

27年の米統治おわる

武道館で一万人式典

復帰協は抗議大会開催へ

きょうから円交換

社説

現在の歴史の時点で－

核の撤去を

1972年5月15日付1面（部分）

日本国憲法の理念と安保体制にある日本の状況との「かなりの距離」を前に、「強力な中央権力への抵抗体として位置づけられている地方自治を、さらに自主的な創造体として構築していく課題」を提示する。そして県民に「個の確立を通じて、まず自分自身に対処することによって、同時に強力な集団の権利と連帯をつくりあげていくことではないだろうか」と、「現在を歴史としてとらえ、それに参加する」ことを呼びかける。

復帰1年後の73年5月15日、社説「押しつけられた状況…」は「中央支配の強化、物価高や環境破壊の危機、それに基地存続という状況は、住民が希求し選択したものではない。その意味で沖縄は、やはり岐路に立たされているわけであろう」と書き出す。

1年前と同じく社説には珍しくリードの形で結論部分を冒頭に書いているのだが、悲愴感さえ漂う復帰後の現状認識であろう。

「憲法復帰」を論じてきた比嘉は、日米安保条約のもとの日本の姿を見つめる。「ジワジワと、ときには強引に、安保が貫徹されつつある／民主主義が後退し、憲法の名において憲法が空洞化する」と状況をとらえる。「過去二十八年間、沖縄は平和、人権、民主主義のために闘ってきた／沖縄が復帰した日本の現実は、これらに逆行するものであった」。では沖縄の今はどうか。75年開催の国際海洋博覧会をテコとした観光開発と環境破壊、自衛隊の強行配備、暮らしにおける物価高、この1年間に起こってきた課題をあげていく。

「現在の沖縄のどこに『平和・人権・民主主義』の憲法があるのか疑わしい状況になりつつある」と厳しく見つめつつもなお、「憲法実践か、安保貫徹か、その選択の岐路ということである／『現在こそはまさに、われわれが動かしうる歴史である』」と、1年前の復帰時点と同じく「現在の歴史」への参加を県民に呼びかけ結んでいる。

この社説で69年の「差別と疎外」の言葉を思い起こさせる文節がある。復帰後の本土から沖縄を見る目についてふれている。

「沖縄の反戦運動に対し『これ以上あまやかすな』と、ある政府首脳が語ったということであるが、国民の中にも、そいう考えが、かなり残存しているのではないか」とこの小節は書き出している。

「能力もなく働きもせず、平和とか自衛隊反対を叫ぶ沖縄人とは、いったい何なのか——そういう人たちには異様に映るのかもしれない／全軍労のスト、教師を含めての公務員の政治活動も、気にくわぬことだろう」としつつ、沖縄からの修学旅行の女子高校生に男性が下劣極まる差別の暴言を吐いたことなどを引用し、「あえて持ち出したのは、そういう意識で、しかもそれに支えられている日本の政治が、ほんとうにアジアの平和と福祉を実現できるものであろうか、問うてみたくなったからである」と書く。

「アジア人の眼に映る日本人像は、そういうものではないだろうか」と書き込む社説は、日本の変わらぬ視線に、戦後28年にして再び出会い慄然する沖縄そのものだった。社説は憲法への期待を捨ててはいない、しかし、戦後日本を見つめる眼にもはや憧憬はなく、相対化する視点があった。

沖縄の新聞は、戦後の米軍政下において「土地の人々とともにある」ことを学んだ。県民の同伴者となった地方ジャーナリズムの社説は、県民に「現在の歴史」への参加を呼びかける。「諦めることはない」「歴史はつかみ取るものだ」と語りかけている。

県民と歩む地方メディア

牧港篤三氏（沖縄新報、沖縄タイムス記者・専務、詩人）

「新聞が時代に流されてはいけない。沖縄を再び戦争に巻き込む動きには徹底して抵抗しないとだめだ」（2002年のインタビューに）

仲宗根政善氏（ひめゆり学徒の引率教師、琉大教授）

「戦争が容認へと傾く。次に肯定、さらに賛美ですよ。絶対に引きずられてはいけない。引きずられる側にも責任がある」（1980年代、取材に答えて）

ここからは筆者の現場時代のとくに80年代から2000年代のできごとを中心に、全国と沖縄、全国紙と沖縄2紙（主に所属する沖縄タイムス）、これに全国紙と地方紙の比較も加えつつ、沖縄の新聞の「独自性」を考えてみたい。昭和天皇の死去と沖縄基地問題を中心にたどる。

1989年　昭和天皇の死去報道

1989年1月7日の昭和天皇の死去報道は見出しの言葉が、沖縄の2紙と全国の新聞との間で大きな違いをみせた。

昭和天皇の死去は、日中・太平洋戦争を含む昭和史において重要なできごとであった。新聞各紙は1面でのトップ扱いはもちろん、通常の1段見出しではなく2段幅で大きく伝えた。多くの紙面を割いて国民の反応や昭和史を掘り起こすことでも共通していた。その報道は昭和史を総括することであり、とくに去った戦争における昭和天皇の役割と責任をどう考えるか、新聞社にとって大きな課題であるという認識では一致していたと思う。

◆崩御とご逝去

全国の多くの新聞と沖縄2紙で異なっていたのは見出しの言葉だった。全国各紙は旧皇室典範に記されている「崩御」でほぼ統一され、県内2紙は「ご逝去」で伝えた（日本新聞協会『新聞研究』によると「ご逝去」の表記は県内2紙のほかに苫小牧新聞、日本海新聞、長崎新聞）。

地方紙の虎の巻ともいえる当時の共同通信社発行『記者ハンドブック・新聞用語集』には特に規定はなく、皇室用語については「敬語は使う。ただし過剰にならないように」としていた。一般的な死亡記事については「死去」とあり、「崩御」の記載はなく「ご逝去」と逝去に敬語を重ねる表現も普段はなされない。共同通信社の配信記事は「崩御」と見出しを取っていた。

全国紙やほとんどの県紙がいっせいに「崩御」で報じたのは、新聞社だけではなく国民においても、天皇が特別の存在として認識されていたことを示した。それは県内2紙もまた「ご逝去」という特別な用語を使ったことでは異なるものではなかったともいえよう。

「編集局で論議を重ねた。だれにでも分かる用語の使用という基本とともに、戦後の新憲法下の天皇の地位にふさわしい表記と判断した」(『激動の半世紀　沖縄タイムス社50年史』)とあるように、沖縄2紙は独自の判断をした。『琉球新報百年史』は「ご逝去」についてはふれていないが「とくに、昭和天皇と第二次大戦とのかかわりなどで、『昭和』への県民の関心は複雑なものがあり、これらの視点からも紙面展開がなされた」と記している。

当時、筆者は次のように書いた(『ジャーナリスト同盟報』1989年4月。本書144ページに掲載)。

「崩御か逝去か、沖縄タイムス編集局ではまず、通信社から送られてきた見出しの『崩御』をそのまま使うか、が論議された。新憲法における天皇は象徴であり、戦後の天皇制は人間宣言でスタートした。崩御は旧皇室典範の用語であり言葉としても難しくなじめない、とする意見が多数を占めた／反論もあった。全国紙をはじめほとんどが崩御を使う／右翼からの攻撃を心配する声も確かにあった。経営サイドからもそのような意見が出されたこともあって、編集現場との緊迫した関係も生じた」

社会部記者だった筆者は、「(崩御を使うことは)沖縄の歴史、県民へ取り返しのつかない過ちをおかすのではないか」という切迫感のなかにあったことを覚えている。

同1月8日の社説は、昭和天皇が沖縄訪問を強く希望されたがかなわなかった、と「早い機会の訪問」に強い意欲を持っていたことを紹介しつつ、「沖縄と天皇（皇室）とのかかわりは、実質、100年に満たない。しかも、明治の琉球処分に始まり、沖縄戦、戦後の米軍支配と続き、復帰後も広大な米軍基地を抱え、悲痛な体験を味わい続けてきた県民の天皇に対する感情は複雑で、本土とは大きな落差がある」と、歴史的な経緯を踏まえた。

◆沖縄の昭和天皇・皇室観

沖縄の昭和天皇・皇室観について、昭和後半の二つの世論調査から県民意識をたどってみたい。82（昭和57）年、復帰10年にあたってのNHK沖縄住民意識調査で天皇観について聞いている。全国との比較もなされ、違いが鮮明にあらわれている。「天皇は尊敬すべき存在かどうか」の問いに、「そう思う」と答えているのは沖縄41％、全国57％。「思わない」は沖縄37％、全国20％。全国では過半数が天皇へ強い思いを抱いている。沖縄においても尊敬すべきは多いが、「思わない」と大きな差はない。

6年後の88（昭和63）年の朝日新聞沖縄県民意識調査では、「天皇への意識」として「尊敬」23％、「親しみ」14％に対して、「何も感じない」は54％となっている。尊敬や親しみの思いが4割近くもあるのだが、皇室と距離を置くかのような「何も感じない」も5割を超えている。

沖縄は戦前において皇民化教育が徹底してなされた地域といわれる。ではなぜ、戦後においてこのように全国と異なる天皇・皇室観が生じたのだろうか。本土と異なる歴史的な背景としては、大戦末期の地上戦と戦後の歩みが深く関わっていることはあきらかだろう。

「県民の複雑な思い」の要因は、長い米軍政という物理的な時間以上に、沖縄戦と戦後の米国統治そのものが昭和天皇と深く結びついている、という県民の体験と理解であろう。

なぜ沖縄で、住民を巻き込んだ地上戦が起こり、そして長期化したのか。戦後の沖縄戦研究の中で、本土決戦への時間稼ぎや捨て石として位置づけられてきたことが明らかにされてきた。60年代からの県史や那覇市史などの編纂において、戦争体験の証言が全県的に収集された。77年が沖縄戦から「三十三年忌(最後の年忌=ウワイスーコー)」にあたり死者たちへの供養が区切りを迎えていたこともあって、年老いた体験者たちはその供養の意味から重い口を開いた。

日本軍による住民をスパイ視しての虐殺や壕追い出し、「集団自決」(強制集団死)など沖縄戦の実相がさまざまに語られていった。天皇の名による戦争の実態を、祖父母らの語りによって次世代も知っていく。沖縄戦について子どもたちは、毎年の慰霊の日(6月23日)を中心とする学校での特設平和授業で学ぶ。新聞などのメディアは新たな事実を掘り起こし特集を組んで発信する。沖縄社会では、体験者が少なくなるなかで「沖縄戦の風化と継承」が折り重なるようにすすんできた。

◆天皇メッセージと米軍統治

戦後の米国統治について、昭和天皇が深く関わっていたことがわかったのは70年代後半のことだった。

サンフランシスコ講和条約第3条は、沖縄の米軍占領の根拠とされてきた。この長期にわたる米軍政に、昭和天皇の発言が密接に関わっていた。いわゆる「天皇メッセージ」は79年、進藤榮一筑波大助教授（当時）によって明らかにされた（『世界』1979年4月号）。
「分割された領土—沖縄、千島、そして安保—」と題された論考は、天皇がサンフランシスコ講和後の日本防衛に関心を寄せていたとし、対日占領軍総司令部政治顧問のシーボルトによるマッカーサー長官宛覚書に、寺崎英成・宮内庁御用掛の発言として、「寺崎が述べるに、天皇は、アメリカが沖縄を始め琉球の諸島を軍事占領し続けることを希望している。天皇の意見によるとその占領は、アメリカの利益になるし、日本を守ることになる」「天皇がさらに思うに、アメリカによる沖縄の軍事占領は、日本の主権を残存させた形で、長期の—25年から50年ないしそれ以上の—貸与（リース）をするという擬制の上になされるべきである」としたものだった。

67年7月の社説「戦後二十二年と復帰懇」の講和条約第3条に関する「十五年間も信託統治を提案しないというのもおかしいし、米国にはいつまでに提案しなければならぬという義務はない」という指摘を思い出すまでもなく、「25年から50年のリースという擬制」とは、なんとも生々しく米軍政下の27年間を映し出す「希望」だろうか。

進藤助教授は「この文書の重要性は、アメリカの政策決定者の〝琉球処分〟に多大な影響を与えたことである」と書いている。

米国の反共政策が根底にあって、サンフランシスコ講和条約で日本の独立と表裏をなす形で沖縄は米軍政の長期化がなされた—というのが一般的な理解だった。それだけに「天皇の関与」は県民に大きな衝撃となって受け止められた（注11）。

◆全国自粛と島の祭祀

沖縄の新聞社において「天皇のご逝去」報道はどのように行われたのか。筆者の体験をもう少したどってみたい。

当時、高齢の天皇の健康状態が心配されており、全国紙を含む多くの新聞社が「その日」に備えていたことは確かなことだろう。沖縄タイムス編集局でも86年に入って数人のチームが編成され、県民の昭和天皇への思いや天皇と沖縄の歴史的関係など、内部での議論や共同通信記事の選択など作業が進められていた。

昭和天皇の死去は、突然のことではなかった。88年9月19日の容態悪化から89年1月7日の死去まで、各メディアによって天皇の病状が日々、克明に報道され、多くの催事・行事が中止される「自粛ムード」に日本全体が覆い尽くされた。県内2紙においても県内の自粛の動きを含め連日、詳細に関連記事を掲載していた。日本のメディア全体が「天皇報道」で埋めつくされていった。

県内では那覇大綱挽をはじめ、県、市町村主催の産業祭りなどがほぼ中止となった。主催者は戸惑いながらも全国の動きとあわせ自粛を決めていった。そんなおり印象深い記事が載った。20行程度の短い記事は、ある島で伝統の祭祀がいつもとかわりなく行われた、というものだった。「(毎年の)祈りをやめたら大変」という住民の声は、全国の自粛ムードとは遠く隔つ島の暮らしを伝えていた。公に関わる行事が次々と中止されるなかで、南島の歴史を刻む祭祀の世界は静かに続けられていた。

昭和天皇死去に際しての「崩御」と「ご逝去」の言葉遣いの違いには、日本社会における戦前と戦後の「連続と不連続」の問題が横たわっていたように思う。国民の皇室観に沿ったものだったとしても、新聞社が旧皇室典範の言葉を選択したことは戦前の価値観との連続を示している。多くのメディアは皇室報道を通して、戦前との共通性、戦後も変わらなかったことを表明したといえないだろうか。

昭和の終焉は、沖縄の新聞社においても県民意識と乖離せず、報道の原点を見つめる機会となった。戦後に昭和天皇が全国を巡った行幸において、米軍政下の沖縄を訪れることはなかった。27年間の米軍政において、雑誌などを含め皇室報道に触れる機会の少なかったということも皇室への距離をつくった要因として考えられよう。それは復帰後、本土との情報の均一化によって皇室との距離が縮まってきたことも予測させる（注12）。

平成の時代に入り、皇太子時代に何度も沖縄を訪れた天皇（現上皇）に対する県民の親近感は強い。皇室への距離感は時代とともに変化していく。歴史的な天皇と沖縄の関係と、県民の皇室観をどのように結び、報道していくのか。新聞はつねに「時代」と直面している。

注11　１９８９年1月11日付朝日新聞は、入江相政元侍従長の日記から「沖縄をアメリカが占領して守ってくれれなければ、沖縄のみならず、日本もどうなったかしれない」と昭和天皇が語った―と報じている。２０１４年宮内庁による『昭和天皇実録』でも確認された。

注12　年号が平成から令和へかわる直前の２０１９年4月、沖縄タイムス社と琉球放送は県民意識調査を行っている。平成天皇に「好感が持てる」87・7％、新天皇に「親しみを感じる」53・0％で、県民の皇室への好感度の高まりを示している。

１９９５年～　全国紙と地方紙の温度差

戦後50年の歴史的な節目を迎えた１９９５年は、日本の歩み、沖縄の現実を問うできごとが相次いで起きた。阪神淡路大震災の発生とオウム真理教事件は、安寧な暮らしの危うさと人々の絆の大切さを教えたように思う。沖縄では米軍基地をめぐる二つのできごとが、戦後半世紀を経てもなお基地の島に住んでいる現実を県民に否応なく意識させた。

95年以降の沖縄の「異議申し立て」と国の基地政策との対立が表面化するこの時期、本土と沖縄の「温度差」という言葉がよく使われた。沖縄のことが伝わらない、わかってくれない、あるいは「差別だ」というニュアンスを含んだ沖縄側の苛立ちと、本土側の沖縄問題への距離感をあらわし、残念ながら今日でも生きている言葉といえる。

その「温度差」の現れ方を考えるために、沖縄２紙と全国紙、沖縄問題に対する全国紙と地方紙、国際問題においての全国紙と沖縄２紙、の三つの場面をみていきたい。そこには新聞社の立ち位置が反映されていた。

◆8万5千人の県民総決起大会

経緯をあらためてみておきたい。95年9月、「米兵による暴行事件」は起きた。人権を踏みにじる米軍関係事件は反基地の大きな動きへと広がった。重なるように、同月28日、米軍用地の未契約地主に対する強制使用問題で、大田昌秀知事は国の手続き代行の拒否を表明した。県議会で「日米政府は安保の再構築を進めている。沖縄の基地が固定化されることを強く懸念している」と、日米政府で進める安保再定義への不信を理由にあげた。97年5月の使用期限切れを前に未契約地主の土地に対する国の不法使用が現実味をおび、米軍基地に「法の空白」が生じる可能性が強まった。

事件に対する県民の憤りと、知事の政府への対決姿勢は、同調し合う形で「沖縄の異議申し立て」となって高まった。

日米政府は日米特別行動委員会（ＳＡＣＯ）を発足、基地整理・統合・縮小の議論を開始、経済振興策など沖縄の負担軽減へ踏み出したかにみえた。普天間基地返還表明はとくに大きな前進を期待させた。しかしながら実質的に沖縄への基地集中は変わらず、さまざまな基地被害の解決策に結びつく日米地位協定も改定には至らず運用改善にとどまっている。県民にはほぼゼロ回答と映った。むしろ日米政府の継続する沖縄政策が浮き彫りになっていく。

95年10月21日、本島中部の宜野湾市海浜公園で「少女暴行事件を糾弾し、地位協定見直しを要求する県民総決起大会」が開かれた。主催者発表で8万5０００人が参加した抗議集会は、72年復帰をはさんで最大規模といわれ、県議会与野党、婦人団体など幅広い団体が実行委員会に名をつらね、バスなどを利用して家族ぐるみで参加する姿も目立った。その模様を筑紫哲也氏は「『人間』による集会」とタイトルをつけ、「海浜公園の集会の空気を支配していたのは『人間の尊厳』という政治以前の、人が人として生きるためいちばん根幹の部分だったように思う」（「多事争論・かわら版」沖縄タイムス10月22日付）と書いた。

「軍隊のない平和な島を返してください」と訴える高校生の発言に参加者は共感し、大田知事は「行政の責任者として少女の尊厳を守れなかったことを謝りたい」と述べた。年配者からは、1955年の6歳の少女が暴行殺害された「由美子ちゃん事件」が語られ、基地のない平和な島を願ってきた戦後の運動を振り返り悔しさを口にした。

◆「国側勝訴」と「知事敗訴」

県民総決起大会から5カ月後の96年3月25日、米軍用地強制使用手続きの代理署名を拒否した大田知事を国(村山富市首相)が訴えた代理署名訴訟(職務執行命令訴訟)の判決が福岡高裁那覇支部であり、大田知事に代理署名を命ずる判決を言い渡した。

同日の夕刊1面は全国紙、沖縄2紙ともにトップニュースで扱っていたが、見出しの主語が異なっていた。

全国紙は「国側勝訴」と表記、沖縄2紙は「知事(県側)敗訴」とつけた。全国紙は政府、地元紙は県、をそれぞれ主役に見立てる。原告が国、被告が県であり、新聞がどちらを主語としても成り立つ。しかしそこは、新聞社がなにを主体に紙面をつくっているか、を示すことにはなる。

後の最高裁判決が示すように、米軍基地問題において司法は「国益」を判断の根底に置いている。全国紙も判決の行方は別として、報道の主語は国、である。訴訟が米軍基地の運用という日米安保条約が対象であり、国の安全保障政策と密接に関わることからの判断といえよう。

一方で、沖縄の新聞においても、主語を県に置くことは議論のないものだった。それは民意を代表するものとして大田知事の代理署名拒否をとらえていたからだ。沖縄の米軍基地の整理縮小が多くの県民の意思であることは、72年以降においてもメディアのさまざまな県民意識調査で示されてきた。基地問題の解決を公約の柱にして当選した大田知事の決断もまた、県民の支持を背景にしたものであるとの判断に沖縄の新聞は立っていた。

沖縄基地問題においては安全保障の面からの国益と、人権や自治権を中心とした県益という議論の立て方がされる。国の安全保障が上位の価値として論じられる場合は、国民の命や暮らしを後景にすることを意味する。新聞はその判断を自覚的に行っている。

◆全国紙と地方紙の論点

全国紙と地方紙のとらえ方の違いを「沖縄問題」をめぐる社説からみてみたい。対象は、沖縄タイムス紙に掲載された主に朝日新聞、読売新聞、毎日新聞の全国紙と、中国新聞（広島）、北海道新聞である。

沖縄タイムスは基地問題の重要な局面で、国民の考え方を読者に知ってもらうために上記の全国3紙のほか、有力なブロック紙、県紙の社説をその都度、掲載している。後者の2紙は発行部数やエリアの広さから有力ブロック紙と位置づけられるのだが、ここでは東京中心の全国紙と異なり、地元に根拠を置く新聞という意味あいで「地方紙」と呼ばせてもらう。

大田知事が国に訴えられ、地裁、高裁で「県敗訴」となった代理署名訴訟の上告審は96年8月28日にあり、最高裁大法廷は「米軍に基地提供を定めた米軍用地特別措置法は憲法に違反せず」「知事が署名を拒否すれば国は、日米安保条約の履行義務に支障を生じ、公益が著しく侵害される」として、国側勝訴の一審判決を支持、大田知事の敗訴が確定した。

社説において全国紙は二つに割れた。

判決の評価について、朝日新聞（以下朝日）は「最高裁も沖縄を拒んだ」と見出しをつけた。米軍にどの土地を、どのくらい提供するかは「総理大臣の裁量にゆだねられる」としたことに、平和的生存権や法の下の平等、地方自治の尊重など憲法の理念を説くこともない最高裁を追及した。毎日新聞（以下毎日）も「沖縄の訴えにどう応える」と沖縄への理解を求める。

一方、読売新聞（以下読売）の見出しは「『判決』に沿い沖縄解決へ努力を」。「安全保障上の『公益』を重視する、十五人全員一致の判断」で「妥当な判決」と国の主張を肯定する立場から判決を評価した。沖縄基地問題においては、国益を重視する読売と、沖縄の主張に重きを置く朝日、毎日、の構図はほぼ変わらず推移する。

最高裁判決について北海道新聞（以下道新）は「沖縄差別に目をつぶった司法」、中国新聞（以下中国）は「司法は沖縄の心にこたえたか」と、ともに司法判断を批判的にとらえている。

中国社説は「(司法は) 戦後日本が目をそらしてきた深刻な矛盾、安保のひずみに、なぜ正面から答えられないのか」と論じた。これらは大法廷の口頭弁論で大田知事が「最高裁に、沖縄の未来の可能性を切り開く判断を心からお願いする」として〝憲法の番人〟に「沖縄基地問題への積極的な判断」を求めた訴えと重なる。

沖縄基地問題についての地方紙の論陣は、多くが沖縄側に力点を置き、政府や司法を批判する。地元の民意に立脚する地方紙の「目線の置き方」が沖縄問題でも現れているのではないだろうか。

◆県民投票への評価

代理署名訴訟の最高裁判決から11日後の9月8日、全国初の県民全体を対象とした住民投票が行われた。問われたのは米軍基地のあり方と、米兵による暴行事件で焦点となった日米地位協定をどうすべきかだった。設問は「米軍基地の整理・縮小と日米地位協定の見直しについての賛否」と二つの課題を並べた形だった。

代理署名訴訟
最高裁判決
本土5紙の社説（転載）
朝日新聞
最高裁も沖縄を拒んだ
基地集中の実態に冷淡だ
毎日新聞
沖縄の訴えにどう応える
読売新聞
「判決」に沿い沖縄解決へ努力を
北海道新聞
沖縄差別に目をつぶった司法
中国新聞
司法は沖縄の心にこたえたか

本土5紙の社説を転載した沖縄タイムス1996年8月30日付特集紙面

県民投票は賛否よりも投票率が注目された。投票行動において賛成が多いことは予測されており、焦点は投票者数が有権者の過半数を超えるかどうかにおかれた。超えなければ県民意思を示したとはいえない、となるからだ。

民意を示す意義が推進派から強調され、大田県政支持の与党や労組、市民団体が投票キャンペーンを繰り広げた。一方、野党保守系の批判に加え、軍用地地主の団体（土地連・沖縄県軍用地等地主会連合会）や全沖縄駐留軍労働組合（沖駐労）などが棄権した。基地が多く存在する中部市町村で投票率が低かったように、基地の整理縮小の内容が明確でない、職場を失う不安など基地の島の現状を浮き彫りにした。県民投票は、県民一人びとりに暮らしの中から「基地問題」を問うものだった。

結果は、有権者90万9８３２人、投票総数54万１６３８人、投票率59・53％。賛成票48万２５３８人（89・09％）、反対票４万６２３２票（８・５％）、無効票１万２８５６票（２・４％）。

賛成が投票者数の89％、有権者数の53％で過半数を超えた。沖縄タイムスは解説で「これ以上の基地負担に明確に『ノー』を突きつけた／これまで抽象的に示された『基地のない平和な島』を願う心が県民の一票という重みで表現された意味は深い」として「県民の総意」ととらえた。

各社の社説を読み比べる。

沖縄県民の意思が示されたという認識では一致している。その上で判断は、沖縄の意思を尊重するか、安保体制を重視するか、で分かれる。また全国初の県民投票は「(住民投票が）地方分権の大きな原動力になる」（五十嵐暁郎・立教大教授のコメント。「検証　県民投票㊦」沖縄タイムス１９９６年９月12日）ものとして、地方自治の観点からも注目されていた。

朝日は「橋本首相は沖縄に答えよ」と法的拘束力はないものの県民の政治的意見の表明としてきわめて重い、としている。その上で、憲法における不平等と差別の是正、安保体制を健全な姿に、と沖縄への過重負担の解決を求めている。毎日も「苦悩の選択にどう応える」とした上で、全国的に広がる住民投票の動きに注目している。

読売は賛成が圧倒的多数を占めたことに「沖縄県の厳しい現実を示している」としつつも「投票率

が六〇％を切り、予想外に伸び悩んだことも事実で、『沖縄』問題の今後に微妙な影響を与えそうだ」と分析する。政府に、基地の整理縮小を求める一方で、大田知事には日米安保の重要性を踏まえ現実的な政治判断を求める。

読売社説で特徴的なのが「国家的、全国民的な課題は一地域的の住民投票にはなじまない」と住民投票を否定的にみていることだ。「原発建設や基地移転など国の基本政策にかかわる問題を争点にすることは避けなければならない／特に基地問題は、国の安全をどう確保するかという大局的な視点が欠かせない」からだと書く。国家を上位に位置するものという前提から発想され、一般の国民や地方がおこなう判断に対する軽視さえうかがえる論旨である。

一方で県民の意思を重視し、とくに住民投票の意義と自治のあり方へと筆を進めたのが道新と中国の社説だった。ここには地方分権とともに住民の政治参加への新しい試みとしての評価があった。「人権・平和・自治の訴えを国民的課題として政治に反映したい」と中国は、「都道府県レベル初の意思決定で『自立』を目指す沖縄の試みは、自治の在り方をも問うている」と基地問題に限定せず地方の試みに焦点をあてる。道新は、軍事基地に「ノー」を突きつけた重い選択ととらえ、「沖縄は基地のない平和な島を選んだ」と見出しをつけた。「自分たちの運命は自分の手で決めたいとする自立宣言である」と同調した。

◆名護市民投票

辺野古新基地建設に結びつく端緒ともいえる名護市の住民投票に対する各紙の社説にふれておく。

96年4月12日夜、橋本龍太郎首相はモンデール駐日大使と首相官邸で共同記者会見し、普天間基地の全面返還合意を発表した。当初は県内外の分散移転、県内基地への機能統合などの条件もあがったが、結局、代替基地の県内移設が日米政府の方針となった。その候補とされたのが沖縄本島北部に位置する名護市辺野古の米海兵隊キャンプシュワブ沖だった。名護市民投票の時点では海上ヘリ基地や代替ヘリポート基地の建設計画とされていた。

代替基地建設の是非を問う市民投票は97年12月21日に行われた。公職選挙法の適用を受けない住民投票は、基地建設の賛否をめぐり集会や個別訪問など激しい〝選挙戦〟となった。政府・自民党は那覇防衛施設局の職員を動員しての説得や北部振興策とのリンクなど建設推進への誘導を強めた。

市民投票の結果は「建設反対」が52・8％の過半数となった。新聞各紙がおおむね名護市民は反対の意思を示したと判断するなかで、読売社説は「小差であり、市民の意向がほぼ二分されていることを示している」と書いた。

各社の社説の見出しを紹介しておく。

朝日「名護市民の意思を生かす道」、読売「ヘリポート建設へ現実的判断を」、毎日「市民は苦渋の選択をした」。中国「名護市民の選択にこたえる道」、道新は直截に「カネで買えなかった『沖縄の心』」。

ここまでみていくと、沖縄問題について、全国紙、とくに読売は「国にとって」を判断の基準とし、朝日、毎日、道新、中国は県民の意思に重点を置いていることが明らかだろう。さらに、道新、中国はより地方自治の視点から国の政策に対しもの申す姿勢が明確だ。

市民の意思の現れである事象を、新聞はどのように見つめていこうとしているのか。事象を客観的な事柄として位置づけるというよりも、その新聞社の価値判断に沿って解釈されていくことを沖縄の事例は示しているように思う。ジャーナリズムが問われる理由もまた、ここにある。

◆全国紙と沖縄2紙の米国評価

三つ目の比較として、国際問題、特に戦争と人命に関わるできごとにおいての、沖縄タイムス、琉球新報の沖縄2紙と読売、朝日、毎日の全国紙の主張を比べてみたい。「9・11米中枢同時多発テロ」の衝撃を受けての、米国を中心とするアフガニスタンとイラクへの攻撃についての社説である。

2001年9月11日、米国の世界貿易センタービルやペンタゴンへの同時多発テロは世界に衝撃を与え、国際緊張を一気に高めた。ブッシュ米大統領は「テロとの戦い」を声高に叫び、冷戦後の世界は新たな局面に入っていった。

同時多発テロを受けて、ブッシュ大統領はアフガニスタンのタリバン政権の軍事施設と最重要容疑者としたウサマ・ビンラディン氏への攻撃を唱えた。同年10月8日、米英軍によるアフガニスタンへの攻撃が開始された。

小泉純一郎首相はブッシュ大統領との電話会談で攻撃を支持、その翌日の10月9日、各紙にアフガン攻撃への社説が載った。

朝日は「武力行使はできることなら避けることが望ましい」としつつも「国際社会を標的にするテロ組織を壊滅させるには、訓練基地や軍事施設などに目標を絞った限定的な武力攻撃はやむ得ない」と米英の攻撃を肯定した。読売、毎日もニュアンスに違いはあれど「やむなし」では一致している。

これに対し、沖縄タイムス、琉球新報は「市民に犠牲者が出る」「憎悪の連鎖を生む」と反対の立場で論じた。戦（いくさ）を住民側から見る―県内2紙が沖縄戦と戦後体験から学んだ共通する視点である。

タイムス社説は「軍事行動で『テロの連鎖』が断ち切れる保証はない」ことを主張。米国の国連承認を得ずしての個別的自衛権の発動を批判し「報復が報復を呼ぶ事態は何としても避けなければならない」と批判した。

03年、米国はイラクのフセイン政権が大量破壊兵器を保持しているとして、イラク攻撃を行う。県内2紙の社説は国連安保理の承認を得ない米国の単独行動主義を批判し、「ブッシュの大義」に対する疑問を提起した。基本は「住民の犠牲」への強い危惧であることは、アフガン攻撃と同じである。

イラク攻撃に対しては朝日、毎日は批判的な立場で、読売が支持、と分かれた。結局、米国が攻撃の理由とした大量破壊兵器の保有の事実はなかったことが後に明らかになる。フセイン政権の崩壊は、同国内の混乱と「テロの連鎖」の国際的な拡散へとつながっていった。

二つの戦争に反対する沖縄2紙の論旨は、戦争が住民・弱者の犠牲をともなうことへの強い危惧と、国際秩序を否定する米国の単独行動主義への批判が基本だった。冷戦後の米国一強といわれる時代ゆえに、その独善性へのチェックは必然だった。

日本から米国はどのように見えるのだろうか。戦後、安保条約のもと日本を守ってきた頼もしい同盟国、経済・軍事大国ととらえることが一般的だろう。沖縄ではもう一つの、27年間の軍政で見せた占領者の姿であり、今でも日常の中で金網の向こう側に存在する軍隊、という肌感覚で知る米国がある。この異なる戦後体験からくる距離感の違いも、かの国への評価に影響を与えているのかもしれない。

◆目線の違い

これだけの事例から結論めいたものを引き出すことは暴論の誇りを免れないが、もうしばらく聞いてもらいたい。

全国紙は構図としては「国の安全保障」を主題に国政と沖縄の関係を論じている。道新、中国は「自治」の言葉が示すように、地方の主張に重きを置き政府へ注文する。

沖縄問題については、北海道も中国も直接的な利害はなく、地理的には東京と同じ立場になりうるものだろう。2社は地方から、同じ地方の沖縄をとらえている。すると、全国紙の中央目線と地方紙の地方目線の違い、ということになるのだろうか。

沖縄問題のとらえ方で、朝日、読売、毎日はそれぞれ主張は異なる。ひとくくりに全国紙と地方紙というだけではなく、個々の新聞の判断こそが重要なことはいうまでもない。それでも、全国紙と地方紙の間には「目線の違い」がある。中央と地方とでは目線の高さや角度が異なる。その高さや角度が異なることは新聞においては多様な価値観を提示できる、ことにつながる。読者においても選択の幅が広がることになる。

しかしながら「目線の違い」を新聞が所与のものとした時、そこには問題が潜んでいるように思う。

目線の高さや角度は、起こる事象に即することによって本質をとらえる役割を果たすだろう。しかしこの目線の高さや角度を固定することで新聞社の主張のつっかえ棒にしてしまっては、事象や事実から学ぶ必要はなく自前の結論で料理すればいいということになりかねない。読者から与えられた、客観的な立場による取材とそのことで得ることのできた事実によって形成される視点の提供、という役割を自ら放棄してしまうことになろう。

全国紙が「目線を高く」社論を組み立てるとしたら、県内2紙は「地を這う目線」を選んだ。新聞の立つ土地の歴史や日々の暮らしを住民と共有することである。言葉を換えれば、国をもまた相対化していく柔軟な目線である。

戦後史を土壌に「抗う新聞」

1971年・95年 二つの事例から

社説を中心に沖縄の新聞をみてきたが、まとめの前に報道の二つのケースを紹介する。復帰前夜の1971年「毒ガス移送」と、現在の基地問題の端緒ともなった95年の「米兵による暴行事件」。沖縄のジャーナリズムの特性を取材の現場からたどってみたい。

◆住民と同じ立場に──「毒ガス移送」報道

69年7月18日、米紙のウォール・ストリート・ジャーナルは、沖縄の基地でVX神経ガスが漏れ、24人が病院に運ばれたと報じた。嘉手納基地に隣接する知花弾薬庫にVXやサリンなど致死性の毒ガスが貯蔵されていた事実は、沖縄社会に衝撃をもたらす。この毒ガス移送の取材に際し、沖縄タイムスは米軍提供防護マスクの着用拒否を決める。理由は、沿道の住民5000人に防護マスクはなく「米軍の便宜供与を受け、記者だけが守られていいのか。住民と同じ立場にいるべきだ」というものだった。

当時は戦略爆撃機B52が嘉手納基地から連日のように北ベトナムへ飛び立ち、68年11月には墜落炎上事故を起こしている。激化するベトナム戦争は、基地の危険性を住民の暮らしに直接及ぼし、反基地闘争が高まりをみせていた。毒ガス撤去に県民は動いた。屋良朝苗主席、立法院の再三の撤去要請、復帰協の県民大会、五大学学長のアピールなど島ぐるみの撤去闘争となった。

米陸軍省は69年11月、米本国のオレゴン州陸軍貯蔵庫への移送を発表した。だが現地で反対運動が起き、米上院も国内への移送禁止を決議した。米国防省による太平洋・ジョンストン島への移送決定の発表は、毒ガス漏れ報道から1年5カ月後の70年12月5日だった。コザ騒動はその直後（12月20日）に起こった。

「毒ガス移送計画（レッド・ハット作戦）」は陸路で知花弾薬庫から現在のうるま市昆布の海兵隊施設・天願桟橋まで運び、ここで船に積み替える。総貯蔵量1万3千トン、沿道の住民約5000人は避難することになった。第1次移送は71年1月13日、150トン。2次移送は7月から9月までの56日間（実質35日）に及んだ。

沖縄タイムスは第1次移送に際し、本土からの加盟社を含む記者クラブに防護マスク拒否の同意を求めたが賛意は得られなかった。安全性の確保とともに取材の制約が問題となった。米軍は取材記者に対し、健康診断書の提出、防護マスク着用訓練、事故の補償要求をしない、の三つの条件を出していたという（玉城真幸沖縄タイムス労組書記長、社会部記者）。米軍は、防護マスクを着用しない記者に軍提供の取材バスへの乗車を認めず、天願桟橋への出入りも禁止した。沖縄タイムスは各所に記者を配置、沿道の住民とともに移送トラックを見守り、栈橋の状況は小高い場所から望遠レンズで狙った。しかし取材は充分とはいえず、一部記事の訂正や共同通信の配信写真を掲載することになる。

玉城によると、編集局内では住民が避難する危険な取材に、マスクを着けてでもやるべきだという意見もあったという。結局、労組を中心に決めた防護マスク拒否を編集局長に相談した。局長は理解を示した上で社長へ編集局の取材方針を告げ、社長は局長に判断を一任したという。住民サイドに立つ報道は現場の記者とともに、新聞社の姿勢だったことがうかがえる。

玉城は「住民と離れた存在でいいのか、マスコミとは何かを突きつけられた。新聞が住民と一緒に息をしていた」と語っている。軍政下に住民と新聞はともに歩んでいた。「賛否はあるだろう。しかし時代背景を抜きにしては論議にならない」と振り返っている。

◆被害者の人権を守る――「暴行事件」報道

住民サイドに立つ――という姿勢は、現在も継承されている。人権保護に努めようとした報道が、沖縄メディアに共通して現れたことがあった。

1995年以降の基地問題の端緒となった「米兵による暴行事件」において、被害者の人権を守ることに重点をおいた報道姿勢という点で沖縄メディアは共通していた。被害者の特定につながらないよう情報は最小にとどめる努力が払われた。地元民放記者は東京キー局に対して、ワイドショーなどの被害者周辺への取材自粛を要請したという。沖縄タイムスは当初の事件名を変更、被害者側の表記をはずし「米兵による」と加害者を主とした名称とした。

重要な役割を担ったのが女性グループ（「基地・軍隊を許さない行動する女たちの会」など）だった。事件の本質を女性への人権侵害、軍隊は構造的暴力組織と世論に訴えた。メディアに対して被害者へのセカンドレイプにならないよう報道の自粛を強く求めた。

報道の速報性も問題となった。琉球新報が事件を紙面化したのは発生から4日後、沖縄タイムスはその翌日だった。被害者への配慮が理由だったが、掲載の遅れは事実を伝える報道の役割からは課題を残した。女性団体から、女性への暴力犯罪、人権侵害ととらえる確固たる姿勢が欠けている、と指摘を受けた。

沖縄タイムスは記事掲載にあたって、事件解決に日米地位協定が壁になっていると解説記事を併載した。日本側が起訴するまで米兵容疑者の身柄は米側が拘束し日本の捜査当局は確保できない、と日米地位協定の問題点を指摘した。沖縄メディアは基地問題に焦点をあてて報道し、戦後50年の年に起きた事件は沖縄の戦後が終わっていないことを痛切に県民に教えた。基地撤去・縮小と地位協定改定に向けた「異議申し立て」の声が高まった。

二つの事例からは報道の課題も浮き彫りになる。米軍提供の防護マスクを拒否した毒ガス移送取材は、事実に迫る取材の抑制になりかねないと反論もあった。米兵事件については、事件名の変更に事件の本質が伝わらない、事実をぼかしてしまうと疑問が出された。人権と報道をどう考えるか、常に判断が求められる課題だが、沖縄のメディアが人権擁護を優先し、米軍基地問題という本質に焦点を絞った報道を選択していったことは確かなことだ。

復帰前夜の毒ガス移送と戦後50年に起きた米兵事件は、沖縄の状況を浮き彫りにする。巨大な米軍基地は日米両政府の沖縄政策の結果であり、国策に抗う住民という構図は戦後史を通して変わらない。事実に迫る報道や記録性のために最大限の努力を図ることはメディアの役割だ。そのなかにあって住民側に立つ沖縄メディアの選択は、ジャーナリズムの目的を教えている。

不連続性とナショナリズム

読んでいただいてわかるように「新聞が見つめた沖縄」とは、戦後の新聞の姿そのものであった。社説はとくに新聞社の写し鏡のように、そのジャーナリズムの限界をも含めて像を結んでいる。新聞は戦中期において国家政策と密接に関係し、その一翼を担った。沖縄の新聞も例外ではない。しかし戦後において本土とは異なる環境のなかで新たに創刊され、沖縄の戦後社会と歩調をあわせつつ今日に至る。この歴史を土台とした県内2紙（沖縄タイムスと琉球新報）に独自性を見つけようとしたら、ジャーナリズムとしてどう位置づけられるのだろうか。

答えは簡単には見つからないが、独自性の背景として戦前から戦後への「連続性と不連続性」の問題で考えていくことはできるように思う。これは新聞が戦争責任をどう考え、国と報道の関係にどう決着をつけつつ新たな新聞づくりを進めてきたのかにかかわってくる。現前の権力に対し新聞はどのように言論を立てているのか、今日のありようと結びついている。

◆戦前との断絶

全国と沖縄は戦争の終わり方と戦後の始まりで大きく異なっている。新聞も同様に、全国の多くの新聞が組織的な継続を保ったことに対し、沖縄はすべてが潰えた後に米軍の占領政策にもとづく発刊ではじまった。さらに、本土において1951年までの6年間で終わった連合国軍総司令部（GHQ）による占領支配は、沖縄では27年間に及ぶ米軍政となった。読者である全国の人々と沖縄の住民の戦後の迎え方もその後の暮らしも異なっていった。

壊滅的な沖縄戦から米軍政下における復興は、沖縄の新聞に戦前との断絶の条件を与えた。この環境が沖縄のジャーナリズムの来し方を決定づけた。沖縄の新聞に「不連続性」を用意したのは、沖縄戦と続く米国による長期の軍政であったといえよう。

新聞の「連続性と不連続性」の問題を、共同通信社の元編集局長・原寿雄氏の次の言葉から考えていくこともできるように思う。

「ジャーナリストには国籍がある。ジャーナリズムが自国中心のナショナリズムに陥りやすいのは世界共通の危険性である」（原寿雄著『ジャーナリズムの思想』岩波新書、1997年）

新聞社はその社会の中で言論活動をするものであり、戦前の軍国主義を想起するまでもなく、その属する時代の影響を色濃く受ける。なかでも国民国家といわれる近代の「国」は、政治や経済にとどまらず文化や価値観、人間をも国民として吸収するブラックホールのような力を持っている。ナショナリズムから逃れる術を、ひとりジャーナリズムだけが備えているのかはわからない。

国の判断に軸足を置き、国民を戦場へ駆り立てることを日本の新聞は担った。昭和前期の軍国主義の台頭と、報道が逆らう力を失いつつむしろ時流をともにしていく過程は、メディアにかかわる者にとって直視すべき歴史であろう。そこでは新聞社が、読者の獲得競争を有利にする目的で積極的にかかわったことも知られている。

では今日、どこに軸足をおいているのだろう。その際の選択の基準は今もって過去との連続性を保ってはいないのだろうか。戦前と戦後を隔てる選択の違いはどこにあるのだろう。原氏が指摘する「自己中心のナショナリズム」との関係は。この自問だけは、戦後のジャーナリズムが忘れてはならないことだと思う。

◆国を相対化する視点

沖縄の新聞とナショナリズムの関係はどうなのだろうか。

沖縄タイムスの初期の論説に、「三匹猿」時代への強い忌避感があったことはみてきた通りである。あらためて引用すると次のように書いている。

新聞週間における沖縄タイムス社説「新聞週間に当って」（1953年10月1日）は「戦時中日本政府乃至は軍部によって住民を見ざる、聞かざる、言わざるの三匹猿にしていたことを思うと、まさに隔世の感である」とした上で、米軍政の「寛容」を歓迎している。米軍政下に完全なる自治も新聞の完全なる自由もないと現状の分析を忘れてはいない。しかし「隔世の感」の文字には戦前と比較しての解放感さえ漂う。

また自らを「民族」と表現し琉球（郷土）の文化を復興の柱にすえていく。「わが琉球を支配した悪い統治制度が、わが民族性を毒した。この民族性を改める米軍当局の民主主義に基く統治を祝って」と社説（53年5月26日「悪い統治制度と民族性」）が示すように、根底には戦前の日本時代を否定的にとらえる認識があった。復古的な色調を帯びつつも新しい沖縄像を郷土文化の上に描いている。米軍を「解放軍」と位置づけ、米国の民主主義への期待はその反映だったといえよう。戦前、戦中の記者たちにとって日本時代の「三匹猿」の記憶はそれほどに強烈なものであった。

やがて「政治的自主性」の強調は、基地拡張を強行する米国の民主主義への疑問となり、軍政批判へと変わっていった。日々に緊張をはらんだ論陣となったが、新聞は軍政下にあって「見て、聞いて、語る」自由を求めた。

祖国復帰運動の到達点であった施政権返還は、沖縄の言論に新たな模索を求めた。日本国憲法に平和主義と人権の保障への期待を寄せた新聞が「国家との再会」で見たものは、憲法の形骸化であり、沖縄の米軍基地の固定化を決定づける日米安保体制の巨大な姿であった。新聞は祖国との再会を「新たな差別と疎外」と見定めることで「国」に収れんされない視点を確保することになった。その上で「いまある歴史への参加」を県民に呼びかけてきた。

しかし、これらの営為が直ちに「言論の自由」を獲得し、あるいは獲得するための最大限の努力をなしえてきた、という評価と結びつくものではない。米軍政時代の二つの新聞研究による「権力への迎合」の指摘のように、新聞はいつの時代も権力との関係に敏感でなければならない。

戦後75年、祖国復帰から48年、新聞が県民に覚悟を説いた「新たな差別と疎外」の状況は続いている。辺野古新基地建設が象徴するように、建設反対の県民意思は県知事選や県民投票など明確に表明されてきたが、政府は建設を強行に進めている。沖縄に降りそそぐ国の論理に、新聞は県民とともに異を唱え続けてきた。不断の緊張の中で、国を相対化する視点を培ってきたことも沖縄のジャーナリズムを特色づけている。

沖縄の新聞は、抗う新聞である。読者である県民は日米という二つの国家によってつくられた不条理に抵抗する。この戦後の沖縄社会が土壌となり、一緒に歩む友となった。戦前との不連続性を獲得し、戦後のナショナリズムと距離をとる言論を、この土地の人々と結びつきながらつくりあげてきた。

新聞は大弦を問い続ける。小弦の音を響かせるために。

２０２０年６月　沖縄忌の月に

II

沖縄の現場から——メディア・憲法・安保

追悼・玉野井芳郎　自然と共生する地域主義

玉野井芳郎　経済学者・東京大学教養学部名誉教授
1918年生まれ、1985年10月18日死去　67歳

『わいさぁーい』―玉野井先生は、沖縄を去るにあたっての記念誌の題名に、宮古方言でこう書き残した。その自筆の文字は、細くしなやかに踊っている。わいさぁーい、みんなでやろうではありませんか、と語りかけてくる。先生の訃報を聞いたのは、私が宮古に転勤して半年後、サシバの渡りの季節だった。

玉野井先生と親しく話をする機会を得たのは、ことし一月二十四日、沖国大での退官記念講演を終えられ、仲宗根勇さんと三人、学生食堂で遅い昼食を共にしたときだった。先生は、沖縄を去りがたい気持ちと、寒くなったらまた来ますよ、と語っておられた。講演は「学問のフロンティアとは」と題し、いつもの温和な語り口のなかに激しい情熱が込められていたように思う。学生諸君へ、つまり

は沖縄の若者へ、「南島学派よ興（おこ）れ！」と檄を飛ばした。沖縄学ではなく、現代文明、既存の学体系を越え、自然との共生に基礎を置く「南島学」。今となっては、先生の沖縄への遺言となってしまった。

要旨は次のようなことだった。経済学という一学問体系の歴史を、物理学をモデルとした摩擦のない真空状態で論理づけたもので、今日、大きな転換点に立っていると「狭義の経済学」を批判的に捉え直すことから語り始めた。科学についても、基礎研究という聖域になく、実用的な技術とドッキングした科学技術となったことで、産業社会にくみこまれていった光と影の両面を持つこと。

そこではもう、平和と軍事産業の区別はなく、国家と社会、産業と日常生活が一つにまとまる。社会主義、資本主義の体制とかかわりなく、支配者・被支配者、あるいは管理者・被管理者という従来の権力の図式では解けなくなった巨大な産業社会システムの時代に入った。このことをどう理解し、文明の危機にどう対処するか、そのための新しい学体系は？

「間に合うかどうかわかりませんよ。そうやっているうちに人類は滅亡するかもしれない。けれども、もう一つのフロンティアに向けて学問をつくり直そうではないか、そういう大きな動きが、わずかな人のなかから興りはじめている」。沖縄に対しては、「自然生態系を基礎にした生存を確認する。小さな空間から平和を広げていく。それがわかる方は、沖縄にはたくさんいると思うのです」と、南島学派の勃興への期待を語っておられた。

玉野井教授の思想については、すでに多くの専門家が語り、門外漢の私が書く立場にはないのだが、先生が沖縄に定住し、思考し、語り、実践してきた総体が、まさに〝学問のフロンティア〟を形づくったと考える。その核心は、「自らコントロールする契機を持たない文明」によって「カタストローフへと向かう巨大産業システム」に対し、アンチテーゼとしての学体系をいかに築くか。エコロジーを視野に入れた「広義の経済学」の理論化。一方で、生活者の実践によって担われる「地域主義」の展開。この二点であった。

この思考と実行の場を、東京ではなく、沖縄という地域を選び、沖縄国際大学の教授として赴任したのは一九七八年四月だった。密接に結びついた「広義の経済学」と「地域主義」の展開が、先生の七年間にわたる滞在の間になされたことは私たちにとってこの上ない幸せであった。まさに沖縄が、「政治の季節は終わり、戦場のあとの死臭の上に群がるハゲタカのように、統合と一体化の潮流が滔々と流れていた時代」（仲宗根勇氏）、自治・自立が虚しい政治スローガンとして県民に実感されてきた復帰後の状況（それは今日も変わってない）においてだった。退潮のなかで次代への模索の手がかりが求められていた。

文明の上位に個性を持つ文化を、との説に沖縄の人々は自信を植えつけられた。しかし、先生は注意深く、沖縄文化と創造する営為を区別していた。伝統、歴史等々に彩られた古き良き文化は、現代との関わりのなかで問い直されねばならない。ゆえに、八重山、宮古、山原、読谷と地域で試みられる〝島興し〟に期待し、共感し、訪ねて行ったと思う。

そのコメントは、ヒューマンスケールの強調、生態系（植物―動物―微生物）を基本とした人間と自然の共生であり、土と水の大切さの再認識、農と結びつく地縁技術の確立と、とくに第一次産業に対し具体的で多岐にわたった。

「第一次とは、人間の生命を推持・更新する活動にかかわるもの、その点で農・林・牧畜・漁業の活動こそが、文字通りの第一次産業として、他の諸産業と根本的に区別されるべきものです」と社会システムの根底にある〝生命系〟の意味を強調した。

先生の語った「広義の経済学」「地域主義」は、島興しに立つ青年たちを鼓舞し、閉塞と自嘲し、パロってみるしかはじまらないとする沖縄の思想状況に、真に健康的な刺激を与えて下さった。

◇

玉野井先生、もう宮古のサシバの渡りも終わりました。大空に高く舞う勇姿は見えません。渡りの多い伊良部島の次の古謡をご存知でしたか。

九月舞いふう　タカがまどんま／スマヌバン　ムラヌバンちどぬくすあむぬ　どうたまぃ／スマヌバンちど　ぬくらじてぃ

「九月に飛来するサシバは島や村を守る為に居残る。自分達も島や村を守る為に頑張ろう」（久貝勝盛氏）の意です。

南へ渡りのかなわぬサシバらは、宮古の島々で冬を越し、翌春、北へと飛び立ちます。その〝落ちダカ〟を、人々は〝スマヌバンダカ〟と呼び、神としてあがめたとのことです。人頭税時代の過酷な世にあって、秋の冷たいミーニシとともに渡りくるサシバは、島人たちが冬を越すために神が与えた貴重な食糧でした。しかし、島にとどまったサシバを捕え、食することはなく、ムラの守り神と讃えた。自然の恵みを知ることで、自然との共生がなされることを教えてくれます。

先生の思想と実践は、自然との関係を考えるところから出発しました。しかし、自然との共生から疎外され、巨大産業システムが日常に入り込んだ現代において、いかに転換の方途をつくり得るのか。はなはだ心もとない自分を告白せざるをえません。少数派がそれ自体で閉塞し生きる時代なのです、と嘆いてみてもはじまらないことはわかっているつもりなのですが……。先生のまいた「南島学」「地域主義」の種を、いかに芽ぶかせるか。大きな課題を確認し、追悼の筆をおきます。玉野井先生のご冥福をお祈りします。

(『新沖縄文学』第66号　１９８５年12月)

SSDⅢ・同行異聞　ワシントン・アーリントン墓地にて

1988年6月、米・ニューヨークで第3回国連軍縮特別総会が開かれた。沖縄戦記録フィルム1フィート運動の会は、沖縄戦の教訓と沖縄の現状を訴えるために中村文子事務局長を団長に要請団を派遣した。「白旗の少女」の比嘉富子さんら5人はNGOの一員として摩天楼の街で「命どぅ宝」を訴えた。記録映画「沖縄戦未来への証言」英語版を国連事務局に贈呈、ニューヨーク、サンフランシスコ、ロサンゼルス、ホノルルで県人会を中心に上映会を行った。同行取材の感想を「異聞」として報告書に書かせていただいた。

「世界一の広大な墓地は、あと三五、六年は大丈夫です」—ワシントン・アーリントン墓地にバスがさしかかると、日本人のガイド嬢はその役目を果たしはじめた。

青い芝生に白い墓標が並ぶ。一九五一・朝鮮戦争、一九六七・ベトナム戦争……その以前の太平洋戦争もあるのだろう。アメリカ人観光客が列をなして来る。ジョン・Ｆ・ケネディ、弟のロバートも眠っている。

「ここに葬られる事は名誉なのです。なぜって国家のために死んだ者しか許されません」。ガイド嬢は続けて話す。「中央の星条旗は埋葬のある日は半旗となります。きょうもそう、毎日です」。

広い墓地を埋めてきた〝国家の英雄たち〟、そして、この日も、さらには今後「三五、六年間」も彼らは埋葬され続けるのか。アメリカという国家は、常に国家のための戦争をおこなってきた。夏の太陽に照らし出された白い墓標は外国からの観光客になにも語りかけることはない。

ワシントンは、アメリカ創世神話を伝えるモニュメントの杜（もり）だ。初代大統領ジョージ・ワシントンの記念塔、ギリシャ・パルテノンを思わせるリンカーン記念堂。『ｆｏｒ ｔｈｅ ｐｅｏｐｌｅ（人民の為に）』と鎮座まします巨大なリンカーン像、そこにはアメリカ民主主義の原点と誇りがある。

ベトナム戦争で死んでいった者達の碑は、記念堂のすぐ近くにあった。

黒い大理石の壁は、階段状に地下へ降りていくかのようだ。壁一面に死者の名が刻まれていた。一九六二と記されていたか、ひとりだけの名。年を経るごとに壁の名は増え続け、その数に比例して壁は深さをます。戦死者の名が壁を高め、見る者の頭を越える。死者のモニュメントは、地上に高くそびえるのではなく、地下へ、死の国へ導くかのように。

アメリカ人観光客はここでも多い。六月はこの国の観光シーズン、ワシントンはそのメッカだという。黒い壁に祈りを捧げる人々、賑やかな若者達。子供二人に名を指でさし示す黒人の母親。花束や星条旗の小旗が、壁づたいに置かれていた。ベトナム戦は、私達が知るだけでも太平洋、朝鮮に続いて三度目、つい一〇年程前の戦争。アメリカは常に戦い、墓碑銘は地下深く沈んでいった。

それら死者の名が織りなす深みから、地上へと鋭く突き出た黒い碑の先端はリンカーン記念堂へ向かっていた。

死に逝った人々の無言の叫びは、ただ一点を視る。

『ｆｏｒ ｔｈｅ ｐｅｏｐｌｅ』と唱えたこの国の大統領を。

（『世界へ響け〝命どぅ宝〟 第３回国連軍縮特別総会要請団報告』１９８８年11月21日）

地域にあっての天皇報道
——沖縄の現場から——

昨年九月十七日の昭和天皇の吐血以来、全国的に自粛ムードが高まった。沖縄とて例外ではなく、数々の祭り、イベントが中止された。そんな中にあって、島々ではいつもと変わりなく神行事が続けられた。古（いにしえ）から続く御願（うがん）は、日本の神の死とは無関係なところにあった。それは天皇（制）を否定も肯定もしないながら、南島には、心の拠り所とする別個の伝統祭祀があり、神もいることをあらためて教えた。

昭和史の空白を抱えている沖縄において、天皇（制）に対し、本土の人々の受け取り方とは自ずと異なるものがある。

沖縄の昭和史は三期に大別される。皇民化の徹底とその結末としての沖縄戦までの二十年。米軍の占領から対日講和条約による日本の独立と沖縄、奄美、小笠原の分離・米軍の長期統治の決定。戦後の二十七年間は「昭和の空白」であった。施政権返還の四十七年から昭和は再び始まった。

明治の琉球処分以来、日本への同化、皇民化こそが遅れた沖縄の近代化を促すものとして、積極的に推進されてきた。沖縄戦は、本土防衛の捨て石として、住民を巻き込むことで持久戦たらしめた。方言を使えばスパイとされ処刑、壕からは追い出されるなど、友軍の行動は、日本の侵略戦争の本質を国内でも見せたものといえよう。

戦後は、基地オキナワとして生きた。施政権返還後は、公共投資による繁栄がうわべを飾り、日米安保体制下の米軍優先は根本的に変わってはいない。

これらの歴史体験を踏まえつつ、天皇と沖縄、昭和と沖縄の何が書けるのか、また書きえたのか。崩御か逝去か、沖縄タイムス編集局ではまず、通信社から送られてきた見出しの「崩御」をそのまま使うか、が論議された。新憲法における天皇は象徴であり、戦後の天皇制は人間宣言でスタートした。崩御は旧皇室典範の用語であり言葉としても難しくなじめない、とする意見が多数を占めた。反論もあった。全国紙をはじめほとんどが崩御を使う、との右へならえ主義だった。右翼からの攻撃を心配する声も確かにあった。経営サイドからもそのような意見が出されたこともあって、編集現場との緊迫した関係も生じた。

見出し問題は、結局、もう一つの県紙である琉球新報と同一歩調をとる形で「ご逝去」と決まった。たかが見出し一本といわれようとも、天皇報道の姿勢はその死を伝える第一報に出る。内容勝負の声もあった。しかし、崩御を使う事は、新聞を体制の側へ順応させるとの強い危機感が、私達にはあった。沖縄の歴史、県民へ取り返しのつかない過ちをおかすのではないかと。

通常の紙面作りを目指した。一連の天皇報道において、量が質を決定してしまう面が強かった。報道は動きを本来追う。ゆえに皇居にぬかずく人々は写せても、何ら変わりない日常は描けない弱点を持ってはいないだろうか。じっとこらえ息をひそめて、沖縄戦の体験を抱えてきた人もまたいる。できるだけ通常の紙面にというのは、読者へ充分な情報を伝えることを基本に、過剰報道を避けたいとの考えがあった。実際に、号外、夕刊に続く朝刊には通常の新年企画の米軍基地連載を入れ、社会面は別ニュースを常に入れた。天皇関連を中心としつつも、日常性を失うべきではない、との判断がデスク達にあったと思う。

とはいえ、過剰報道になった事はいなめず、特集で沖縄と昭和天皇、昭和史の関係を綴る形でなんとか独自性をだすように努めた。

独自性とは、新聞社の、ではなく、新聞社がよって立つ地域の声の反映と考えている。

（『ジャーナリスト同盟報』№１５４　１９８９年４月）

復帰20年「本土化」のなかで―進む自然破壊

◆深刻な「赤土汚染」

「青い海・青い空」。今や国内有数の観光地となった沖縄のキャッチフレーズ。だが実際には、エメラルドグリーンの珊瑚礁を真っ赤に染める「赤土汚染」という深刻な自然破壊が進んでいる。

それを、公共投資、大資本による乱開発に起因する、と断ずるのはたやすい。しかし沖縄(県民)は「格差是正論」に見るように、本土(かつては内地、祖国と呼んだ)に(主に経済的豊かさにおいて)追いつくことを目標にしてきた。その結果の一つとして、私たちの目の前に現れてきたのが、「青い海」を「赤い海」と変える「赤土汚染」だった。

赤土とは、沖縄諸島の五三%を占める国頭マージという赤黄色の土壌で、山地やパイナップル、サトウキビ栽培の畑となっている。その土壌が開発により雨で海に流される。

◆復帰20年象徴する三つの原因

主な流出源は、国の高率補助を受け県、市町村で進める農業の基盤整備事業、米軍演習場、リゾート開発だ。三つともそれぞれに復帰二〇年の沖縄を象徴し、それらが環境破壊と結びついている。

戦後二七年間、米軍支配下にあって遅れた社会基盤整備が早急な課題とされ、一次、二次沖縄振興開発計画で投下された公共投資は約三兆四〇〇〇億円。道路、港湾を中心に集中豪雨的な国庫支出がなされ、見違えるほどに整備された。反面、土建行政、公共投資依存型の経済体質が強められた。

農業基盤整備事業費は七二年の二七億円から現在では年三〇〇億円を超えた。問題は、その工法が亜熱帯で島しょ性の沖縄の特性によらず、本土での大規模な土地改良事業の基準がそのまま適用されたことだ。

赤土は自然状態では樹木などで守られているが、山が切られ裸地化するともろい。加えてエネルギーの高い亜熱帯の雨（台風、梅雨など）、急峻な地形の風土も異なる。人間の手が自然のバランスを崩し、加速度的に浸食が進んでいる。

漁業への被害ばかりではなく、沖縄本島の珊瑚は全滅した、と警鐘を鳴らすダイバーもいる。アオサンゴ群落で知られる石垣市白保の珊瑚礁も危機にさらされている。

豊かな海の幸を生むイノー（礁池）は外洋の荒い波から陸を守るが、陸からの攻撃に対しては弱い。風土を無視した画一的工法が自然を破壊する。今、行政はやっと対策を立て始めているが、破壊された生態系の回復のめどはつかない。

赤土汚染は国依存の地方の姿を、最悪の形で証明している。

リゾート開発は、八七年のリゾート法制定とバブル経済のなかで、沖縄にも一挙に押し寄せた。本島北部では開発による赤土流出が問題とされ、今後も心配されている。

土地買い占めは、復帰前後（七二年）から海洋博（七五年）に次いで二度目のブームとなった。あり余る本土マネーに狙われた土地は、坪一〇〇〇円ほどの原野が三万円に跳ね上がり、国道沿いの住宅地は五万円が一〇〇万単位に暴騰した。農業振興地域、実際に補助を受け経営されていた牧場さえも買われた。

県も国際トロピカルリゾート構想を立て、沖縄の将来を観光に託す。現在の年間観光客は三〇〇万人。一〇年後には五～六〇〇万人をめざす。関連プロジェクトは一〇三件、うち完成六件、工事中一五件、継続中四五件。だが、バブル崩壊の影響によって延期・中止なども三七件に及んでいる（九一年三月）。

リゾートが集中する恩納村は、リゾート規制条例を九一年二月につくり、村民の暮らしを優先させ、開発に規制の網をかけた。観光客のため、年間の村予算に匹敵する三〇億円の水道整備をしなければならず、あわせて地価高騰。村民は今、地域にとっての開発の在り方を真剣に模索している。

米軍基地からの赤土流出については、別項に基地問題があって詳細は省きたい。ただ、軍事目的と自然保護・住民の暮らしとは本質的に対立する。基地からの流出は歯止めなく続いている。

◆自然との共生、沖縄文化の復興

最後に二点だけ加えておきたい。一つは新石垣空港問題で、現在白保の北に位置するカラ岳東案と陸上二案の三案で県と地元は調整中だ。地域の経済活性化のための空港建設と自然保護の狭間で、建設は一〇年余もストップしている。白保の住民運動は県内でも孤立した闘争が続いた。住民にとって白保の海は「アンマー（母親）たちの海」であり自然との共生意識が根底にあったことを強調しておきたい。

もう一点は沖縄の文化。復帰後、伝統芸能はさらに盛んになり、過疎化と高齢化、開発に揺れつつも島々の独自の祭祀も続いている。一方で若者たちが方言を使い、新たな演劇をめざしそれが人気を得ている。

「アイデンティティー」、沖縄（人）を沖縄たらしめる文化・風土へのこだわりは、復帰後の「本土化」の大波のなかでむしろ深まり、さまざまな姿で現代の沖縄を形づくっている。

（憲法擁護国民連合編『平和と民主々義』１９９２年5月号　特集・沖縄復帰20周年）

天皇沖縄へ　敬語を限定、自前の用語で

天皇来沖で緊張したのは、私たち記者と空前の警備陣だけだったかもしれない。沿道や糸満市の全国植樹祭会場では、ふだん着の県民が屈託なく笑顔で日の丸を振り（この中には、奉迎県民の会の動員組もいたのだが）、県内千五百人と全国から動員された三千二百人の警察官がものものしい警備を敷いているのと対照的だった。

沖縄は「天皇」がいまだに足を踏み入れたことのない地。昭和天皇は、八七年海邦国体の出席も病で果たせなかった。その後の八九年一月、昭和天皇が亡くなった時、県紙二紙は「崩御」とせず「ご逝去」とした。歴史的なこだわり、と指摘する向きもあろうが、歴史的に一定の距離を置き得る国内では数少ない地域、と言い換えることはできないだろうか。

今の天皇は皇太子時代に五度訪れ、今回が天皇としては初めて。沖縄戦の犠牲者と遺族に対しどのような「お言葉」を述べるか、が焦点だった。初日の四月二十三日、那覇空港から直接、南部戦跡へと向かい、県遺族連合会の代表を前に哀悼と遺族への励ましの言葉を述べた。

涙を流し、言葉を聞く遺族たち。「英霊も喜んでいる」と語る遺族連合会の会長。しかし、彼をもっ

てしても「戦後は終わらない」といい、ある女性は「山野に眠る遺骨の収集の仕事がある限り、私の戦後は終わらない」と語った。

続くひめゆりの塔で、ひめゆり学徒の生き残りたちは、沿道から聞こえる「君が代」に「あの一番悪い時代が来ないように願ってきたのに、不愉快になった」「悔しいね」と語り、「奉迎ではなく、沖縄戦の実態を知ってもらうために、一来館者として迎えた」と淡々と話した。

初来沖と「お言葉」で「戦後終わる」と〝予定稿〟を準備し、期待する報道陣には強烈なカウンターパンチだった。

その報道陣の前に、警備の壁も。遺族へ「お言葉」を述べた平和祈念堂入り口では、肩の高さほどの鉄の柵を警官が開けず、スカートの女性記者は「私も！」と悲鳴一番、乗り越えた。

女性でいえば、女性警官を百二十人配置したことを「スマートな警備」と県警は説明。この感覚に対し、畑へも通行証が必要、集落には自転車部隊が走り、道路は検問と、警官の闊歩ぶりに過剰警備の批判が出た。

全国植樹祭を前に取材の柱を三つ立てた。植樹祭は緑化運動たるか単なる祭典か、天皇初来沖の意味と県民の受け止め方、それに皇室報道のあり方―を考えつつ進めようと。

事前の意識調査で植樹祭への関心が低く、天皇来沖と「戦後の終わり」を結びつけていない。戦災補償など戦後処理問題や米軍基地の現実から「戦後は続いている」という実感が強く出た。

皇室用語については、敬語を限定した。地域に立った自前の用語を、と考えた。一面は両陛下とし、社面などはご夫妻で通し、また文中の敬語も極力削った。批判もあったが、総じて読者は認めてくれたように思う。

（『日本記者クラブ会報』第２７９号　１９９３年５月10日）

沖縄ジャーナリズムに見る憲法と安保

九州大学出向時代（２０００年４月～01年３月）の論考をもとに、菅英輝教授の求めに応じて論説委員長時代にまとめた。なお、出版にあたり一部手直しした。

はじめに――琉米親善：協調から批判へ――

「相互の友愛と理解で　築く復興の『礎』」の見出しが躍る１９５０年５月26日の沖縄タイムス朝刊１面。

ペリー米艦隊の１８５３年５月26日の琉球来航を記念し、この日を「米琉親善の日」と宣言する米軍政長官の「全住民へ寄せる」メッセージが、軍服姿の写真とともに掲載されている。米軍の決定で

「祝祭日」となり、行政や学校は休日となった。

新聞の1面左肩には「米琉親善を祝う」と題された社説。「きょうは米琉親善日だ。陸上、野球、庭球その他多彩な記念行事が挙行される。国境を越え人種を越えてのむつましい愉しい歓びを倶にする祝典のめでたさをわれわれは崇高な気持で讃えたい」と書き出している。

沖縄戦の廃墟から復興へと歩み出す時代に、住民は米軍を「解放軍」として迎えたことは、日本占領に対する国民の連合国軍総司令部（ＧＨＱ）への評価と通底する。

新聞論調もまた軍政批判はなく、住民に対し復興への意識改革に向けられていたことはこれまでも指摘されてきた（注1）。「占領下の言論の自由が権力との迎合でしか行使できないもの」という見方もなされた（注2・3）。

3年後の53年には5月26日から1週間を「ペルリ百年祭」として、米琉親善は盛り上がる。この期間は日の丸の掲揚が許された。26日の社説は、日の丸と星条旗の旗行列を親善の象徴ととらえ、「米

注1　辻村明・大田昌秀著『沖縄の言論―新聞と放送』（南方同胞援護会、１９６６年）は、「新聞はつねに権力者の意向に気を配らなければならない状態であった／『沖縄タイムス』のかずかずのすぐれた論説も、ほとんどすべてが沖縄住民内部の問題に限られていた／批判の矛先が権力の側に向けられたことは、きわめて少ないことに注目する必要があろう」（44頁）。「戦後沖縄の『新聞の指導性』をみるとき、新聞が戦争直後から沖縄民衆のあいだに潜在的に存在したものを引き出し、意見の形成を助け、明瞭なる目的をあたえる役割をはたしたとはいえない、と結論せざるをえない。むしろ逆に、もり上る一般民衆の声が新聞論調を変え、やがて新聞に指向すべき目標をあたえたともいえるのである」（96―97頁）と指摘している。

軍当局と琉球住民は、統治、被統治者の関係にあるとは言え、人間解放を目指す両者の近代感覚に曇りを生ぜぬかぎり、必ずや星条旗と日の丸に栄光あらしめるであろう」とたたえる。

「わが琉球を支配した悪い統治制度が、わが民族性を毒した。この民族性を改める米軍当局の民主主義に基く統治を祝って」というフレーズには、１６０９年の薩摩侵攻、１８７９年の琉球処分による沖縄県の発足から１９４５年の沖縄戦までの「日本時代」を否定的にとらえる歴史観が背景にあったともいえよう。みずからを「民族」と表現してはばからぬ、戦後沖縄のスタートだった。

◆新聞論調に米軍政批判

しかし、同時期から米軍政への批判が、遠慮がちながらも新聞論調に登場する。背景には祖国復帰への意思が運動となって現れてきたことと、背反する形での米国による基地の本格的な建設があった。51年に結ばれたサンフランシスコ平和条約は52年４月28日に発効する。日本の独立は、同条約第３条によって沖縄が分離され米軍支配下に残ることを意味していた。

クリスマス・プレゼントといわれた奄美諸島の日本返還（53年12月25日）の調印に際しダレス米国務長官は、極東に脅威と緊張状態が存在する限り、米国の沖縄への権利行使はアジアの平和と安全のために必要、と語った。米国の沖縄統治政策は強硬な反共路線に基づいて進められていく（注４）。日本の独立と沖縄の分離の影響は、住民生活において米軍基地の拡張となって現れた。50年代半ばにかけ、在日米軍基地の縮小の反面、第３海兵隊などが沖縄に移駐する。米国民政府は土地収用令を53年４月に公布、「銃剣とブルドーザー」による土地の強制接収の時代を迎えていた。

同年5月23日の「米琉親善」に関する社説は「親善を増進するもの…」と点線に含みを持たしたタイトル。「誠に喜ばしい」としつつも、軍用地問題に触れ次のように記す。
「住民は名だけ与えられて実の伴わない〝自治〟に軍政の息吹きを強く感じ、経済復興、経済的自立への道程において半植民地的隷属の懸念への反発は政治的自由への強い欲望となって現われている。従って米琉親善は口先で唱えて居ればよいものではなく、その裏打ちたるべき政治的事実に拠つ

注2　門奈直樹著『沖縄言論統制史』（雄山閣、１９９６年。70年現代ジャーナリズム出版会で刊行した同著名を増補・改題）は、沖縄タイムス社説の次の2例をあげ、「『強者への卑屈』が／みごとに権力に迎合していく過程」と書いている（69頁）。１９５２年2月19日の米国民政府布告13号「琉球政府の設立」について、社説「琉球憲法と軍の拒否権」（52年3月6日）で「琉球自治の画期的躍進」と評価したことや、人民党に対する民政副長官の批判を「沖縄が米軍の重要基地となって居る以上、基地に対し脅威を与えるものを極力排除せんとするのは自然」「米国が最大の敵とする共産主義勢力が沖縄に侵入するのを防止するに断乎たる決意」とする社説（52年8月21日）に対するものである。

注3　宮里政玄『アメリカの沖縄統治』（岩波書店、１９６６年）　注2の門奈の評価とは別に、新聞論調からみる限り一般大衆は「琉球政府の設立」について好意的であり、人民党の動き（52年メーデーで即時日本復帰、平和条約3条撤廃、労働組合法制定など掲げ、民政副長官の人民党批判につながった）に批判的であった—としている（51頁）。

注4　前著・宮里『アメリカの沖縄統治』は、終戦後7年を経て米国の沖縄の統治方式は確立され、保守的な共和党政権下でさらに反動化していく、と分析している。背景として、共和党は民主党のトルーマン大統領の外交を「軟弱外交」と批判、強硬な「アメリカ的」反共政策を主張することで52年11月の大統領選で勝利したことをあげている。（54頁）

て始めて真の親善は実現されるのである」「琉球の住民は恐らく世界でも稀れな位温順の民といえよう。こういうおとなしい住民が声を大きくして叫ぶのはよくよくのことである。この声に心耳を傾けるならば／親善の方途を見出すことが出来るに違いない」

54年4月、米軍の強制土地接収に対し、住民側から一括払い拒否など「土地を守る四原則」（立法院決議）が打ち出される。55年の親善週間前日の5月22日には、期せずして「軍用地買い上げ反対」の住民大会が開かれていた。社説は「米琉親善と土地問題、この二つに横たわる矛盾を解決しない限り、米琉親善を、真に結実させることは、とうてい不可能ではあるまいか」と書く（5月24日）。「解放軍」意識はすでに住民から遠のき、田や畑、家屋までも取り上げる米軍に「米琉親善」の掛け声も色褪せていく。新聞もまた軍政批判を強めていった。

56年、強制接収を進める「プライス勧告」が出る。これに強い反発が起こり、軍政府任命の行政主席、立法院議員、各政党、軍用地主会、教職員など各層が結集した「島ぐるみ闘争」へと発展した。最終的には主席や保守系政党が脱落、分裂していくが、住民が軍政批判を明確にしたはじめての大衆行動は、60年代に本格化する祖国復帰運動の母型ともなっていく。

1945年の沖縄戦で日本の施政権から離れた沖縄は、捕虜収容所から戦後史がスタートした。連合軍の占領期を経て、サンフランシスコ平和条約で独立した日本と、潜在主権があるとはいえ実態としては米国の軍事占領下に置かれた沖縄は、異なる戦後史を歩んだといえる。72年の施政権の返還によって、再び、日本の一県となるが、その間の乖離と融合は、沖縄にとってどうのような意味を持ったのだろうか。国家との「再会」を通し沖縄から見た「憲法」と「日米安保体制」を、筆者の所属する新聞社の社説を柱に考えてみたい。

1章 「歴史の峠に立ちて」―祖国との分離―

「祖国・日本」をどう考えるのか。沖縄の戦後史は、米軍政下から施政権返還（祖国復帰）、そして「基地の島」が続く現在にいたるまで、この問いを発し続けてきたともいえる。

戦後史の大きな節目となった「祖国からの分離」が決まった52年4月28日のサンフランシスコ平和条約の発効時と、佐藤・ニクソン会談で「祖国への復帰」が発表された69年11月22日、さらには72年5月15日の「復帰の日」の三つの沖縄タイムス社説は、いずれも表題に「歴史」という言葉が使われている。

戦後史の節目に登場するこの二文字を用いた社説は、自己決定権を奪われた沖縄戦後史にあって、「歴史の担い手」である住民に向かって未来を思い描くための課題を提起している。

軍政下の新聞が祖国を、そして沖縄をどのように位置づけ自覚してきたのか、からみていきたい。

沖縄戦を経た住民が、米軍政を解放軍として迎えたことは先述した。その意味は、戦前の軍国主義時代からの解放のみではなく、日本からの解放のニュアンスを持っていた。

45年8月、米軍によって住民側の諮問機関として沖縄諮詢会がつくられる。委員長の志喜屋孝信が「過去沖縄は偉大な人物を出し、偉大な業績を残した」と琉球王朝時代の政治家・蔡温（さいおん）を例にして「沖縄の黄金時代再建を」と語ったことにもうかがえる。ただし、その諮詢会で米将校が「米軍政府はネコで、沖縄はネズミ」と語った（46年4月26日）ように自治は軍政下にあって夢に過ぎなかった（注5）。

本土において、県出身者でつくる沖縄人連盟は戦火に包まれた古里への支援に動き、当初は祖国復帰に批判的で、国連信託統治での民主化や自治に期待をかけていた。その沖縄人連盟に日本共産党が「沖縄民族の独立を祝うメッセージ」（46年2月24日）を寄せたことはよく知られている。

◆祖国日本の慶事

51年の講和会議を前に、沖縄では帰属問題が焦点となった。当時、琉球独立論や米国の信託統治論を唱える政党もあり、前者は明治以降の日本支配の批判と沖縄人による解放を唱えた。だが、主流は復帰論であり、社会大衆党（社大・復帰政党といわれる沖縄のローカル政党）、沖縄人民党（人民・瀬長亀次郎らが47年結成、73年日本共産党県委員会に移行）が強く主張した。

51年3月の沖縄群島議会（後に立法院、現在の県議会にあたる）は帰属問題を論議、賛成15、反対3で復帰決議を行う（注6）。同年5月には日本復帰促進期成会が結成され、復帰署名運動は3ヵ月で有権者の7割余りの約19万9000人の署名を集めた。

52年4月28日、サンフランシスコ平和条約が発効、日本は独立する。翌4月29日、立法院は「琉球の日本復帰に関する請願」を決議。同じ29日、沖縄タイムスは社説「歴史の峠に立ちて」を掲載する。

この時点では、独立や信託統治論は世論の支持を受けず、住民にとって「祖国復帰」を当然と受け止める下地が形成されていたと見ることができよう。

社説は「祖国日本の慶事を、われわれ琉球住民は無量の感慨をこめて祝福したい」と、日本の独立、国際社会への復帰を祝う。文中、「祖国」という言葉は何度も使われ、「琉球住民」をその一員としてとらえる上で躊躇はない。だからこそ、「取残された嘆息が深く、もがいたところでどうにもならぬ諦めが、われわれの胸を締めつける」と感慨がつづられる。

では沖縄の現状をどう認識していたのだろうか。

「残存主権が日本にあるから、将来日本に復帰することは既定の事実」「(祖国が)遠のく恐れはあるまい」と続く文からは、復帰運動への具体的な提起はない。むしろ米軍政の延長を認め、将来の希望として述べるにとどまっている。

日本はまだ復興期にあるとし、祖国と米国への依存心を自戒しなければならないと、住民の自覚を促す方向へと向かう。米国の統治方針が民主主義の育成にあり、「真の民主々義を学びとる誠心と自負をもつべきである」と説く。これを担い、将来の日本復帰へ備えよ、と。

注5　ネコ・ネズミ発言はワトキンズ少佐。同様の発言として、キャラウェー高等弁務官が１９６３年３月５日、沖縄が独立しない限り「自治権」は神話と述べ、住民側の自治権拡大を否定した「自治神話説」も知られている。

注6　中野好夫編『戦後資料　沖縄』(日本評論社、１９６９年)より。『沖縄問題基本資料集』(南方同胞援護会編・発行、１９６８年)には沖縄群島議会の帰属論議の詳細(51年3月19日、同年8月28日)が収録されている。１００９頁、１０２２頁を参照。沖縄群島議会はサンフランシスコ講和条約会議の議長、日本全権吉田首相あての復帰要請の電報を打った。

「歴史の峠」とは、日本からの分離による沖縄の過渡的位置であり、これを自覚することで、「孤児意識を捨て／高まいな理想をもつべきで／（それによって）民主的成長」を果たすことを目指そうという住民への呼びかけであった。

◆「ごまかし」の3条を批判

「祖国復帰」は見えぬ未来ではあっても、すでに「予定」されるものとしては意識されている。この復帰志向が、直接的ではないにしろ軍政批判の背景ともなっていった。「米琉親善」が基地強化のなかで後退する時期とあわせ、新聞論調は沖縄の地位の不当性を、具体的にはサンフランシスコ平和条約第3条批判として展開していく。

日本は北緯29度以南の南西諸島や小笠原諸島などを「合衆国を唯一の施政権者とする信託統治制度の下におくこととする国際連合に対する合衆国のいかなる提案にも同意する」とする第3条は、沖縄統治とその期間を実質的に米国にゆだねるものだった（注7）。

戦後初期、米軍において沖縄の占領目的は定まってなく、「忘れられた島」（注8）ともいわれた。米ソ対立が鮮明となり、49年10月の中国共産党政権誕生によって東西冷戦が明確になるなかで「反共の砦」として位置づけられていく。50〜51年の朝鮮戦争時は直接、沖縄の基地からB29爆撃機が北朝鮮を攻撃するのみならず、海兵隊基地、兵站・補給基地の役割を担った。平和条約下の基地の拡張は現在の前方戦略基地へと続いている。

日本の「潜在主権」を認めつつ、米国の「排他的な戦略的管理の取得」を具現化するものとして第

3条はあった。沖縄タイムスの連載「条約三条のもとで」（1957年7月10日〜8月22日、35回）は、その問題点を描き出していった。

米国の統治権を、暫定的形式のなかに無期限の要素を含み、独立国でもなく一地方自治体でもない沖縄を「特殊の例であるそうだ」とし、「主席は軍の代行機関的存在」と当時の当間重剛主席の言葉を使い、「運転手に／(行く先を）指示することもできない。任命主席に運転免許証はない」と皮肉った。米軍政の布令・布告の下にある琉球政府や立法院に示される自治の幻想、軍票のB円のなかの暮しに見える統治経済など、現実の営みを取材するなかで沖縄の地位の矛盾を描きだしている。

65年8月20日の社説「戦後完結の努力を望む」は、佐藤栄作首相の現職総理としては初めての沖縄訪問に対し、首相の「沖縄の祖国復帰が実現しないかぎり、わが国にとって戦後は終わっていない」という発言を、住民からは好感されたと評価しつつも、「領土の一部を他国の統治下に置き去りにし、そこに何ら主権が及ばないようでは、完全な独立国でもなければ、戦後が終わったとは決して言えな

注7　宮里政玄『日米関係と沖縄』（岩波書店、2000年）。宮里は「『潜在主権』は、日本を宥(なだ)めるためだけでなく、米国の戦略的利益を確保するための不可欠の条件であった」（60頁）と指摘している。

注8　米・タイム誌（1949年11月28日）。フランク・ギブニー記者は「沖縄—忘れられた島」のタイトルで「士気と規律ではおそらく世界中で最低の一万五〇〇〇の米軍将兵が、絶望的な貧困にあえぐ六〇万の現住民たちの管理に当たっている」と記している。ここでは宮城悦二郎著『占領者の眼』（那覇出版社、1982年）によった。宮里『アメリカの沖縄統治』（前出）は、戦後初期、米政府の関心は中国の和平統一に向けられ、対沖縄政策は未だ確定していなかった、と指摘している（5頁）。

いではないか」と注文を重ねた。

「考えれば考えるほど、現在の沖縄の地位は、ほんとうに奇妙に感じられてならない」と、米国が領土不拡大の原則のゆえに日本から領土（沖縄）を奪うわけにはいかず、国連へ信託統治への提案もしない、と第3条の中身を「ごまかし」と批判する。極東の安全と平和、もまた「米国が沖縄を統治している間は平和と安全が維持できるが、施政権を放棄すれば、平和が保てないというのは、全くおかしなことだ／米国にはいつまでに提案しなければならぬという義務はない、と解釈し国会で答弁してきた日本政府の『ウソ』にも限界がきた感じだ」と指摘する（注9）。

施政権返還が具体的な政治スケジュールに上る以前、沖縄の不自然な地位の正常化（復帰）を第3条批判を通し日米両政府へ求めていった。

2章 「憲法」との出会い―改憲への危惧―

1947年に公布された憲法が沖縄に適用されたのは72年の施政権返還後である。当然のことのようだが、この憲法の「なかった」ことが、憲法への憧れを強めた側面は否定できない。祖国復帰という「民族の悲願」と結びつく一方で、憲法のうたう特に基本的人権と平和主義は、沖縄戦を体験し、軍政下の基地の島に住む住民にとって「日本国」への期待を高めるものとなった。

日本で憲法施行25周年を迎えた72年は復帰の年であった。5月15日の復帰を目前にした5月3日の憲法記念日に、屋良朝苗主席はメッセージを出す。「沖縄県民が祖国復帰を要求してきた究極の目的も平和憲法のもとに帰ることであった」という言葉に、当時の県民の憲法への期待が現れている。

しかし、沖縄において新憲法が「平和憲法」として当初から意識されていたとは必ずしもいえない。占領政策のなかで、戦後の国会・憲法議会に代表を送ることのなかった沖縄において、新憲法への期待が語られる機会も、また本土におけるような憲法読本で子どもたちが学ぶ機会もなく、憲法は遠い存在だった。

◆復帰運動と憲法

復帰運動を担う組織は、51年の日本復帰促進期成会、53年の沖縄諸島祖国復帰期成会から60年の沖縄県祖国復帰協議会（復帰協）へと引き継がれていく（注10）。

前二者の会則などには「国家意識の昂揚」「国民意識の育成」はあるが「憲法」の文字は見当たらない。復帰協は60年4月28日に結成された。サンフランシスコ平和条約が発効し沖縄の分離が決定、住民が「屈辱の日」と呼んだ日を選んでのスタートだった。

復帰協会則で「憲法」の文字は、第6条に「布告、布令の廃止と日本国憲法及び民主的諸法規の適

注9　沖縄タイムス社説「戦後二十二年と復帰懇」（1967年7月14日）

注10　沖縄県祖国復帰闘争史編纂委員会『沖縄県祖国復帰闘争史・資料編』（沖縄時事出版、1982年）以下の復帰運動における会則、宣言などに見る憲法問題は同著を参考にした。

用」の形で出てくる。運動方針を見ると、日本政府への活動として、日本国民として教育や社会保障、他府県並みの財政支出を要求するなかで、先の諸法規適用の実現が記されているにすぎない。

米軍政の布令などではなく民主的諸法規の適用を求めるなかで、最高法規として憲法は例示されており、直接に平和主義としての憲法理念の実現要求ではない。大会宣言では「極東の緊張と脅威」が沖縄の地位を規定づけていることを批判、国際的な緊張緩和への歓迎の意思は表明されており、米軍政下にあって憲法の平和主義という直接的な表記を避けたとも考えにくい。

それが61年の運動方針の国内情勢の分析において「日本国憲法は一切の戦争を放棄している。それにも拘わらず、日本政府は安保条約という軍事同盟を米国と結んでいる」とし、「日本国民は憲法と民主主義を守り／安保条約に反対する一大国民運動を展開している」と記している。

しかし復帰協が唱えるスローガンなどの「平和」項目において「平和憲法」は目標とされてはなく、国民の権利義務を定めた憲法の「適用の顕在化」に努めるという表現にとどまっている。平和条約第3条の撤廃を第一にあげ、憲法の適用とともに「新安保条約の本質を知らしめす運動を展開する」ことを主目的としている（61年4月8日、復帰協定期総会）。

「平和憲法を守る闘い」が明確に表現されるのは62年になってからである。軍国主義の復活と核武装化を阻止し、平和を守る重要な闘い、として憲法が位置づけられていく。また、極東の緊張をつくり出している軍事同盟の「日米安保条約に反対する運動をおこす」ことも明確にしている。

復帰協結成の60年から62年にかけての憲法に対する表現の変化に、60年安保闘争を受け復帰運動が本土の革新勢力と結びつくなかで、憲法の平和主義が日米安保体制と関連して意識されていく過程を見ることができよう。復帰運動が「平和憲法」「日米安保体制」を視野に入れはじめたのは60年代の初頭であった。

◆憲法記念日と天皇誕生日

ここからは「祝祭日」制定を通して、憲法と天皇への意識をみていく。

「住民の祝祭日」は群島政府時代の51年8月には、実施について市町村や学校などに通知されている（注11）。沖縄の地域性とともに米軍政の影響も現れているが、基本は本土とほぼ同様の祝祭日を制定している。米占領下とはいえ日本とのに連続性がむしろはっきりしている。

ただし憲法記念日が祝祭日となるのはかなり後になってからである。沖縄と憲法との〝正式な〟出会いは、憲法誕生から18年後の65年といえよう。同年4月9日、立法院は「住民の祝祭日に関する立法」を改正、「憲法記念日」を追加した（注12）。「日本国憲法の施行を記念し、沖縄への適用を期する」

注11　「祝祭日の実施に就いて」（1951年8月3日）は沖縄群島政府が各市町村長、各学校長などあてに出した通達。1月1日の「年始」で始まり、敬老の日、成人の日、春分の日、子供の日、母の日、慰霊祭（6月22日）、盆（8月中の満月の日とその翌月、とあるが翌日の誤り）、秋分の日、文化の日、群島政府創立記念日（11月4日、のちに琉球政府創立記念日へ変更）、勤労感謝の日、クリスマス（12月25日、キリストの誕生を祝う、と説明されている）。『琉球史料』第3集　教育編（琉球政府文教局発行、1958年、88年に那覇出版社より復刻版発行、110頁）

注12　『第28回議会　立法院会議録』第8号

とする文言を盛り込み、祖国復帰への思いと憲法記念日の設定は結びついていた。

提案者の古堅実吉議員（人民）は立法院で提案理由を、新憲法が第二次世界大戦の反省から生まれた平和憲法であり、全県民はその適用を願っている。「その実現は、日本国の主権の回復、祖国復帰を意味する」と述べている。委員会、本会議とも質疑なく可決した。

しかし憲法記念日を「住民の祝祭日」に加える案は、4年前の61年の同委員会で一度は否決されていた（注13）。提案者は同じく古堅議員、委員会採決は賛成2、反対3だった。

この61年の立法院議会で「住民の祝祭日」はあらたに制定されている。本土で58年に制定された国民の祝日にならうもので、「日本に近づけていく」ことが前提となっていた。51年の「住民の祝祭日」とほぼ同じ祝日となっているが、あらたに天皇誕生日と体育の日が加えられた。

詳しく紹介すると、61年立法院で決まった祝祭日は14件。元日、成人の日、春分の日、天皇誕生日、こどもの日、母の日、としよりの日、秋分の日、体育の日、文化の日、勤労感謝の日、ここまではほぼ日本と同じである。沖縄独自のものは、4月1日の琉球政府創立記念日と、6月22日（65年に23日に改正）の慰霊の日（沖縄戦の戦没者の霊を慰め、平和を祈る）、お盆の日（旧暦7月15日、祖先の霊に供養を行い、冥福を祈る）の3件。

当初案には、ペリー来航にちなんだ国際親善の日（5月26日）、平和の日（8月15日、終戦の日）、クリスマス（12月25日）もあった。また委員会審議のなかで、祖国復帰を願う日（4月28日、サンフランシスコ平和条約の発効日）、憲法記念日、天皇誕生日が提案されている。

祝祭日の選択には、復帰運動の高まりのなかで日本との一体化を目指す意識が反映している。日本との関係を象徴するのが憲法記念日と天皇誕生日の扱いであった。委員会審議の焦点となる。

結果として前者の否決、後者の可決となるが、復帰に慎重な多数派与党の沖縄自由民主党（自民と表記。70年、自民党県連に移行）と、復帰運動に積極的な社大党、人民党という与野党対立の図式が背景にあった。それだけではなく、天皇誕生日が復帰政党といわれた社大党の議員から提案されたことに現れたように、祖国・日本への「心情的な一体感」の発露として天皇誕生日があったことをうかがわせる。

この点を踏まえつつ61年の立法院論議をさらに詳しく見ていきたい。

審議は天皇誕生日の扱いからはじまる。行政法務委員会の構成は正副委員長2人（自民）と5委員（自民2、社大1、人民1、無所属1）からなる。

社大委員は「憲法記念日は別」と前置きした上で「日本人として天皇の誕生を祝うということは国民感情から必要」と提案する。続いて自民委員も「沖縄の行政分離という不自然な地位にあっても」とした上で、「国民の象徴である天皇誕生日を国民とともに祝っていく（ことは）／正しい国民感情の上から必要」と賛成する。両者の前置きの部分は、委員長の、天皇誕生日、憲法記念日ともに日本法に依存したものであるとして両案に否定的な意見を受けてのものだった。

人民委員の天皇（制）批判による反対はあったが、別の自民委員からも「国民的な自覚を求める上

注13　『第18回議会　立法院行政法務委員会議事録』第71号、61年6月5日

に（おいても）／必要」と意見が出て、結局、反対1で天皇誕生日は祝祭日に加えられた。

審議は憲法に移る。提案者は古堅（人民）である。「日本国を形造っているところの最高法規（で）／日本国では／みんなが祝う日になって」いると理由を述べている。これに委員長は「現実にここでは憲法は施行されてない」と質問の形で反対意見を述べる。

古堅は、天皇を日本国の象徴と定めているのは憲法であり、一日も早い施行は祖国復帰を望む県民誰しも考えている、として、天皇誕生日より憲法記念日が先だと反論する。ここで無所属委員が賛成に回る。

彼は、平和条約第3条によって米国が施政権を持っていても「日本国の憲法は潜在的に沖縄に及んでいる／新生日本の基本的な最高法規（を）／琉球住民も祝っていい」と、「潜在主権」を理由とした。同案は2人のみの賛成で否決される。

これらの審議には、日本における戦後の天皇観との共通性が見て取れよう。一方で、憲法への距離がむしろ鮮やかに浮かび上がってくる。後に復帰運動が「憲法復帰」を唱え、屋良主席のメッセージにあるような平和憲法への期待は、少なくともこの時点では浸透してはいないとみるべきだろう。

◆「基本的人権の尊重」との矛盾

祝祭日審議に現れた天皇と憲法の鮮やかなコントラストは、復帰運動との関係にも見てとれよう。祖国復帰運動に内在していた民族主義的な日本志向は、心情的に天皇への帰属を内包していた。

このことは復帰運動が教職員を中核として進められ、日の丸が米軍政への抵抗のシンボルとなっていたことと無関係ではない。各家庭での日の丸掲揚運動とともに、学校現場では「君が代」を積極的に教えた。「りっぱな日本人となるため」の「標準語励行」も取り組まれ、50年代から60年代初期には方言を使った子どもには罰として首にかける「方言札」も実施されている。戦前の「日本化教育」の再現ともいえるものだ。

60年代後半には、復帰運動における日本志向は変化していく。沖縄戦が本土決戦のための捨て石作戦であるとする戦史研究や、旧日本守備軍による住民虐殺などの事実が体験者の証言で明らかにされていく。戦前の軍国主義への批判は天皇制や自衛隊配備への不安と反対へ結びついていく。これらは69年の佐藤・ニクソン首脳会談によって、返還協定の中身が明らかになるにつれて復帰運動が民族的な色彩から基地撤去を求める反戦復帰へと転換するなかで強まっていく（注14）。

再び話を憲法に戻そう。65年4月の立法院は特に質疑もなく憲法記念日を祝祭日に追加する。5月3日、沖縄では初の憲法記念日を迎えることになった。〝正式な出会い〟はなったのである。同日の沖縄タイムスに松岡政保主席の祝辞が掲載されている。住民に詳しく憲法の歴史と理念を説明する祝辞は、新憲法を迎えた戦後の国民の期待とも通じるような内容である。

「（戦前の帝国憲法が）天皇親裁による絶対的中央集権制度であり／このような国家至上主義がこう

注14　1960年代後半から明治以降の日本の沖縄政策、皇民化教育、沖縄戦の内実を問う論考が沖縄で次々と提起される。大田昌秀琉球大学教授（後に県知事）、大城立裕（作家）、反復帰論の新川明（沖縄タイムス記者、ジャーナリスト）など著作も多い。近年の研究では沖縄教職員会の民族主義と本土の革新ナショナリズムを結んだ小熊英二『〈日本人〉の境界』（新曜社、1998年）が詳しい。

じてついには他国とことを構えるに至り日本は敗戦という悲劇を招いた」とひもとく。その上で戦後の日本は「新しい平和的、民主的な憲法によって民主主義国家として出発した」とし、憲法が主権在民、基本的人権の尊重、永久平和の三つの主義に基づいていると説明する。「日本国憲法の施行を記念することは一日も早く日本国憲法が沖縄にも適用されることを願う全住民の願望の現われ」で、「(現在は)恩恵を受けていなくても／憲法の持つ崇高な目的を達成することを誓う」という文面からは祖国との一体化を憲法に仮託する心情が読み取れる。

同じ日の沖縄タイムス社説「憲法記念日と沖縄」は、戦後20年間も米国の統治におかれ、憲法が保障する基本的人権を味わうことができなかった、とした上で、米国支配からの脱却が最大の政治目標となるのは「憲法の保障がないという矛盾と不自然さに対する人間的な反発、自然な姿にかえりたい、という欲求」からだと論じる。この時期には、新聞は積極的に復帰を訴えるメディアとなっていた。「戦争を否定し、平和を理想とする」憲法と「人権よりも軍事が優先する」沖縄の現実は、「皮肉な対照」をなしていると表現し、「憲法の理想と沖縄の現実との間に、大きなギャップがあることから／憲法に対する意識は強いものがある」と、憲法は米軍政批判と結びついて語られている。

一方で社説は、解釈改憲論、新憲法押し付け論、護憲派、戦略護憲派といった本土の動きを紹介しつつ、改憲に懸念を表明する。

第9条が自衛権を否定するものではない、という解釈から自衛隊が生まれ、さらに集団的自衛権を含めた改憲の流れに「戦争で多大な犠牲を払い、現在も基地のなかにある沖縄としては、憲法記念日を祝福する半面、複雑な気持ちで、本土の動きを見守る」としている。

基本的人権の尊重を掲げる憲法と軍政下に人権が制約される沖縄の矛盾―の追及は社説の主要なモチーフとなり書き継がれていく。

68年10月19日の社説は、世界人権宣言から20年を機会に「沖縄の人権を考える」と題し、「軍事基地のなかの沖縄――そこには深刻な人権問題がある」と提起する。

「基本的人権という言葉が、日本語のなかに地位を得たのは戦後のことであるが、日本国憲法は明確に基本的人権を保障しているのである／平和と人権――現実の沖縄はこれにほど遠いといわなければならない。米国の施政権下ということで、日本国憲法の適用が政治的にしゃ断されているからである。米国による軍政と日本国憲法は相反発するものがある」

65年5月の社説では改憲に対し「複雑な気持ち」の表明にとどまり、この時点では基本的人権の面から軍政との矛盾を突き、復帰を語っている。しかし施政権返還が現実のものとなるなかで、平和憲法と日米安保体制との「矛盾」が主要テーマとなっていく。それは「基地の島」が新たな課題と向き合うことを意味していた。

◆沖縄独自の祝祭日

沖縄独自の祝祭日について簡単に記しておきたい。

「慰霊の日」は51年に早くも制定されている。戦後50年を経たいまも沖縄戦の体験を語り継ぎ、平和への誓いをあらたにする日として県主催の戦没者慰霊祭ばかりでなく、市町村単位、家族単位の慰霊祭がなされている。

61年立法院の当初案にあった日本の終戦記念日にあたる平和の日は、委員会審議では賛成多数で可決されるが、本会議で再検討を求められた。委員会は「慰霊の日と根本において同一」と結論づけ、全会一致で削除を決め、再度の本会議には出されていない。復帰後、8月15日の終戦記念日は適用される。ちなみに51年から設定されていた旧盆は復帰とともになくなったが、慣習のなかで続くことになる。

「慰霊の日」が揺らいだことが復帰後にあった。89年、地方自治法改正にともない県条例で独自に休日を定めることができなくなり、県は「慰霊の日」の休日条例廃止を県議会に提案した。県議会では与野党一致して反対し、県民の間からも「沖縄戦の風化」をうながすと強い反発の声が広がった。国も91年、地方自治法の特別規定を盛り込んだ改正を行い、県独自の祝祭日として継続が決まった。

米国との関連を61年立法院議論にたどってみる。

国際親善の日は「米琉親善の日」として米軍政府の布告で定められている5月26日をあてるとの理由だった。だが、ペリー来航の歴史的評価や日付への疑問が参考人らから出される一方で、国際親善が「米琉親善」とは必ずしも一致せず、いっそ国連の創設と結びつけては、という意見もあってまとまらず否決される。米軍が住民の宥和策として積極的に進め、軍政府の任命する主席を支える与党が多数派にもかかわらず、積極的な支持はなかった。

クリスマスはキリストの誕生日として51年には祝日となっていた。これも10年後には宗教的だとして否決される。琉球政府創立記念日は可決されたが、軍政による不自然な設立であり祝日化は米軍政下の現状を固定する、と復帰を主張する野党議員から反論が出ている。琉球政府創立記念日も復帰後、なくなった。

3章　日米安保の登場―「悲願」実現とともに―

沖縄県民が日米安保条約をどう考えていたか、主に世論調査からみていきたい。そこから現在に続く基地問題の底流が浮かび上がってくる。

多くの県民が日米安保体制を意識するようになるのは、祖国復帰が日米両政府の政治日程に上ってからといえる。67年9月と69年9月に実施された朝日新聞と沖縄タイムス社（協力）の世論調査から、県民意識を全国と比較しながら検討する。

67年9月に実施（紙面は10月17日）された沖縄に関する両社初の合同世論調査は、11月に佐藤・ジョンソン首脳会談が予定され、施政権返還が日米間の重要な議題となっていることを前提としたものだった。首脳会談では「両三年内に／返還の時期につき合意すべき」と首相が強調したことが共同声明にも明記された。このころには、教育権など一部を先行する「機能的分離返還方式」や、基地のない島（沖縄本島一部や宮古・八重山など）の「地域的分離返還方式」が政府や自民党首脳らから出ていた。

沖縄返還については、本土、沖縄ともに85％が「されるべきだ」と答え、共通している。理由について、本土は「もともと日本の領土」が47％と圧倒的で、「同じ日本人」11％、「民族の願い」8％が続く。これに対し沖縄は「同じ日本人」21％、「祖国だから」20％、「本土並みに」8％、「異民族（米国）支配は嫌」7％となっている。

領土、民族ということで共通認識に立っている。「日の丸が好きですか」の問いもあって、両方とも9割を超えて肯定的だ。

米軍基地の態様についても、核兵器の持ち込みに反対し、全面撤去、本土並み返還を強く求めていることで共通している。

◆全国と沖縄で意識の違い

日米安保条約に関する直接的な質問はないが、関連するものとして「復帰が実現した場合、日本、沖縄の防衛はどうするか」と設問している。

米軍によるとしたのは本土、沖縄ともそれぞれ2％、1％に過ぎず、自衛隊がともに39％でトップ、日米協力して守るが33％、31％とこれもほぼ並んでいる。米軍、自衛隊ともにいらないも13％、11％あるが、本土、沖縄ともに日本（自衛隊）独自、日米共同、への支持で共通する（同年6月の琉球新報全琉調査も「沖縄の防衛」の設問に自衛隊、日米共同がそれぞれ約2割でほぼ同じ結果が出ている）。

では、沖縄の米軍基地をどう見ているのか。「沖縄の（米軍）基地は、極東の平和や日本の安全に必要という意見」への賛否の形で聞いている。

ここで本土と沖縄に違いが出てくる。本土は賛成40％、反対が30％に対し、沖縄では賛成28％、反対が40％と逆の結果となった。世論調査を受けての記事に当時琉大助教授だった大田昌秀（後に教授、県知事）は「沖縄の人は自分の意向に反していまの状態を強いられている」ことを示す数字と指摘している。

69年9月調査は、72年返還が発表されることになる11月の佐藤・ニクソン首脳会談を前にしたもので、この時は日米安保条約を直接の設問としている。

67年の佐藤・ジョンソン会談で日米首脳による沖縄返還交渉が具体的にスタートし、69年時点では基地のありようをめぐり核付き、自由使用、本土並み返還などさまざまに論じられていた。また70年の安保条約自動延長を前に、沖縄返還は「民族の悲願」の実現にとどまらず、巨大な米軍基地もまた日本に包摂することを意味し、日米安保体制の質的な変化が問われていた。

安保条約は「日本のためになっているか」の設問に、「なっている」が本土37%、沖縄24%、「なってない」本土34%、沖縄35%。本土では拮抗しているとはいえ、安保が認められる時代への移行を示し（注15）、沖縄では批判的な見方が11ポイント高い。67年調査で見られたように、安保体制が米軍基地の存在と結んで意識されていた。

ただし「答えない」が本土24%に対し、沖縄は39%に上っており、住民にとってまだ十分に認知されていないことは留意すべきであろう。

しかしながら沖縄において、安保体制を否定的に見る傾向は出ている。同調査の「70年安保の選択」の設問で、本土が「政治（段階）的解消論」に次いで「自動延長論」「廃棄論」と続くのに対し、沖

注15　日本における日米安保の定着については、『21世紀の安全保障と日米安保体制』（ミネルヴァ書房、2005年）の菅英輝「なぜ冷戦後も日米安保は存続しているか」を参照されたい。

縄は政治的解消論とともに廃棄論が20％台と高いことにも現れていた。

佐藤・ニクソン首脳会談を受けての琉球新報調査（同年12月）では「安保条約が沖縄に適用されることで『本土並み』といわれている」ことについて聞いている。「基地の扱いが本土と同じになるから本土並みと考える」25％、「本土並みとはいえない」が38％ともっとも多く、「基地の密度や機能は変わらず、核付き返還への不安もあって、政府が主張する「本土並み返還」への疑問が色濃く出ている。

では復帰後の県民の意識はどうか。

復帰直後の72年7月の合同世論調査によると、「復帰してよかった」55％、「よくなかった」22％。復帰の評価はかろうじて5割を超えたものの、復帰に「期待を持っていた」47％のうち「期待はずれ」とした回答は約8割に上っている。74年調査でも「暮らしにくい」が59％で、復帰10年目の81年調査まで物価高など経済的混乱を理由に「生活が苦しくなった」とする回答が多い。

「暮らしやすい」が上回るのは復帰15年の87年調査からで、この時期から「復帰してよかった」とする肯定派は8〜9割で推移し、復帰30年を迎えた2002年調査でも「復帰してよかった」は87％となっている。復帰の混乱が落ち着き、経済的な成長を実感するなかで、県民は「日本の一県」の地位を評価、受け入れてきたといえる。

日米安保条約が日本の安全を守るために必要と思うか。安保体制への評価も復帰を境に逆転する。72年7月調査で「必要と思う」30％、「そう思わない」25％と容認が上回った。その後も74年が必要32％、不必要28％、77年36％、19％、81年28％、26％、91年29％、20％、とそれぞれ増減はあるものの「認める」が拮抗しつつも上回って推移している。もっとも新しい２００２年調査の「日米安保条約の維持」についての設問では、賛成56％、反対30％となっている。

復帰前の安保体制に否定的だった世論は、復帰直後には逆転し30年で容認が強まっていることがわかる。しかし、２００２年調査で本土が賛成71％、反対15％となっていることからもわかるように、沖縄では本土に比べ依然として否定的なパーセンテージの高いことは注目されよう。

一連の県民意識調査で、米軍基地について整理縮小を望む声は7割から8割強で推移し、9割近くが基地不安を示すなど「基地との共生」には一貫してノーの姿勢だ。

安保問題に対する本土との意識の差は「沖縄から安保が見える」といわれるごとく、ベトナム戦争をはじめアジアへ展開する米軍基地の機能を知っており、事故や事件など基地被害を日常のなかで受けている、という基地の実態と向かい合っていることから導かれたともいえよう。

また全国と県民の安保観の違いは、本土の米軍基地の整理縮小が進むことと反比例して、拡大、強化されてきた在沖米軍基地、という現実が導いたものと思える。

◆県内移設と政治リスク

このことを示すのが復帰30年（２００２年）調査における沖縄の米軍基地問題の解決策である。

基地の沖縄県内移設を「よくない」とするのは本土57％、沖縄69％とともに過半数を超える。沖縄県民の過重負担への理解は本土側にもあるといえるが、具体的な解決策の一つとして「基地の本土移転」の問いに、本土は賛成29％、反対58％と「国内移設」には否定的だ。沖縄は賛成48％と上回り、しかしながら反対も40％と二分される形となっている。ここに意識の違いが明確に現れてくる。

安全保障策を日米安保体制に求める反面、自ら基地負担はしたくない―そのような国民像が浮かび上がってくる。一方で負担過重の解消を国内移設に求めつつも、負担の拡散には躊躇する県民像も見えてくる。

政府の「沖縄内移設」を基本とする基地政策は、米側の意向ばかりではなく、この本土国民の意識が背景にあると考えられる。沖縄に押し付けた方が基地維持政策の政治的リスクは少ない、という判断である。

このような世論を背景に現在の基地問題の状況を概括してみる。

95年の米兵による暴行事件以後に高まった基地問題のなかで、沖縄では「基地の平等負担」論として、米軍基地の国内移設を訴える声が出てきた（注16）。それは96年の日米特別行動委員会（ＳＡＣＯ）合意による在沖米海兵隊の普天間飛行場返還が、沖縄本島北部の名護市辺野古沖への県内移設を条件としたこともあって、日米両政府の「基地たらいまわし」への批判のなかで強まった。

だが一方で、国内移設に県民世論が賛否にほぼ二分されたように、基地被害の拡散には反対、という県民感情も根強い。ＳＡＣＯ合意に基づく海兵隊の県道１０４号越え実弾訓練の本土移転（北海道から大分県まで5基地で実施）に対しても、基地反対派から疑問や移転反対の声があがった。

普天間飛行場問題では98年、県内移設に反対した大田昌秀知事に替わって、軍民共用を唱え経済振興策とリンクした容認派の稲嶺恵一知事が誕生、２００２年には再選を果たしている。地元の名護市でも97年の市民投票では移設反対が上回ったが、翌98年の市長選では受け入れの候補が当選し、02年再選された。県、名護市は「15年使用期限」や住民への基地被害、環境問題への歯止めを条件にしつつも、政府の県内移設政策に「現実的対応」を示し、経済振興策と結び付け受け入れを選択してきた。

03年4月の宜野湾市長選ではしかし、海外移設を唱え県内移設に反対する革新系候補が当選した。市街地の真ん中にあって市民生活への危険度の高い普天間飛行場返還について、基地被害を北部住民に背負わせることになる、代替施設建設には20年近くかかる、と両政府の基地政策を批判した候補を、基地被害の「当事者」の市民が市長に選んだ意味は大きいといえよう。

政府と県が進めてきた基地問題と振興策のリンクに対する「当事者からの疑問の提起」であり、日米両政府の県内移設策への批判といえるからである。同時に、知事、名護市長の条件とする「使用期限」決着の見通しはなく、ジュゴンなどの自然保護問題もあって、今後の普天間代替施設建設は不透明なままである（注17）。

日米安保体制は、国内の米軍基地専用施設の75％を一県に集中させる沖縄基地政策に拠っている。復帰30年を経てなお、両政府は有効な基地問題の解決策を県民に提示しえてなく、むしろ従来の沖縄

注16　例えば大田県政時代に副知事だった吉元政矩は２００２年知事選に出馬、普天間問題の解決策として山口県の岩国基地移設を打ち出した。

注17　２００４年８月13日、米軍普天間飛行場に隣接する沖縄国際大学構内に、同基地所属のＣＨ53型ヘリが墜落、炎上した。沖縄県民に同飛行場の早期返還の声が高まり、04～05年の在日米軍再編の焦点となっている。

集中を強引に進めようとする。このことが日米安保体制を認めつつも、県民の「異議申し立て」となり、「マグマのように」（稲嶺知事）噴出する要因となっている。

4章 「歴史の転換のなかで」―安保との対峙―

沖縄のジャーナリズムは施政権返還の過程のなかで安保問題をどのようにとらえたのか。社説に再び戻りたい。

祖国への復帰は、憲法が適用されるとともに、米軍の直接支配から日米安保体制による基地の継続を意味した。二つ目の「歴史」を使った社説「歴史の転換のなかで」は、69年11月22日。佐藤・ニクソン共同声明によって72年返還が決まったその日の夕刊に掲載されている。

◆夕刊1面に社説

通常、朝刊1面の左肩がこの時期の社説の定位置だが、「歴史の転換のなかで」は夕刊の1面、上段の4段、横いっぱいに置かれている。夕刊、位置、長文、いずれからも異例のつくりである。

戦後の軍政の終焉、祖国への復帰の実現、という「歴史の転換」の重みを示し、米国で行われた首脳会談との時差もあって社説の〝速報〟となったのだろう。しかし内容は復帰実現の歓喜はなく、「満足すべきものではない」と否定的でさえある。当時、政府・自民党関係者は、返還決定に静かな反応の沖縄に対し「なぜ喜ばないのか。提灯行列ぐらいやっても」と語ったといわれる「その日」の社説である。

69年11月21日にワシントンで発表された佐藤栄作首相とニクソン米大統領の共同声明は、日本を含む極東の安全を損なうことなく沖縄の日本復帰を72年中に実現するための協議に入ることに合意した、というものだった。佐藤首相は「本土並み返還」でも、米国の極東における役割を遂行できるとし、ニクソン大統領も同意するとした。「核抜き本土並み」返還が直ちに実現するものなのか、共同声明は沖縄の住民からは理解の難しいものであった。

この時、佐藤首相はナショナルプレスクラブでの演説で、韓国防衛のために日本国内の米軍基地からの発進について、事前協議で「前向きすみやかに」態度を決定する、といういわゆる韓国条項、同様に台湾条項にも言及した。沖縄返還とともに、日米安保が「極東」へと拡大する契機となったことはよく知られている。このことは住民から見れば「極東の安全」のためという基地オキナワの継続を意味した。

また、沖縄の基地にあった核兵器の撤去について、米大統領が核兵器に対する日本国民の特殊な感情と日本政府の政策に「深い理解」を示す、とした一方で、事前協議での米政府の立場を害することなく、とあり、核撤去についても住民には不安が残った。

後に、返還交渉で首相密使の役割を担った若泉敬は著書『他策ナカリシヲ信ゼムト欲ス』(94年)で、有事の核持ち込みについて日本政府が事前協議で遅滞なく「必要をみたす」とした日米間の「核密約」があったことを記した。この「密約文書」の存在については朝日新聞も報道(99年1月)するなど、政府の否定にかかわらず「密約」の存在は強くなっている。

◆「本土並み」の中身

社説「歴史の転換のなかで」は、共同声明の評価について、米軍の役割や極東の安全を損なうことなく、という条件に「制約というようなものが付帯し、無条件全面返還には、ほど遠い印象を強く受ける」「満足すべきものではなく、反発さえ感じさせる内容も盛り込まれている」としつつも、復帰の実現に「ある種の感慨というものを覚えないわけにはいかない」と受け止める。

そのうえで、復帰の感慨について言葉を継いでいく。

「多少誇張した言い方をすれば、沖縄にとっては変革期を迎えるということにもなろう。七二年復帰に万歳を叫ぶほどの感激はむろんない。またそういう気持ちにもなれない。それとは逆に、いまさら返還が決定したところで何の意味があり価値があるかというように、あえてこれらの動きの圏外に立ち、あくまで無関係に冷静を装うわけにもいかない」

これは、社説だけの感慨、というわけではなかった。祖国復帰運動は、この時期、民族主義的運動から反戦・反基地運動へと転換し基地撤去を強く訴えていた。一方で、基地労働者の解雇が進み、「基地撤去と首切り反対」の矛盾を抱えつつ全軍労闘争がなされ、その基地からは連日、ベトナムへ米軍は出撃していた。「戦時下」の沖縄だった。

ここで社説は、沖縄側のこれまでの運動や要求の課題を指摘する。

「(本土並み復帰を) 強く沖縄が主張することは、日米両政府の思うツボではなかったろうか」と自問する。

「それは意識的にせよ無意識にせよ、核さえぬけば、そして自由使用さえ拒否すれば、他はすべて是認するという考え方に結びつくものではなかろうか。こんどの日米共同声明の内容も全面的に是認する羽目に追い込まれることになりかねない。そういう意味で、本土なみの主張には、核排除に固執するあたり(ママ)、あいまいな点があったのは否定できなかった」

その先には日米安保があった。「異常だった戦後二十四年」「本土なみ復帰という主張」と過去を総括しつないだ小見出しは「安保体制か憲法復帰か」へ移る。

「(これからの)沖縄の大衆運動は、明確に本土なみを主張を乗り越える努力が要請されなければなるまい」と説き、安保問題と関連することは必然とする。「本土なみとは/安保完全適用と同義語」という認識である。

「無条件全面返還については、われわれは何度か見解を述べてきた。それは要約していえば安保体制下への復帰ではなく、憲法体制下への復帰ということであった/安保体制と憲法体制――これは二律背反ともいわれるように、常識的に考えても矛盾なしに融合する性質のものではないであろう。憲法第九条は戦争の愚行という反省から生まれ、国家や権力の武装がいかに危険であるか、という思想とも関連しているという。安保強化や自衛隊は、そういうことでは右の思想とは相容れないし、その強化や増強は憲法体制の否定の歴史であったとも考えられる」

憲法の基本的人権の保障に依拠し平和主義を主張してきた社説は、返還決定に際し在沖米軍基地を維持し支えるものとして安保体制への批判を強め、平和憲法論を全面に打ち出していく。主張は明解のように見える。だが、現実は混沌とし、日米両政府の安保路線に対し、沖縄の大衆運動は過渡期を迎えていた。

◆「新たな差別」

社説は終章に小見出し「新たな差別があるとしても」を立て、内側へ、県民に自覚を促す方向へと論を進める。

「沖縄の大衆運動の内部にも、この現実が悲観的に受けとられている傾向がみられる。憲法下への復帰なんて幻想であり、幻滅以外の何物でもない、という批判だ／復帰すれば安保体制内に組み込まれ、運動それ自体が分裂消滅する予想がないのではない。しかし平和への運動は完全に霧散するのであろうか／そういうことになるのであれば、沖縄の大衆運動はまったく根が弱かった、たんなる遠吠えだったということになるのではないか」

「復帰すれば、体制側からの攻勢は強くなろう／そうだからといって、それだけで憲法復帰が否定される理由にはならない。むしろ憲法体制が指向するものと、空洞化の実態に直接にかかわることによって、より具体的な運動への出発を可能にするのではないか」

「その後に何を想定するにせよ、それは回避すべきでない過程であり、そう考えることによって復帰を意義あるものにしたい。そこに新たな差別と疎外が待ち構えているとしても——」

「新たな差別と疎外」が社説の描く復帰後の沖縄の姿だった。

これが日本と沖縄の関係を示していることは疑いがない。社説は、復帰を否定はしない。それは平和条約3条下の米軍政という「矛盾」の解決には違いないからだ。その上で「安保体制か憲法復帰か」と針路を問い、大衆運動の新たな構築への期待で結んでいる。

69年の日米共同声明によって72年返還は決まった。沖縄は初めて、日米安保体制と平和憲法という「二律背反」する日本の戦後体制と正面から向かい合うことになる（注18）。

5章 「現在の歴史の時点で」―平和憲法への期待―

復帰前夜の社説は、憲法と安保の「二律背反」のもとへ向かう沖縄の決意表明の雰囲気を漂わせる。

復帰を12日後に控えた5月3日、一面のトップ記事は「平和憲法きょう25周年」の主見出しに、脇見出しは「改憲機運に警戒」。先述した「平和憲法のもとに帰ること」が「究極の目標」だったとした屋良主席メッセージが載る。社説もまた「改めて憲法を考える」と題し、自衛隊増強を意図する改憲論に不安を表明し、憲法が試練に立たされている、と論じる。

注18　沖縄返還が決まった日米共同声明によって、基地の継続は明白となり、以後、復帰運動は「反戦復帰」、政府批判の主張を強めていく。沖縄タイムスの連載「沖縄と70年代」（70年1月1日～8月23日。同年10月単行本化）は、共同声明が日米安保の再編強化であり、憲法の空洞化を図るものと批判し、旧日本軍と重ねつつ自衛隊の進駐にも反対した。記者の新川明は反復帰論の視点から「非国民の思想」を展開している。

戦前、戦後を振り返り、「私たちにとって、過去の国家とは、中央集権的なエゴイズムでしかなかった。いともかんたんに沖縄の文化を踏みにじり、戦争でこれほどの犠牲をしいながら責任らしい責任もとらずに異民族支配下においてしまった元凶は、一体なんだったのか」。

復帰を6日後に控えた9日社説。右隣りの1面トップ記事は「嘉手納基地にまた〝スパイ機〟」。電子偵察機や空中指揮機の配備を伝え、米国にとって戦況悪化が伝えられるベトナム戦争の激化は、沖縄を前線基地としていた。記事は「日米共同声明路線に基づいて返還されることになった沖縄は、かつてのB52戦略爆撃機の発進基地にかわって、スパイ機の根拠地として利用」と伝えている。

「ベトナム戦局と沖縄」と題する社説は、「日本政府が沖縄における米軍基地の存続、機能保持を保証することによって、返還協定は、サンフランシスコ条約第三条の変身にほかならない／『安保条約』がかぶされることによって、／第三条は更に強い力を備えて、よみがえってくる」と断じている。

危機感に包まれた論調には、初期復帰運動に見えた「祖国」への憧れはなく、日本国家を相対化する視点がそこにはある。

二つの社説はそれぞれ県民に向けた次の決意で締めくくられる。

「今後は憲法が曲解されて偏狭におちいることがないよう、私たちも〝番人〟として全力をつくしたいものである」「わたしたちは反戦・平和を追及する姿勢をくずさず、目の前の『米軍基地』を直視しながら、それを見守るべきだと思う」

◆憲法理念との距離

1972年5月15日。午前、東京・武道館と沖縄・那覇市民会館をカラーテレビ放送で結んだ政府の沖縄復帰記念式典が行われ、日の丸の下でバンザイが三唱された。午後、市民会館隣りの与儀公園では復帰協主催の抗議県民総決起大会が開かれ、雨の中に赤旗が揺れた。

この日の朝刊、沖縄タイムス、琉球新報はともに復帰特集を組んだ。

琉球新報の1面は「変わらぬ基地　続く苦悩」の主見出し。沖縄タイムスは「新生沖縄、自治へ第一歩」。特集では、ともに米軍政27年の歴史や存続する基地の実態とともに「世替わり」後の生活不安、識者対談など、戦後史をたどりつつ復帰の意味を問う。

両紙の類似点は特集記事ばかりではない。

「桜で沖縄と本土を結ぼう」「きょうから『円』でごあいさつ」「お帰りなさい　沖縄のみなさん」。記事下の企業広告には「この日」を示す言葉が並ぶ。しかし両紙とも「祝」の文字は見えない。新聞社の姿勢として「祝賀広告」としなかったのである。タイムスには、日本国憲法の全文が1ページを使って掲載されている。

社説の三つ目の「歴史」は5月15日、「現在の歴史の時点で…」と題されている。

社説には珍しくリードがついている。

「日本への復帰は、沖縄の地位の正常化を意味するものかもしれないが、現実には異常な政治状況のなかにおかれることになろう。それを現在の歴史としてどうとらえるか。そこにわれわれの選択の問題がある」

「異常な政治状況」とは、目に見えるものとしての米軍基地であり、初めての自衛隊の配備を指す。

その根底に「憲法と安保体制の対立」への沖縄の参入が意識されていた。「これから日本国民」として生きていく、その日本の政治が「憲法の理念とは、かなり距離が」あるなかで、どのようにしていけばいいのか。半ば自問のようであり、「県民」へのアジテーションにも聞こえる文章である。

社説は、そのほとんどを憲法論で埋めている。

憲法が戦争の深い反省から平和主義に徹している、と評価する一方、日本の政治が「憲法の理念とは、かなり距離がみられるのは否定できない」という。その理由を、束縛と差別からの個人の解放を目指した西欧の市民法の成立に照らしつつ、立憲主義の基礎である「独立、自由、平等の保障」への理解の欠如が戦後日本にあったのではないか、と提起する。

施行から25年、押しつけ憲法論や自主憲法制定の主張と対抗する憲法擁護運動が進む本土と復帰した沖縄は無縁ではない、という論調は、一方で県民のなかにも憲法理解への欠如があるという指摘をともなって展開する。

◆憲法にこだわる

社説は「くどいと思われる」と自らも記しつつ憲法にこだわる。「日本の政治が、混迷の印象を与えているのは、憲法感覚の欠如」にあり、憲法への理解を深める努力によって「真実の平和と民主主義を実現し、豊かな生活を築く」という主張は、この日の紙面に掲載した憲法全文と呼応し、憲法への信頼を根底にしていた。

復帰で直面する問題とし自衛隊配備問題をあげ、「憲法第九条と、安保体制のなかの自衛隊の間には、常識的に考えても、かなりの距離がある」。この憲法と安保体制の対立という「驚異の政治状況」に沖縄は位置するという現状認識は、69年の返還決定に際し書いた「新たな差別と疎外」の延長にある。

このような課題を背負った「現在の歴史」に参加する方法として、「強大な中央権力への抵抗体として位置づけられている地方自治を、さらに自主的な創造体として構築していく」ことだと述べ、沖縄の自治の確立をあげる。米軍支配下にあって、島ぐるみ闘争や主席公選など自治権拡大、祖国復帰、反戦反基地を訴えてきた戦後の大衆運動が背景にあったことは想像にかたくない。

結論では再び、県民の共通課題として「憲法の原点への理解を深め、実践していくことではないのか」と呼びかけている。

戦争末期に「捨て石」とされ、戦後の分離と他国の軍事支配、祖国に帰っても続く「基地の島」――一地方紙の社説は、敗戦国家が戦後の針路に選択した憲法に未来を託す。平和主義という理念に「基地の島」の現実を乗り越える方途を見出そうとした。そして、新たに「日本国民」となった県民に対し、その理念の実践を求めてやまなかった。

おわりに

ここに紹介した社説は、51年の「歴史の峠に立ちて」を除きそのほとんどが一人の書き手による（注19）。比嘉盛香（ひが・せいこう）、沖縄タイムス社の論説委員長、編集局長を務めた。

１９２２年、那覇市首里に生まれ、東京外国語学校（現・東京外国語大学）ヒンドスタニー語部から学徒出陣。旧満州（中国・東北地方）で捕虜となり、約２年間シベリアに抑留された。タイムス入社は48年８月、同紙創刊から約１カ月後だった。52年には政経部長となり、社説も担当する。復帰から５年の77年、55歳で死去。「憲法手帳」を肌身はなさず持ち、その平和主義とともに、「反論の自由」が言論の自由の軸だと語っていた（注20）。

77年は沖縄戦から33年目。死者が仏となり成仏する33年忌にあたり、いつもの年にまして戦争体験が語られた年だった。６月23日慰霊の日、この日の社説「平和の問題を考える」が比嘉の絶筆となった。

「戦争とその惨禍は、美化されてはならないのである。とりわけ、むごい戦争をひき起こした国家が、遺族や国民の肉親を思う感情に訴えて、それを助長しがちであるが、それが再軍備への誘惑にもなり、戦争の原因をつくってしまうことにもなるわけであろう。きょうの『慰霊の日』は、国家ではなく、国民・住民の立場から、いかなる戦争をも憎み、真の平和を築いていく決意を新たにする日にしなければならない」

（『21世紀の安全保障と日米安保体制』菅英輝・石田正治編著、ミネルヴァ書房　２００５年）

注19　社説「歴史の峠に立ちて」の執筆は豊平良顕（とよひら・りょうけん）。戦前に朝日新聞那覇支局長、沖縄戦の時期に沖縄新報編集局長。戦後、沖縄タイムスの創刊にかかわる。

注20　真久田巧著『戦後沖縄の新聞人』（沖縄タイムス社、１９９９年）

憲法論議と新聞の役割
―切り離せない沖縄の視点と体験―

日本新聞協会発刊の『新聞研究』に掲載。「憲法論議と新聞の役割」をテーマに、論説委員長として書いた。

地方紙において憲法を論ずる、あるいは読者に論議の材料を提供する、ためには二つの方向が考えられよう。

一つは政府、国会、政党などいわゆる「中央」で、どのようなテーマを、どの立場から論議しているか、いわゆる「全国版」の情報提供である。もう一つは、エリアとする地元の問題に引き付けて憲法を取り上げ、そこに読者と共有する課題を描くことだ。

地方紙としては前者の重要性は認識しつつも、後者が立脚点となる。

本稿では、戦後の沖縄の歴史を振り返りつつ、憲法とのかかわりを中心に考えてみたい。いま、「中央」でにぎわいを見せる憲法論議に地方からの視点を加味できればと思うからだ。特に、一九七二年の施政権返還により米軍政から日本へ復帰した過程における「憲法との出会い」には、本土における戦後の「憲法誕生」と重なるような熱い期待があった。

この「沖縄の体験」が、現実的改正論とでもいうべき現在の改憲論議に、「忘れていたもの」を想起させる契機にもなれば、というひそかな願いをこめてもいる。

◆憲法との出会い

七二年五月十五日の施政権返還によって憲法は沖縄に適用された。サンフランシスコ講和条約第三条で日本から分離された住民と〝憲法との出会い〟は、その七年前の六五年にさかのぼる。

この年、立法院（県議会に当たる）は「住民の祝祭日に関する立法」を改正し、五月三日の「憲法記念日」を祝うことになった。憲法ができて十八年目である。

そこには次のような文言が付されていた。

「日本国憲法の施行を記念し、沖縄への適用を期する」

祝日だけ日の丸掲揚が認められていた時代、その文言は祖国復帰への願望を色濃く映し出している。米軍政府任命の松岡政保・琉球政府行政主席（知事）の「日本国憲法の恩恵を受けていなくても、日本国民としての自覚を新たにし」というこの日の談話からも読み取れる。

当時の憲法観を知るため、同日の沖縄タイムス社説を紹介したい。

日本の戦後が、国民主権の新しい国家となり国民は基本的人権により広く自由を享受し発展してきた、と祖国について述べたうえで、「沖縄に住む人たちは、／米国の統治下におかれ、日本国憲法が保障する基本的人権を味わうことが許されなかった」とし、最大の政治目標が米国支配からの脱却とする。その理由を「憲法の保障がないという矛盾と不自然さに対する人間的な反発、自然な姿にかえりたい、という欲求」と論じている。

米軍政下にあって「基本的人権の保障」は切実で、現実的な課題だった。五〇年代の「銃剣とブルドーザーによる土地強制接収」に代表される基地の拡張にとどまらない。六歳の幼女の米兵による強姦・殺害事件（五五年）や小学校への米戦闘機墜落事故（五九年）など、基地は住民の命や財産を脅かし「基本的人権の保障」は日々の暮らしと結びつくものだった。

残念なことながら憲法適用後の今日においても、米軍用地の契約拒否地主の土地に対する強制収用問題や空軍基地の騒音被害、九五年の米兵による暴行事件など相次ぐ米兵事件と、「基地の島」の基本的な構図は変わっていない。

いま、憲法一三条の「生命、自由及び幸福追求に対する国民の権利」などに基づく「平和的生存権」が主張され、憲法への期待とその不在への批判が強いことも現実の反映といえよう。

◆「平和憲法」を求めて

「祖国復帰を要求してきた究極の目的も平和憲法のもとに帰ることであった」

復帰を間近に控えた七二年五月三日の憲法記念日、屋良朝苗主席の「県民」へのメッセージである。祖国復帰運動を主導し、米軍政下で初めての主席公選で保守系候補を破り当選した屋良の、いつわらざる思いであったであろう。

しかし屋良メッセージは、「復帰の内容は、基地の態様をはじめ、幾多の不安や疑惑がのこり、県民の要求を十分に満たしていない面がある」という日米両政府への批判も一方においている。

「平和憲法」を強烈に意識するようになったのは、施政権返還が日米両政府の政治日程に上ったころといえる。つまりは、米軍の直接統治に代わるものとして日米安保条約の適用が明らかになるなかで、平和憲法はより強く叫ばれはじめた。

六九年十一月二十一日の佐藤・ニクソン日米首脳会談で返還は正式に決まる。米国が条件とした基地の自由使用を認めたうえの施政権返還だった。その根拠が日米安保条約であり、その下に日米地位協定、さらには駐留軍用地特別措置法（五二年施行、全国では六二年まで適用。沖縄への適用は八二年から、それ以前は沖縄のみ対象とする時限立法の公用地法、地籍明確化法による）で、基地とその機能は今日まで維持されている。

佐藤首相はナショナルプレスクラブでの演説で、韓国防衛のため国内の米軍基地からの発進について、事前協議で「前向きすみやかに」態度を決定するとし、台湾防衛にも言及した。日米安保が極東へ拡大した契機とされる韓国・台湾条項である。

米軍の沖縄基地機能の維持は、日米安保条約の拡大を意味していた。今日の見方でいえば、「地球規模」の協力へと変化していく日米同盟の質転換は、沖縄返還の過程で方向性を確固たるものにしたともいえよう。

日米安保体制への移行に、当時の祖国復帰協議会を中心とする大衆運動が「命と暮らしを守る」として基地の撤去を訴え、一方で、「平和憲法」への期待を高めていったことはよく知られている。米軍政への「抵抗のシンボル」だった日の丸が、運動のなかから消えたのもこのころだ。

◆憲法と安保の二律背反

再び沖縄タイムス社説を見ておきたい。日米首脳会談を受けて、「無条件全面返還には、ほど遠い印象を受ける／反発さえ感じさせる内容も盛り込まれている」としつつも、復帰の実現に「ある種の感慨というものを覚えないわけにはいかない」とする書き出しは、多くの県民の心境でもあっただろう。

無条件全面返還の意味を「安保体制下への復帰ではなく、憲法体制下への復帰」としたうえで、次のように論を進めている。

「安保体制と憲法体制――これは二律背反ともいわれるように、常識的に考えても矛盾なしに融合する性質のものではないであろう。憲法第九条は戦争の愚行という反省から生まれ、国家や権力の武装がいかに危険であるか、という思想とも関連しているという。安保強化や自衛隊は、そういうことでは右の思想とは相容れないし、その強化や増強は憲法体制の否定の歴史であったとも考えられる」

当時の社説は、本土における改憲の動きに懸念を表明する一方で、県民に対し「憲法の実践」を強調している。

「復帰すれば、体制側からの攻勢は強くなろう／そうだからといって、それだけで憲法復帰が否定される理由にはならない。むしろ憲法体制が指向するものと、空洞化の実態に直接にかかわることによって、より具体的な運動への出発を可能にするのではないか」「そこに新たな差別と疎外が待ち構えているとしても――」

復帰前夜の緊迫した論調は、本紙社説の基調となって引き継がれている。沖縄の憲法観において、重要なことがらに「沖縄戦」がある。ここでは戦後の沖縄社会における沖縄戦の意味を考えてみたい。

たとえば、米英軍のアフガニスタン攻撃の際にも、戦争反対の声が読者投稿に目立った。労組や市民団体に限らず、若者たちからも「住民の犠牲」に対する批判は起こった。「沖縄平和主義」といえば大げさなのだが、国家による戦争は人々の犠牲を生む、という認識は深く根付いているように思える。

背景に、住民を巻き添えにした沖縄戦の体験があろう。同時に、旧日本軍の戦時下における住民殺害など極限のできごとばかりではなく、ひめゆり学徒や年配者の防衛隊召集など教育を含めた戦時体制もまた、祖国への復帰のなかで考えねばならないテーマであった。沖縄戦から続く米軍占領時代に、基地を通してベトナムなどの戦争を見てきたことも、基地被害とともに戦争を忌避する思いを強めた。

「全国で唯一の地上戦」「多大な犠牲を生んだ悲劇」と形容し、過去のできごとですめば、戦後の繁栄のための尊い犠牲、で沖縄戦理解も終わったかもしれない。

「なぜ、この地で戦いは起きたのか」「戦後、なぜ切り離されたのか」「復帰後も戦争のための基地はどうして存続するのか」。沖縄が自問してきた「国家への問い」にいまも答えはない。屋良メッセージの「平和憲法のもとへ帰る」ことが、自問の答えであった。

沖縄と憲法の関係を構図的にとらえれば、次のようになるだろう。

県民には通奏低音のように基本的人権の保障への希求があり、これを押しつぶすかたちで日米安保条約が基地の実態を伴ってのしかかる。これに沖縄戦の消えぬ記憶が県民の心の中に沈静し、国のあり方を問い続ける。基地の存在（派生する被害を含め）と沖縄戦の体験が現実性を帯びていることが、「戦争の放棄」「戦力の不保持」を主柱とする憲法への信頼へと結びつく、と。

◆いまこそ「押し付け憲法」を問う

論説委員会では二月から憲法勉強会をはじめた。遅ればせながら、かつ手探りの状態だが、いままでの論議を土台に私見を記しておきたい。

現在の憲法論議、特に九条改正をめぐる論議を沖縄の戦後史から見ると、焦点は一つの像を結ぶ。一言でいえば、憲法という国の基本法が日米同盟に規定され、改正の対象にされていく危うさである。九条に軍国主義復活の道を断つ米国の目的があり（軍事力の空白を埋めるものとして沖縄の米軍基地があったことは記しておきたい）、それが冷戦の本格化とともに警察予備隊から自衛隊へと九条の変化をもたらしたことは定説ともいえる。近年の改憲論議もまた米国との関係に規定されているのではないか、という質問にも似た疑問である。

たとえば有事法制整備の発端は、九六年の橋本首相とモンデール駐日大使による普天間飛行場返還と同時になされた、日米有事研究の開始の表明にはじまり、直後の橋本・クリントン首脳会談は日米安保共同宣言で「地球的規模」への協力を明確にした。その延長に九七年の「日米防衛協力のための指針」（新ガイドライン）はあり、九九年の周辺事態法から有事法制整備は一連の流れであろう。日米同盟のレベルアップが、必然として自衛隊の役割を高め、日本の同盟国としての行動の拡大を導いている、という図式である。

イラクへの自衛隊派遣が政府の解釈憲法の限界という指摘も、自衛隊誕生にはじまる米国との協力の緊密さが、ついに基本法との乖離の限界に至ったと言い換えることもできよう。

イラク戦争にブッシュ米政権の「大義」はあったか、国際法上はどうか、という議論もある。自衛隊派遣の「国際貢献」論には疑問符がつく。少なくとも「日米同盟のため」というただし書きがつけばすっきりしよう。政府の決定は、復帰前のベトナム戦争と同じように沖縄基地から直接イラクへと出撃する米軍と連動した「国際貢献」として映る。そこにもはや「事前協議」は存在しない。

日米安保との関連で言えば、集団的自衛権の行使に踏み込むことで米国のみが防衛に当たるという片務性をなくし「一人前の国」「対等な関係」になるという論議もある。これとてアーミテージ報告や同国務副長官の「柔軟性」要望への答え、つまりは米国の「日本はこうあってほしい」という要請と表裏をなすものではなかろうか。

逆説的にいわせてもらえれば、「押し付け憲法」論は、いまの時代にこそ論点になる。

一方で、日本の文化や伝統の強調にも国家主義の再生、という違和感を持たざるを得ない。戦後の憲法は、国ではなく個人あるいは市民に重きを置くものと理解してきた。国家と市民との関係に慎重にならざるを得ないのは、「動物的忠誠心」とさえいわれた住民参加の沖縄戦の体験が根底にある。それ以来、国を相対化する視点をこの土地は学んできたように思う。

時代の変遷による新たな権利など改正を含めた論議は必要だ。だが、前文と九条が唱える平和主義と国際協調主義は、すくなくとも、十分に実践されてきたのか、という問いからはじめなければ評価のくだしようはない。

日米同盟を安全保障の柱としてきたことによる戦後の日本の外交戦略の検証と、東アジアの安全保障環境を整えるための条件、については特に論議が必要であろう。

全国紙の世論調査からは、改正賛成が国民の過半数を超えている。しかし、注意深く見ると、こと九条改正には過半数が反対のようだ。これを私は健全さ、とみたい。戦争体験世代に加え、戦後の日本の歩みのなかで育ってきた世代が、憲法の平和主義に一定の信頼を寄せていることは、曲がりなりにも国家運営を担ってきた政治、また並走してきたメディアは自信を持つべきだ、と思うのだが。

◆初めての参加

復帰して三十二年、「本土化」のなかで県民の意識は変化してきた。世論調査でも安保条約は否定から肯定へ、自衛隊も容認へと変わった。政府の沖縄振興策も復帰評価につながっている。

沖縄タイムスは琉球放送、琉球朝日放送と協力し、県民の憲法観を知るため四月に初めての「憲法調査」を行う準備を進めている。本稿には間に合わなかったが、並行して社会部では「暮らしのなかの憲法」をテーマに論議をつめているところだ。現在の作業は、県民の意識を知り、地方紙としての方向性を確認する段階といえる。

本紙は米軍政下に講和条約の矛盾を説き、復帰運動と連動し、その後も憲法の平和主義に立ち、基地の整理縮小を訴えてきた。いま、あらためて読者と共有すべきことを探らねばならない。それは必ずしも一致するものかどうかはわからない。読者の意識とあるいはズレが生じたとしても、新聞はその価値観に基づく論陣を張らなければならない。これまで述べてきたように憲法と安保の矛盾が集約される土地柄の中で、県民の暮らしを守る視点は揺るぎなく、軍政時代から読者と二人三脚で歩んできた地方紙としての自信めいたものもある。

憲法制定のために衆議院選挙法が改正された四五年十二月の第八九回帝国議会において、沖縄県民は選挙権を失い「国の外」に置かれていた。国会に代表は送れず、憲法制定論議に加われなかった「唯一の県」でもある。

いま憲法論議に初めて参加する。この意味と意義を読者と共有するところから、紙面展開を図っていきたい。

（『新聞研究』No.６３４　２００４年5月）

III　沖縄の選択——基地問題

沖縄の選択　1

五十年目の異議申し立て

「沖縄の選択」は雑誌『ＥＤＧＥ』に１９９６年２月の創刊号から98年12月まで約３年にわたり７回連載した。戦後50年の１９９５年秋、反基地と平和・人権を求める県民の思いがいっきに噴出した。県民は「基地ノー」の民意を95年10月の８万５千人が参加した総決起大会で示した。この連載はその直後から、96年９月県民投票、97年12月名護市民投票を経て98年11月までの県知事選までの期間にあたっている。「沖縄の異議申し立て」は、日米両政府を動かし普天間基地返還を含む日米特別行動委員会（ＳＡＣＯ）による提案を引き出すが、米軍用地特措法改正、普天間代替の県内移設という政府の強硬姿勢が露わになっていく。大田県政は軍用地問題で代理署名を拒否し政府との対決姿勢を見せる一方で、国際都市形成構想による「自立」を模索する。県民は大田昌秀知事に代わり保守系の稲嶺恵一知事を選んでいく。民意と県と国がそれぞれに「選択」した時代だった。連載は同時進行ドキュメントとなり、時代の緊迫感と熱気に押されるように筆を走らせた。『ＥＤＧＥ』は「ディープな沖縄が見えるマガジン」と銘打ち、編集長は仲里効氏。（一部、字句などを修正した）

政治の世界ではよく「一寸先は闇」という。一月五日の村山富市首相突然の退陣、自民党の橋本龍太郎総裁への「禅譲」という連立政権内のタライ回し劇は、党是を改変してもなお社会党委員長が宰相となることの無理、を強く印象づけた。同時に、選挙制度を政治改革のために変更しながら一度も実施せず、国民の審判を避けたままに次々と組み合わせと首相の顔が変わるいまの国の在り方は、政治の衰退を象徴していた。多くの課題を前に、政権の維持に汲々とせざるをえない政治家たちの貧困といえばいいのか。

戦後五十年の節目だった昨年、日本は阪神淡路大震災とオウム真理教事件、二つの面から強烈な衝撃を受けた。自然の脅威に対する危機管理の脆弱さ、現代社会のとくに若者たちの心の危うさ、と簡単に片付けるわけにはいかないが、結果として、戦後に築いたこの国の「安全・繁栄神話」が崩れさったことだけは確かなようだ。右肩上がり曲線から横バイ、あるいは　右下がりの経済も、戦後の終わりを示しているのだろう。

その一方で戦後五十年国会決議にみられたように、国家による戦争を、戦後この国は清算できずにいる、という事実だった。閣僚らの相次ぐ「侵略戦争否定」発言といい、過去を論議し反省の上に立って、戦後のアジアにおいて彼らの信頼へと変えうる力を持ちえていないこともまた明らかになった。戦後の繁栄が意外にもろく、過去の行いにいまもってけじめの一つもつけきれない、そんな現代の危機と不信が日々の暮らしに充満していることを実感した年ではなかっただろうか。

◆「沖縄は、日本なんですか」

そのような国に対して沖縄は異を唱えた。

九五年一〇月二十一日の米兵の暴行事件に怒る八万五千人（主催者発表）による反基地の総決起大会、相互に影響しあう形で出てきた大田昌秀知事の米軍用地強制使用についての代理署名拒否と、続く首相が知事を訴える職務執行命令訴訟における全面対決である。

前者は、米兵による事件の源は基地の存在そのものである、ことを県民があらためて〝知る〟ことから始まった。超党派の結集という政治的な物差しではなく自発的に集ったことに、従来の組織動員的な反基地闘争との違いがあった。そこでは、四十年前の「島ぐるみ闘争」と続く復帰運動、反戦・反基地闘争の体験を重ねる戦後派世代から、女子高校生の発言に共感する復帰後の若者たちを含め、沖縄の今に混在する体験の異なる世代の「共通項」を暴行事件はひき出す契機となった。大田知事がいみじくも、この集会で「人間の尊厳が奪われた」と語ったように。

新しい提起として、女性の人権の問題として基地被害がとらえられた。平和維持のために存在すると国が唱える軍隊が、住民を脅かし、暮らしと相容れないものである事実を、県民は五十年をへてあらためて共有した。

しかし、共有するばかりでは国の政策を変えうるものでないことも、戦後の体験と今回の国の動きから知ることとなった。「温度差」としばしば使われる言葉には、差別されてきた歴史へのあきらめの響きが残りながらも、「平和の配当」を強く求める主張とあわさって本土国民への不満があらわれている。

大田知事もまた、感情的には同じところにいるのだろう。

昨年十一月十九日夜、「世界のウチナーンチュ大会」のフィナーレの余韻のなか代理署名拒否に対する村山首相の提訴に、知事は気持ちの高ぶりを隠すことはなかった。

「沖縄は本土の人の幸せを守る手段になることを否定する。自らを犠牲に、手段になることは戦争の時に十分やりすぎた。加害者になるための基地はもう持ちたくはない」

そして記者らに「沖縄は、日本なんですか」と問いかけた。

沖縄戦、基地あるゆえの他国への侵略・出撃への間接的であれ加担、復帰後も続く安保下の基地重圧。拒否してもなお基地を強制する国家への不信は、結局、日本という国のなかの沖縄の存在そのものを問いかけることにほかならない。日本（あるいは大和）と沖縄の二分法的な図式は続いている。ただ従来の二項対立的な意味合いとはかなり変わってきたことも確かで、生活や文化、なにより情報の画一化の面では本土―沖縄の相違は少ない。そのことは、特に復帰後世代の関心の向きともかかわっている。このような県民の世代的な変化を含みつつも、いまは政治的な日本と沖縄のやりとりが、日米両政府によって頭越しに沖縄の地位を決定した復帰の状況と違うことに注目したい。

これは県と国が争う裁判と、双方が話し合う協議機関設置という、一見矛盾する両者のやりとりにあらわれている。二つの方法を「選択」した主体は、国よりむしろ沖縄県にあるとの「評価」は高い。この二つの方法について考えながら、そのなかにはらんでいる矛盾にまで、筆を走らせてみたい。

◆憲法と安保、二つを問う

首相が知事を訴えた職務執行命令訴訟においては、国の地方自治への機関委任事務という行政行為の適法性がはじめて問われることとなった。公益を進める国からの命令に対して、地方の住民の公益を守る責務を負う地方自治体の長が、どこまで従うべきか。この場合、地方の長はどちらの「公益」を優先すべきなのか。そもそも国家委任事務は法的に正当性を持ちえるのか。法解釈としてはスリリングな内容を法廷で争うことになった。

その争点は沖縄と大和という図式とは別に、戦後（あるいは明治以来の近代国家日本）政治の、地方は中央に従うべし、という根本的な在り方にまで迫っている。戦後五十年にしてようやくに地方分権の流れが起こるなかで、国家の意志（基地維持）への反発が、この国の端っこの地から出されたことに、中央集権的なこの国の成りたちと、この辺境の地の宿命を思わざるをえない。

五十年間の基地の重圧は、憲法の語る平和的生存権を保障するものではない、ことと結びついて主張されている。「平和憲法」のもとで暮らすもっとも新しい「国民」の側から出された憲法論議は、司法をつかさどる裁判所にとどまらず、憲法の精神をどう具現化してきたのか、というこの国が戦後に培ってきたであろう理念の実践力を試すことにもなる。つまりは、みなさんがつくってきた憲法はホンモノですか、と新参の島びとたちは聞いているのだ。

戦後も五十年に及ぶ基地の重圧と強制的な手法による土地接収を巡っての財産権の保障もまた憲法判断を求めている。国家による戦争と、結果としての沖縄戦、米軍占領。沖縄の地は、米軍にとって「血であがなった土地」であり、占領軍の彼らは戦時法を盾に、旧日本軍が接収した基地ばかりか、住民を収容所に押し込めたまま土地を囲い込んだ。さらにサンフランシスコ講和条約によって戦後の沖縄の支配権を得た米国は、布令・布告で軍用地の拡大を図ってきた。

復帰によって日米安保条約が適用され米軍基地の維持は日本政府の役割となり、米軍と同じく強制使用による確保を方法としてとった。七二年復帰時の公用地法、七七年の地籍明確化法など法の制定がそれであったし、それでもままならぬとみるや、日本が独立した直後に米軍用地を確保するため五二年に制定した米軍用地特措法を引っ張りだしてきた。八〇年になっての沖縄での初適用は、全国でも二十年ぶりだった。いわば寝た子ならぬ「寝た法」を沖縄仕様に使い、以後強制使用の根拠となり、今回、四度目にいたり司法の場で強制確保の正当性（違法性）が問われている。

沖縄の基地は、戦前に国家の戦争遂行のために建設され、戦後はサンフランシスコ講和条約第3条のもとで米国の意図によって強化された。日本国憲法はそのような沖縄を抜きに制定され、安保条約もまたしかりだった。その前段の歴史をどう判断するのか。米軍用地特措法は国のこの二つの指針と「同時代の子」であり、長く適用されなかった。沖縄にいま強制使用の手段として登場したことは、沖縄が憲法と安保を問う必然性を持つ、という悲しい皮肉といわざるをえない。

復帰によって沖縄は憲法と安保条約が及ぶことになった。祖国への復帰は県民の願いでもあり、日米返還協定は法的にも成立するものであっただろう。だが沖縄の米軍基地の機能を、七〇年に自動延長され今日まで変更のない日米安保条約が、包含しうるという国民的なコンセンサスは成立しえてきたのだろうか。よしんば成立するとして、「核抜き本土並み」はどう実現されてきたのか。法のもとの平等はどう実現してきたのか。平和の配当と責務を国民はどう分配してきたのか。

法が沖縄の基地問題を裁く立場に立つ為には、この二つの歴史軸をクリアし、また現実に存在する巨大な基地の解決の方向を示さなければなるまい。国家の定める「法」が、国家がなしてきた過去と現在の行為、つまりは「歴史」をどこまで判断しうるか。地政学的に基地に最適と決めつける国の論理を、国が定めてきた論理でもって沖縄は問いかけている。

◆不透明な基地の縮小

四月には、ようやくに日米首脳会談がなされるという。これまた日本側の政治変動や、アメリカとて大統領と議会の対立が続くなか見通しはつきかねるのだが、この会談の重要な目的が日米安保共同宣言にあることは間違いない。

政府の意図は、昨年十一月二十九日に一度は予定されたクリントン大統領と、村山首相の会談にあわせた宣言案に読み取ることができよう。

「大統領と首相は、日米安全保障条約が冷戦の終結のため重要な役割を果たし、両国のみならずアジア太平洋地域および世界の安全保障と繁栄の基礎を成すものとして、その役割を引き続き果たしていくことを再確認した」「日本が米国との協力の下、二国間、地域的およびグローバルな安全保障を維持、強化するため引き続き意義ある貢献を行うことを確認した」「米国の基地や米軍の活動が日本のいくつかの地域社会に与える影響について認識した。特に米軍施設および活動が著しく集中している沖縄における問題について、細心の注意が払われるべきであることを強調しながら、両国首脳は、安全保障条約と訓練および運用面の必要性と日本国民の関心に調和する方法で、中長期的に施設・区域の将来の機能と効果的な使用に関して協議する機関の設立に合意した」

共同通信がすっぱ抜いたこの宣言案には、日米安保の範囲を「極東」から「アジア太平洋」へと広げる安保再定義の意図がはっきりとうたわれている。

沖縄の基地について政府は「沖縄の基地の縮小は明記する」とこの報道を否定した。だが、ペリー米国防長官の「地球規模の安保問題への支援」発言、昨年のナイ国防次官補を中心に練り上げられた「東アジア戦略構想」にみられるように、日米安保のグローバル化が両政府の規定の路線であることに違いはない。

六〇年安保、七〇年安保と国論を二分する形で論議されてきた過去の例にならえば、「新しい軍事同盟」（浅井基文明治学院大教授）が意図される「九五年安保」もまた十分な論議が必要なことは確かなのだが、「沖縄からの提起」以前にこのことが国民的な関心を呼ぶことはなかったようだ。政府（政治）もまた論議を起こす、ことに熱心ではなかったといえる。

沖縄についてこの文案からは「沖縄に細心の注意を払いながらも」「訓練と運用面の必要性」を押しつける内容となることは十分に予想される。

日米の高官で編成する新協議機関（日米特別行動委員会・SACO）は、一年以内に沖縄基地の整理・縮小・統合に目安をつけるという。しかし、安保の範囲を広げる一方で、米軍のアジア十万人体制、うち在日米軍四万七千人という前提に立って沖縄基地の縮小が進むかどうか。第3海兵隊の撤去など普天間基地の返還をにらんでのプランや提案はさまざまに出されるが、海兵隊が海外への展開を役割としている以上、グローバル化を目的とする「新安保」のもとでの撤去や移設の実現性は非常に不透明だ。

◆対決と交渉、二つの方法

基地の固定化という認識があって大田知事は代理署名拒否という国への抵抗に出た。あわせて県行政として、政府へ基地の整理・縮小と日米地位協定の改定を求める働きかけを行っている。

政府と県でつくる沖縄基地問題協議会に、県は二〇一五年までの基地の全廃を求めるアクションプログラムを提起する。ここでは基地問題にとどまらず軍事基地に代わっての国際交流都市構想をうたいあげている。一月に市町村協議会をつくり、行政レベルでの構想推進の体制は整えつつある。三次にわたる沖縄振興開発計画や軍転法を越え、ポスト4全総をにらんでの長期的な構想である。県は、従来の開発方式ではなく、戦災復興的な特別立法まで視野にいれているようだ。基地反対、土地を返せ、と叫ぶだけではラチはあかない、沖縄側から具体的なプログラムを提示することで行政レベルの協議の対象にし、問題の解決を図っていこうとする。

県の急ぎ足のプランニングに、契約軍用地主から「早期返還は困る」と生活の不安を訴える声が高まり、反対の動きが出ている。地権者である地主に事前の説明もなく、という感情的なしこりもあるようだが、根底には土地を失い、地料で得てきた五十年間の暮らしがあろう。県の構想、今後の基地返還と跡地利用計画は当然、地主や家族の生活を守りつつ、を前提に進めなければ理解を得ることはできない。同時に基地の重圧と被害が、今後も続くとするならば、地主たちもまた決断を迫られるだろう。将来を、子や孫の時代をどう築いていくのか、が問われている。そのことに正面から向き合うことがなにより求められている。

代理署名訴訟における国との全面対決と行政レベルの交渉という二つの方法を県は戦略としてとっている。前者がたぶんにアピール的な要素が強いとしたならば、後者は実をとる実務的な方法といえよう。基地なき沖縄を描くため、二つの方向から攻める魅力的なシナリオといえる。

アジアと結ぶ国際交流都市という美しい響きの構想は、いみじくも県が、アジアと日本を結ぶ結節点といっているように、国のなかの沖縄の役割を位置づけている。それは、国が主張する安保の要としての基地オキナワの地政学と表裏をなしている。基地ではなく、交流の拠点に、と役割を変えようというのだが、論理的には日本という国の南端としての沖縄の位置づけに変化はない。南の玄関口、アジアとの結節点という構想は、大交易時代の歴史を源泉にするだけによけいに歴史的幻想の色合いを濃くする。沖縄の歴史が教えてきたものは、常に国家に手段化される地域、ではなかったのか。

県の二つの選択は、県民に自立の方向性を問うことにほかならない。基地重圧への批判と九五年安保への危機感がつのるなかで、未来像への検討は始まったばかりである。

◆過去に学び未来を描く

昨年秋の一〇・二一総決起大会、県の代理署名拒否は、基地を縮小し、なくしていくための沖縄の意志の表明であり、政府と国民への異議申し立てだった。基地によって加害の立場になることを拒否するというこの土地が歩んだ歴史に学び、いま一度、自分たちの心根に素直になろうと問い直した結果であった。安保再定義への異論は、この国の行方をともに考えていきたいというシグナルであり、「平和国家」に安住してきた人々が引き続き安保に基づく「平和」を求めるのならば、その決定にそって「本土の沖縄化」を引き受ける覚悟を迫っている。

戦後五十年の昨年は、平和の礎(いしじ)を含め過去に向きあい、未来へのイメージを語り合う季節だった。沖縄タイムス紙面に掲載された二人の言葉が心に残る。

「戦争で苦しんだおかげで、今日の繁栄があり、沖縄、広島、長崎があってこそ平和＝繁栄を獲得できた、というおめでたい論理がある。平和の礎がこの堕落した歴史観と一線を画して、また哀悼、平和の祈願と日常生活のつながりを模索するきっかけになることを切実に願う。平和のような抽象語は、いくら尊く聞こえても、決して私たちの心にしみこんでこない。どんな厳かな儀礼も、感動的な体験も、日常生活とつながらなければ『教訓』にはなりえない」(ノーマ・フィールド・シカゴ大教授)

復帰運動初期の理論的なリーダーだった国場幸太郎さん(国立都城高専講師)の昨年七月の言葉は、示唆に満ちていた。

「平和の礎が、現代の人々に伝える悲惨な戦争体験の衝撃を、アメリカ軍基地の撤去へのエネルギーに転換、燃焼させるか、それとも戦争による死を絶対の価値に高めて美化する方向に導き、再び真実の歴史に眼をそむける時流に流されるか。そのいずれの道をいくか、私たちは主体的に考えなければならない。避けては通れない課題である」

五十年という歳月が伝えたかったのは、現在という時は過去と未来の間にあって、過去に学びつつ未来への選択に迫られている、という自明のことだったかもしれない。一九九五年という年はさらに、未来を描く想像力を持ちえなければ、過去の絵を見続けるしかないことを教えてくれたように思う。

（文中の引用で特に記載のない場合は沖縄タイムス紙）

（『ＥＤＧＥ』創刊号　１９９６年2月）

沖縄の選択　2

普天間返還合意　基地機能は維持・強化

喜色満面の顔がテレビ画面に映る。横にアメリカ大使を伴い、小さな体をことさらにそって「普天間全面返還」を発表した。四月十二日、橋本龍太郎首相とモンデール駐日米大使の緊急の共同記者会見。「基地は動いた」と誰もが実感した瞬間、沖縄基地問題の第二幕が開いた。そして、早くも九月には幕を閉じようとしている。昨年九月に開演した「沖縄基地問題」の一年間のロングランの幕引きとなるのか。新たなシナリオを抱いた第三幕を告げるものになるのか。それはすぐれて、時代という演出家が、日米両政府、県、県民、それぞれが描くどのシナリオを選択するのかにかかる。一度は自らのシナリオで未来を描いてみたい。そう県民が思った第一幕との大きな違いは、「攻め」ではなく「守り」をしっかりしなければ採用どころか、候補作にものぼらないだろう状況の変化だ。新しいシナリオを書くには、沖縄の未来への意思を「○」という無機的な記号に託すしかない。県民投票がカギを握る。

◆「沖縄返還に似ている」

昨年九月、米兵による暴行事件に対する県民の怒り、大田昌秀知事の国に逆らう代理署名拒否――二つが発火点となって、沖縄の基地撤去・縮小へのうねりは高まった。

「戦後五十年の基地の重圧」を訴える沖縄の民意に、本土マスコミは飛びつき、国民は少女の被害と沖縄の怒りの声に自責の念を重ねた。一方、初めて自治体の長が決断した米軍用地の強制使用手続きの拒否は、国自らが国民の土地を不法占拠する、という異常事態へと向かっていった。政府も「沖縄の声」に耳を傾けざるを得ない状況が生じた。

「沖縄」が復帰以来久々に、この国の課題となって浮上したと同時に、沖縄の私たちにとっても、真正面から基地、そして将来について語り、思いを巡らす日々が訪れた。「未来を描く想像力を持ちえなければ、過去の絵を見続けるしかない」（ＥＤＧＥ創刊号）ことを教えた戦後五十年の一九九五年だった。

「熱い季節」も十カ月がたち九六年夏の沖縄には、なにやら秋風さえ漂い始めている。表面的には、大田知事の公告縦覧代行拒否、政府の勧告・命令から訴訟へ、と昨年の動きが「再現」されているかのように見える。しかし、状況は大きく変わった。その具体的で最大の出来事が、日米両政府によって合意された「普天間飛行場五〜七年の返還」である。このことをどう考えるか。昨年に目覚めた沖縄の行方を左右する命題となっている。

沖縄基地問題の第二幕は、日米両政府の仕掛けたこの「普天間返還」によって幕を開けた。その決定の内容から振り返ってみたい。

沖縄の異議申し立てによって、日米両政府が組織した日米特別行動委員会（ＳＡＣＯ）は、橋本、モンデールの共同発表の三日後、中間報告（四月十五日）を出した。

「今後五～七年以内に、十分な代替施設が完成した後、普天間飛行場を返還する。施設の移設を通じて、同飛行場の極めて重要な軍事上の機能及び能力は維持される。沖縄県における他の米軍の施設及び区域におけるヘリポートの建設、嘉手納飛行場における追加的な施設の整備、KC130航空機の岩国飛行場への移駐。及び危機に際しての施設の緊急使用についての日米共同の研究が必要となる」

橋本・モンデール共同発表と、その中身を明文化した中間報告。この時期をとらえ、読売新聞の社説（四月十四日）は、次のように書いた。

普天間返還は画期的なことであり、それ以上に意味を持つのは、普天間返還と引き換えに、緊急時に米軍が日本の飛行場や自衛隊基地を有事使用できるようにするための共同研究の開始の合意だ。「いずれも、日米安保体制の安定化・堅持に極めて重要な政治決断と評価したい」。

記者の目で見た文章が毎日新聞（四月十四日）に載った。

「米国にとって失うもののない返還合意」なのだと、機能維持を前提とした普天間返還を位置づける。その上で、「手つかずだった有事の対米協力の在り方という課題に、正面から取り組むきっかけを得たことになる。経済交渉で多用されてきた外圧利用の変形活用であり、目指すところは極東有事協力論議の活性化だ」。

評価は異なるが、沖縄基地問題を梃に日米両政府は「有事を含めた新しい日米安保」へとコマを進めたという結論は同じだ。

このことを沖縄流にいえば、新崎盛暉沖大教授の「沖縄返還に似ている」（四月十三日、琉球新報）となる。

「沖縄返還が実現できたのは、民衆の運動があったからだが、最後にいろんなものを積み残した。『核も基地もない平和で豊かな沖縄』を目指していた。（しかし）基地の重圧を残した。基地機能は日本全体でみると相対的に強化され、最後にどんでん返し、うっちゃりを食った格好だ。（抜粋）」

県内の反応はもう一つの飛行場を持つ嘉手納に象徴される。

「普天間返還」の驚きと喜びの直後、嘉手納町長が嘉手納基地への新たな機能移設に反対を表明、同町議会が反対決議。「県内移設」へのすばやい反応だった。そして沖縄市、読谷村、北谷町、宜野湾市を含む中部十三市町村長が「県内移設反対」の声明を発表して続いた。普天間飛行場の代替ヘリポートの移設先に、嘉手納弾薬庫（読谷村・恩納村側）、キャンプ・ハンセン、シュワブ、嘉手納基地への統合と基地名があがるにつれて地元自治体と住民の反発は強まり、北部十二市町村も反対の意思表示をした。

◆政府の終幕シナリオ

七月、大田知事は米軍用地の強制使用手続きの第二段階である公告縦覧代行への首相の「勧告・命令」に対して、再び拒否を表明。その理由が次のコメントである。

「普天間飛行場の全面返還が決定したこと等、本県の米軍基地の整理縮小に一定の前進が見られましたが、提示された施設のほとんどが県内の既存の施設・区域への移転を前提としていることに、県内自治体等から強い反発があがっており、今回の中間報告は県民が十分に納得できる内容とはなっておりません」

「米軍基地の実態を通して、機関委任事務と地方自治の本旨との関係、平和的生存権、財産権や平等原則について、最高裁判所の判断を仰ぐために、四月一日に上告したところであり、現在、その審理が行われていることから、その判決を考慮する必要があります」

最高裁判決までは拒否、という図式は前々からいわれていた。憲法に照らして、沖縄の基地重圧をどう判断するのか。その被害を前に、地方自治体の長は国益ではなく県益に従うべきではないのか。司法の最終判断がでるまで、同じ手続きをするわけにはいかない。これは筋の通った行政判断といえよう。

注目されるのは、コメント前半の「普天間基地」の県内移設への県民の反発を理由にしたことである。県のある首脳は、「そこは経過であって、結論は後半(司法判断)にある」と説明したが、「県民の反発」を明示したことは知事にとっても今後、重要な意味を持ってくるだろう。

というのも、最高裁判決は、いわば「知事(県)敗訴」が前提とされており、その結果を待って県は代行に応じる――というのが、県の筋書きであり、政府もそこに期待を寄せている。つまりは「落とし所」である。三権分立の一つである司法の最高機関の決定に行政が逆らうことはできない。また、裁判は米軍用地の強制使用問題の是非を問うものであり、基地の整理・縮小問題とは分けて考えるべきである――というのが、県の基本的な考えだ。

しかし、「経過部分」とはいえ知事は「県民の反発」を理由に挙げた。知事が「普天間基地」の県内移設を例に拒否の理由としたことに、「普天間返還」による終幕をシナリオとする政府の反応は当然厳しいものだった。

橋本首相は「返還が決まった時に、知事は最善ではないが、普天間が残っているよりも良いと言っていた。それが理由だとしたら、ちょっと残念だ」と、不満をもらした。

梶山官房長官は直截である。七月一日、知事の拒否表明を受けて、「①日米間では具体的な取り決めをせず普天間返還を合意した。②基地機能を低下させず、新たな土地を求めずに普天間を返還させるには、米軍に提供している敷地内で対応せざるを得ず、沖縄を中心に検討している。③大田知事が『それは違う』と言っても、沖縄のことだけで日本とアメリカの政府の取り決めを反古にするわけにはいかない」

さらに「県内移設でなければ勧告を受けたかというとそうはならなかったと思う。初めからスケジュール闘争的な拒否だと思う」と不信感をはっきり示した。

そこには、憲法に照らし基地五十年の重圧を訴える沖縄基地問題も、新たな基地建設・機能強化なのだと移設への反対も、考慮されている節はない。日米という国家レベルの決定を「反古にする気か」という恫喝に似た響きだけがある。

「普天間返還」という政治的ショーの後に、軍事的な機能は維持するという変わらぬ沖縄基地政策が控えている。ここからは、この地域を利用してきた二つの国の手法に、過去との違いのないことも見えてくる。「復帰と似ている」とだれしも思った中身がだんだんに透けてきた。

◆県民投票は切り札か

米兵による暴行事件、知事の代理署名拒否表明から一年を迎える「九月」は、全ての動きが集約される月となる。十一月に最終報告を予定していたＳＡＣＯが急きょ、九月に前倒しする。最高裁判決は九月の予想がさらに、前倒しされ八月二十八日。県民投票は九月八日。

日米両政府はＳＡＣＯで、知事は最高裁判決を待って、そして県民は県レベルでは初めてという住民投票で、一年間の基地問題への一応の判断をする。この三つの要素は密接にからみあい、影響し反発しあう。政府は県民投票を苦々しくも注目し、県は住民の声を支えに政府交渉のカードにしたいとの思惑を抱く。

「基地の整理・縮小及び日米地位協定の見直し」という簡略化され、その問う意味も漠然とした設問が、沖縄の命運を語ることになる。琉球大学の島袋純助教授が指摘するように、投票率・賛成率の動向、具体性に欠ける設問から「失敗したときのリスクが大き過ぎる割には、成功したとしても『最終的カード』にはなり得ない」との指摘もある。切り札を持たないまま「背水の陣を敷く」ことへの危惧は強い。

しかし、基地問題で私たち一人ひとりが直接、意思を表明するのは初めてだ。大田知事が大法廷で指摘したように、明治政府は琉球王府の拒否を聞き入れず、軍隊を駐留させた。「基地オキナワ」の始まりだった。沖縄戦での日本守備軍の集中配備、その後の米軍の基地建設へと進んだ。その決定過程に一度として参加できなかった住民に巡ってきた機会といえる。それが「未来へのカード」ともなるとしたら、ワクワクしながら票の使い道を考えるのも悪くはない。

（『ＥＤＧＥ』第2号　１９９６年8月）

沖縄の選択　3

県民投票と代行応諾

「沖縄問題」第2ラウンドへ

大田昌秀氏は「行政の長」という言葉を何度も繰り返した。公告縦覧の代行応諾からひと月余りたってのインタビュー。「私の信条は、いかなる意味でも基地は固定化されてはいけない、ということです」と語り、切り返すように「知事が代行拒否を貫けば何かができる、と思うのは錯覚でしかない」と断言した。九月の知事代行応諾、一二月のＳＡＣＯ最終報告の評価（特に県内移設と振興策）をめぐり、県内においては二分化が始まり、全国的には「沖縄問題」の終焉ムードが広がった。一年余りの「沖縄基地問題」の果てに残ったのは、巨大な米軍基地と、バラ色の政府・県の振興策だ。構図は一九七二年の「復帰」となんらかわっていない。

◆表現としての県民投票

九六年九月、日本初という口当たりのいいキャッチフレーズのなか、「基地の整理・縮小及び日米地位協定の見直し」を問う県民投票への呼び掛けが続いた。五億円ともいわれる宣伝費をかけた県。

マスコミにしても連日のキャンペーンだった。

投票日八日の沖縄タイムス朝刊一面。『沖縄の心』明らかに」の大見出し。中央には、笑顔で沿道に手をふる県幹部らの行進風のカラー写真。下方に大田知事の「沖縄の将来を自らつくり上げていく大きな契機になるものと考えています」とのメッセージ。左肩の社説。「県民が沖縄の進路を自ら決めると同時に、『国策』に異議を申し立て、国民に日本の進路や民主主義の在り方を問う歴史的な投票である」。

その日の「読者からのページ」。

「ここ数年、ようやくウチナーンチュにも希望が見えはじめている。今このチャンスを逃してはならない。(平和な島への)思いをことばだけではなく、行動で示すべきである」「今度の県民投票は、私たち県民が、大田知事を支えてあげる番です」

ランダムに拾った声にもその時の熱が伝わる。県民投票は、多くの人々に創造的な行為として受け止められていたことは間違いない。

昨年九月の米兵による暴行事件、大田知事の米軍用地強制使用手続きの代理署名拒否、一〇月二一日の県民総決起大会へと大きなうねりとなった。それから県民投票まで二つの節目を経ていた。

四月一二日夜、橋本首相とモンデール駐日大使が共同会見し、普天間飛行場全面返還を発表。日米両政府は一五日の日米安全保障協議委員会(2プラス2)で、特別行動委員会(SACO)の中間報告を正式決定した。「基地は動いた」と実感したのも束の間、県内移設を主とする内容に、「基地ころがし」への批判と移設候補地の不安が高まった。

もう一つは八月。最高裁大法廷は二八日、代理署名訴訟で、米軍基地への土地提供を定めた駐留軍（米軍）用地特別措置法は憲法に違反しない、と「合憲」判断を示した。「署名拒否すれば、日米安保条約の履行義務に支障が生じ、公益が著しく侵害される」と知事全面敗訴の判決。

普天間返還の影に両政府の沖縄基地政策に根本的な変化はないという疑問と、司法の国益優先という「厚い壁」を感じつつ、「九月」に県民は意思表示という試みの時を迎えていた。

投票の結果は、有権者九〇万九千八百三二、投票総数五四万一千六百三八（投票率59・53％）。賛成票四八万二千五百三八（89％）、反対票四万六千二百三二（8・5％）、無効票一万二千八百五六。有権者の過半数が賛成した。

この結果について、タイムス紙面から二人に登場願う（抜粋）。

新崎盛暉沖大教授は、「膨大なエネルギーを投じて県民投票を行わざるをえなかったのは、より強力な意思表示が必要とされたからである。政府方針や日米交渉の結果に不満であり、逆にいえば、大田知事の基地政策と対政府交渉を基本的に支えていたからである。知事選で大田知事に投じられた票は、三三万六百一票。今回の賛成票は四八万二千五百三八票。（大田信任ではなく）明確に大田知事の米軍用地政策・基地政策に対する支持票である」と分析。同時に、「知事の政策から公告縦覧代行拒否という柱を取り除いてしまえば、対政府要求は力を失って単なる陳情になってしまう」と釘を差した。

新藤宗幸・立教大教授は、地方分権の立場から意義を強調した。

「国益があって地域の利益があるのではない。地域の利益の積み上げとして国益がある。新潟県巻町の住民投票に続いて実施された県民投票は、国益の決め方を転換させる『壮大な実験』の始まりである。共同軍事行動を背景とした平和の維持を国益というのは簡単である。どこかに基地を設けなくてはならない。地域から見れば、それは地域づくりの一要素でしかない。地域は自らの将来にとってプラスの要素か、マイナスのそれかを判断の基準とする。政治や政策の在り方を限定して問う投票を行えば、有権者の意思が純粋の結晶となって抽出される。ここに、政治の意思を決める制度としての住民投票の大きな利点がある。住民投票の結果は、国の意思決定システムの変革と国際的視野での創意あふれる政治の実現を、東京に突きつけたのである」。

新崎氏の危惧は現実のものとなっていくのだが、その前に、県民投票をめぐる論議をみておきたい。

◆「住民投票」への評価

この県民投票について懐疑的な意見も本土から出された。「一種の世論調査で過大評価すべきではなく、結果を基地撤廃や日米安保体制見直しに直結すべきではない。国全体の問題について特定の利害関係を有する住民だけで結論を出そうとすれば、投票に参加できない国民全体の意見を無視し、民主主義の自己崩壊につながる」（伊藤憲一・青山学院大教授）。この論点は、新潟県巻町の住民投票の際にも論じられた。

全国紙の読売と朝日において、「住民投票」への評価の違いは際立つ。県民投票への社説を紹介する（抜粋）。

読売新聞。重荷を負わされた沖縄の現状に配慮して、基地の整理・縮小にさらに全力を傾けるべきだ、と振興策を含め政府に注文しつつ、「いくつかの問題点がある」とする。「国家的、全国民的な課題は一地域の住民投票にはなじまないという点だ。住民投票は、市町村合併など、の地域だけで解決できるテーマに限定するべきで、原発建設や基地移転など国の基本政策にかかわる問題を争点にすることは避けなければならない／特に基地問題には、国の安全をどう確保するかという大局的な視点が欠かせない」

朝日新聞。日本国憲法のもとにありながら黙殺されてきた不平等と差別の是正が、今回の投票には込められていた、とした上で、「これをもって『一県平和主義』と批判したり、議会制民主主義の空洞化を叫んだりすることには疑問がある／国の政策上、特定の地域が一定の重荷を負うことは避けられない。だが、その場合でも、できる限り負担を減らし、全体で分かち合うことで調和を実現することが、民主政治の本来の機能だろう。沖縄に過重な負担を強いる側に身を置きながら、安保体制の堅持だけを理由にそうした批判をするのは、無責任である」

沖縄問題が日米安保体制に直結し、住民投票が全国的に中央の政策に対する地方の意思表示という形で広がる気配のなか、この両紙の立脚点もまた鮮明となった。

県民投票は、安保をテーマとする県民の意思表示にとどまらず、地方分権の行方を抱え込む。この国の今後の在り方を考える喚起力を持っていることは、両紙の論点を含め、学者の関心のありようからあきらかになってくる。

加えて各紙の社説から県民投票の評価を見ておこう。

「有権者の半数以上が、基地に依存しないで生きる意思を表した」（中国新聞）、「基地をなくして『平和な島』に戻ろうとする沖縄の再生宣言であり、自分たちの運命は自分の手で決めたいとする自立宣言であると受け止めたい」（北海道新聞）と好意的な見解を載せている。「投票率は／（巻町と）比べると落ち込みぶりが目を引く。基地の整理・縮小を求めながらも、一方でその基地に依存せざるを得ない沖縄の複雑な事情や苦悩がにじみ出たと言っていい」と書いたのが毎日新聞。

あらためて結果をひもとくと、投票しなかった人が四割、それに無効票も一万を超えた。明確な意思表示をためらう層が多かったといえる。また投票した一割が反対だったことも、沖縄の意思の確認の上で見落してはなるまい。

自民党県連や土地連の棄権、基地従業員の不安も投票率を下げる要因であったことは確かだ。「基地の整理・縮小と地位協定の見直し」という二つの設問を一緒にしたことも、あやふやにした要因だろう。

これらのことを考えていくと、今回の数字はまさに絶妙というしかない。過去の知事選、衆参議員選、県議選と比較して低い方とはいえ、ボーダーラインを超える投票率、そして有権者の五割は「基地ノー」の意思を示した。それでも、圧倒的な、たとえば10・21県民総決起大会の熱気とは違う数値といえる。この結果は、沖縄の将来を論ずる際に「一九九六年の県民意思」として作用してくる重みを持った数字であることは疑いない。

多くの人々が基地撤去を願いつつ、その願いを直截に表現できない。地域が一つの決断をする、ということは多層な関係を一つの方向へと導く構想すべきものがなければならない。とするならば、沖縄はまだ、その「時」を迎えていないのかもしれない。私たちはこの一年、外に向けては安保の平等負担、五十年の重圧という形で表現しえたが、内に向かって「構想力」を持ちえたのか、という問いと重なってくる。「基地の集中」と中央依存の行政・経済、暮らし—そのはざまにあって、判断を下しえる確固たる自信をどこに求めるか。その作業は堵についたばかりなのだと、県民投票の結果は私たちに教えている。

一方で、「基地の整理・縮小」という最大公約数的な設問ゆえに、国の安全保障、現在の日米安全保障条約、について具体的な論議がスポイルされてしまったことも、忘れてなるまい。

◆知事、五日後の応諾

大田知事は県民投票の結果を受けての記者会見で次のように述べた。

投票率について「五三市町村のうち半分は基地がない。そういったことを考慮すれば低い率ではない」。圧倒的な賛成率に、「基地問題を解決しなければ沖縄に明るい未来はつくれないという認識の表れ」と感想を語ったが、強制使用拒否を貫いてほしい、という県民の意思表示と受け止めるかについては、「答えられない」と慎重な姿勢だった。

政府の反応は、「過半数を超えたことで、県民の意思は全国に方向性を示したと言える。必ずしも低いとはいえない」とする一方で、「政府と沖縄県が話し合える余地が残されている。完全否定ではない」と、予想より低かった投票率に安堵の表情が漂った。

投票から二日後の九月十日、橋本首相と大田知事の五回目の会談が行われた。首相は知事の要望に添う形で「保証書」を用意していた。臨時閣議で決定した首相談話である（引用は骨子）。

「沖縄県民の苦しみと負担の大きさに、私たちの努力が十分か謙虚に省み、沖縄の痛みを国民全体で分かちあうことの重要性を痛感／沖縄県民投票を厳粛に受け止め、引き続き米軍基地の整理・統合・縮小を推進。日米地位協定上の課題について見直し、改善に努力／今後とも、アジア情勢の安定のための外交努力を行うとともに、米軍の兵力構成を含む軍事態勢について継続的に米国と協議／沖縄県の構想を踏まえ、自由貿易地域（フリーゾーン）の拡充などによる産業・貿易振興施策などを検討／沖縄振興策を進めるため、五十億円の特別調整費計上の検討を蔵相に指示／官房長官と沖縄県知事らによる沖縄政策協議会（仮称）を設置し、沖縄関連施策を充実・強化」

会談三日後の一三日、大田知事は代行応諾を表明した。県民投票から五日後だった。「行政の責任者としてのこれまでの六年間の中で最も難しい決定だった」「将来の活路を開きたい」。応諾の理由に、政府の米軍基地問題や振興策への取り組みの評価、最高裁の敗訴を挙げた。

県内各党は、社民、自民、新進が支持、社大、共産が反対した。県政与党に亀裂が走り、野党は賛意を示した。五三市町村長アンケートは、二六首長が代行を容認、どちらともいえないは一八。反対は喜屋武北中城村長、平安西原町長のみで、不在七（出張中など）だった。知事会見を受けて、移設先といわれる中部市町村長からは厳しい意見がでた。

「知事は基地問題と格差是正のための振興策を勘違いしているのではないか。国に見透かされる嫌な前例をつくった」（桃原宜野湾市長）。「行政の長として限界だったと思うが、なぜ、この時期か。基地の整理・縮小が実行できるか心配だ」（新川沖縄市長）。「県民投票は何だったたか。県民の意思が生かされていない」（辺土名北谷町長）。「総合的な知事の判断、努力を無視してはいけない。しかし、ヘリポート移設は断固として反対する」（宮城嘉手納町長）。

「日米両政府を動かさない限り解決しない問題であり、個人的な感情でいくら声を大にして訴えても前進はない」。大田知事は後に力説した。歴代の主席、知事の業績を読み起こし、なぜ、復帰の時点でマラリア補償や年金問題を解決できなかったか。できていれば、県行政はもっと民生面で先に行けた。戦略的に解決していくしかない。五年前の応諾で苦渋の選択をし、「政府の空手形」を批判してきた知事だが、六年間の経験と日米両政府と交渉してきた結論は二度目の応諾だった。

◆シンボルからパーツへ

大田知事の応諾は、県民投票からわずか五日後と急であり、「基地の整理・縮小」を求めた県民意思に従う選択より、「政府に協力する代わりに、日本側が米政府に対し、基地問題解決を要求できる状況にすべきという判断」（インタビューより）だった。知事のいう「戦略の選択」である。

「沖縄は自らの人権、人間的な生活を犠牲にして本土の人の幸せの手段になることを拒否する。戦争の時にそれは十分やりすぎた。沖縄は日本ですか」と問い、「沖縄の歴史からして、なぜ、沖縄の人がみじめな生き方をしないといけないかということですよ。人間というのは自分を取り巻く社会の主人公であるべきだ」と語ってもきた。

この一年、大田知事の言葉は、直截に沖縄の人々の心に響き、代弁者となった。

応諾は、個人の言葉を飲み込み、行政の長としての役割を担おうと決断したともいえる。シンボルとしての大田昌秀から、知事という沖縄の一つのパーツへの転換によって、時代を切り開きたいとしたともいえよう。

橋本・大田両者の「蜜月時代」をおもわせるセレモニーは、その後も橋本首相の東アジア福祉サミットでの来沖の際などに繰り返された。

しかし、先導者の方向転換は、県民に大きな亀裂をもたらした。旧来の革新といわれる政党や民主団体はこぞって県民の意思を否定するもの、と批判。一方で保守、経済界は歓迎した。

この間、私たちの側に一個人をシンボル化していった事大主義的な側面があったことも否定できない。県内の力構造からいえば、県・行政のみが突出したピラミッドの頂点にあり、県内で主導力を持ちえる最大の組織といえる。加えて、大田個人の決断と発言は十分にシンボルにたるものだった。しかし、知事自らが語るように「行政の長」という沖縄社会の一つのパーツであるとしたら、知事の判断もまたその都度、県民の選択の対象となるものだろう。

この一年、沖縄は基地問題の解決に膨大なエネルギーを注いだ。政府との交渉や米国への要請といった「官」のレベルだけではなく、県民投票へ行こうか行くまいか、といった個人的な逡巡の世界を含め。一二月二日、日米特別行動委員会（SACO）の最終報告は、政府が目指した「決着」ではなく「区切り」（橋本首相）でしかなかった。

在沖米軍の機能を維持しながら基地を返還する、という方程式は、いかに日米の官僚が有能であったとしても解けるはずはなく、その答えは「県内移設＝基地転がし」であった。この日米政府の解答は、県民が要求してきた基地の整理・縮小に対する答えにはなっていない。最大の焦点であった普天間全面返還にしても、代替海上ヘリポートや機能の嘉手納基地統合といった「移設」による解決策しか示しえていない。日米地位協定にしても、自動車の任意保険、交通事故への賠償など一部「見直し」程度で、軍隊に脅かされる住民の人権、生命を保障するような制度改革には手をつけようとした節さえない。

最終報告とはいっても、ボールはまだ沖縄側には投げられてはいない。日米両政府間のキャッチボールが続いているといえる。あくまで、この一年の報告であって、首相のいう「区切り」にすぎない。沖縄側に投げたとするならば、海上への「暴投」となってキャッチできる球ではなかった—というのが多くの県民、特に返還・移設の候補地の住民の実感だろう。

その点では、第一ラウンドが終わったに過ぎない。基地の大幅な整理・縮小によって、日々の暮らしが守られるという私たちの認識からすれば、例えば、知事が今年目指す「兵力削減」、つまり海兵隊の撤退が当面の目指すべき目標ともいえる。日米両政府は、防衛協力の見直し、有事研究へと「沖縄を梃」に軍事面の協力強化を図っているように思える。このことによって、沖縄の基地が固定化されることはあってはならないし、一方で、日米安保の協力強化は全国的な安保議論の発火点になってほしい、とも密かに考えている。「沖縄の一年」は、残念ながら発火点になりえなかったとしても、導火線の役割を果たしえたのではないか。

※

戦後五〇年の沖縄基地問題は、急速に政治の中心から遠ざかり、県民の心から熱っぽい思いが消え失せつつあるかのようだ。政府との対決から協調へ、振り子は逆方向へと大きく揺れ、県民に戸惑いと虚脱感さえ漂っている。一年で答えを出すには重すぎた課題だったのだろうか。しかし、普天間飛行場の移設を含めた「基地転がし」は、依然、正答を得てない以上、「沖縄の基地問題」が終わった、とは県民は考えていない。ただ、南の島の人間は一年余りの緊張にやや疲れただけなのだ。この一年、国家、司法、国民の動きをじっくり観察できた。少なくとも一年前とは違う地平から、県民は外と内を見つめることができるようになった。沖縄の構想力という課題は、知事応諾と日米政府の回答という内と外からの一つの現実を見据えるところからしか、次へは進めない。

（『ＥＤＧＥ』第3号　１９９７年2月）

一九九七年の沖縄

一九九五年九月の米兵による暴行事件をきっかけに、県民の米軍基地問題に対する「異議申し立て」が高まった。大田知事の米軍用地強制使用手続きの代行拒否、国の楚辺通信所不法占拠、普天間基地返還表明と、激動した沖縄の一年。沖縄タイムス社は、一連の報道で九六年度新聞協会賞を授賞した。朝日新聞社から『沖縄から米軍基地問題ドキュメント』（編・沖縄タイムス社、朝日文庫）として受賞対象の報道が出版された。同書で解説に代えて、続報的にその後の動きをまとめた（一部字句を修正した）。

一九九六年十二月、日米特別行動委員会（ＳＡＣＯ）は、沖縄米軍基地の整理・縮小に関する最終報告をまとめた。普天間飛行場の五～七年以内の返還を含む十一施設、面積にして沖縄米軍基地の二一％に当たる約五千ヘクタールである。この報告をもって、九五年九月の米兵による暴行事件を発端とした「沖縄の異議申し立て」に対する日米両政府の協議は一応終了した。

しかし沖縄からみると、この合意にはなお問題が残る。県民の望んだ基地縮小からはほど遠く、基地集中の矛盾が解決できていないことである。実弾砲撃演習の本土移転を除き、返還はほとんどが県内移設を条件としており、「基地転がし」というのが県民の率直な受け止め方である。言葉を換えれば、戦後五十年を経てもなお、「基地オキナワ」政策は継続されたといえる。

九七年の沖縄は、ＳＡＣＯで示された日米両政府の基地政策に再び相まみえることから始まった。

移設問題は、日米交渉の最大の成果とされる普天間飛行場返還に伴う代替へリポート建設が焦点である。九六年に出た嘉手納基地統合案などが、地元の強い反発と大田知事の反対で消え、最終的には県北部の名護市の海兵隊キャンプ・シュワブ沖に海上へリポートを建設する案が浮上し、九七年一月、政府は名護市に調査協力を正式に要請した。しかし市長はこれを拒否し、県も調整役を断った。

市民は九六年七月、十一月と二度の反対大会を開き態度を示してきた。市長も基本的には反対の立場だが、一方で北部開発にも言及し、「県が同席すれば話は聞く」と微妙な言い回しをしている。知事も県内移設には反対としながらも、「地元が（移設を）要請すれば」と話し、柔軟な対応をとる可能性を示唆した。地元建設業界からも埋め立て案による経済的恩恵や振興策などに期待する声も出ている。

こうしたあいまいな県や名護市の反応に、反基地派、基地誘致派双方からの批判が高まってきた。政府は移設先決定、九七年末までの実施計画策定を急ぎ、県への働きかけを強めている。移設問題は県内の対立の構図を浮き彫りにするなか、混迷の度を深めている。

九七年五月に契約の切れる軍用地のうち、嘉手納基地、普天間飛行場など十二施設で約三千人が契約を拒否している。政府は駐留軍用地特措法に基づき、強制使用手続きを進めているが、県収用委員会の公開審理は二月から行われることになっており、期限切れまでにはとても間に合わず、このままでは九六年に続く国の「不法占拠」は避けられない。

これに対し政府は、三月の緊急使用申請とあわせて、一定期間の使用権延長を認める時限立法、今回の機関委任事務を国の直接事務とする特別立法、さらに特措法そのものの改正などを検討することになり、国会の論議が注目される。

これらの「特別立法」に対し、県内及び国内の批判も高まることになろう。米軍直接統治から、復帰後の日米地位協定に基づく政府提供、と基地の使用形態は変わった。だが軍事基地への利用を拒否する地主の意志を抑える強制的な手法は一貫しており、「沖縄の心」と先鋭的に対立してきた。それだけに嘉手納など主要基地の「不法占拠」状態を目前に、三月から復帰二十五周年を迎える五月にかけて、強制使用問題が一気に緊迫することは確実である。

大田知事は日米両政府に対し、新たに沖縄の米軍兵力の削減を求めていく方針だ。九七年は米国の四年に一度の新軍事戦略策定（四月）と、日米防衛協力の指針策定（十一月）がある。県は基地縮小・撤去後のアジア各国と結ばれた国際都市に、沖縄の自立化を描いている。その実現のためにも、駐留なき安保論など多様な安保論議を起こし、海兵隊の撤退をにらむ。

朝鮮半島の動向や中国・台湾関係など東アジア情勢と、米戦略は密接に結びついている。基地オキナワの将来にとって、国内の安保論議の成熟と、アジア情勢の変動が重要な要素となる。「二〇一五年までに基地ゼロ」という県のアクションプログラムは「夢の暦」ではなく、これらの要素を見定めつつ、基地の整理・縮小を実現していこうとする沖縄の決意の表れなのである。

（『沖縄から　米軍基地問題ドキュメント』解説、朝日文庫　1997年4月）

沖縄の選択　4

特措法改正　沖縄無視した「沖縄国会」

米軍用地特別措置法改正案の国会提出を前に、新進党の小沢一郎党首は「これは政局だ」と、幹部会で語ったという。四月二日、橋本龍太郎首相（自民党総裁）と小沢党首は酒をくみ交わす三時間半の会談で、改正特措法を成立させることで一致。政局は一気に「保・保連合」の動きを強めた。これに加藤紘一自民幹事長ら「自民・社民・さきがけ」を政権の枠組みとする執行部が反発、民主、太陽を巻き込んだ多数派工作に走った。保・保連合か、自・社・さ、か。政局の思惑がうごめく「沖縄国会」は、衆院九割、参院八割という「大政翼賛会」的圧倒的賛成によって改正特措法を可決、成立させた。「両院に特別委員会までつくり、これほど集中して議論したのは、（一九七一年秋の）沖縄返還協定の時以来だ」と橋本首相は自賛した。

二十五年前、復帰運動の帰結として「核抜き本土並み」を目指し、今また戦後五十年の基地の重圧をはねかえそうと基地問題解決へ向かった県民の渾身の力の結果は、「日米安保堅持」という国論に再び破れた。「一九九七年四月十七日」。沖縄を規定づける新しいメモリアルデーが誕生した。それを先達にならって「屈辱の日」とまずは記しておこう。

◆〝大政翼賛〟的な成立

「沖縄国会」は、スケジュール通りに進行した。衆院に政府の改正案が提出されたのが四月四日、七〜十日の特別委員会審議を経て本会議可決十一日。その日に参院へ。十五〜十七日の特別委の審議、その午後の本会議可決。判で押したような運営の中で、改正法案はあっさりと成立した。提出前に賛否がすでに定まっている法案に、論戦を期待することはできない。

審議は、政府も質問者も「沖縄県民の負担を思い」という枕詞に始まり、政府ならば「期限切れをつくるべきではなく、安保条約の履行義務を果たす必要最小限度の改正」とする。党の存続をかけ反対に回った与党・社民党と共産党が、法治主義に反する、憲法上も疑義あり、と論戦を挑んだが決定打には遠かった。

九五年九月以来の基地問題の集約点ともなった米軍用地特措法改正は、なぜいとも簡単に成立したのだろうか。この疑問を秘めつつ、まずは具体的にみていきたい。一点目は、改正案そのものが持つ問題点だ。

一九五二年、サンフランシスコ講和条約の発効に伴い日本が独立、同時に日米安全保障条約（旧安保条約）がスタートする。駐留軍（米軍）用地特別措置法は、この安保条約に基づき米軍に施設などを提供するための特別立法として、同年施行された。その中身は、強制使用にあたって総理大臣の使用認定、自治体の収用委員会への使用裁決、地主への補償金支払い―などの手続きを定めている。土地収用法にのっとり、この過程で地主が契約を拒否した場合、市町村長の代行、これら首長の代行拒否において都道府県知事が代行を行う。知事が拒否すれば、今回、村山首相（当時）がしたように知事を相手に職務執行命令訴訟を起こすことができる。

元々、国が米軍用地を確保するための強制使用を可能とする特別法である。と同時に、厳正な手続きを定めているのは、強制使用が憲法で定める国民の財産権の保障に抵触するからであり、それだけに、国側の認定に対して、地方における裁決、という適正手続きを規定している。土地収用法を手続きに加えることで、この法の安保条約という国際条約を順守する目的に対して、憲法で定める国民の権利を守るための一定の制約を加えている、といえよう。

今回の改正は、政府が強制使用する際、地方収用委員会の審理中の期限切れ、さらには収用委が裁決却下した場合にも、政府は「暫定使用」できるとした。地主（国民）の権利を守る上から、厳密にとらえるべき強制使用手続きを、起業者（国）側はいくらでも使用期限を延長でき、かつ、裁決却下という国にとって「最悪」な事態まで想定して基地の確保を優先させた。裁決却下しても、起業者（防衛施設庁・局）は建設大臣に不服審査請求し、収用委の再審理を経て権利取得されるまで「暫定使用」することができる。同じ政府の建設相が裁決却下を認めることは考えられず、強制使用の継続は事実上、可能となった。

この改正によって「行政手続きの対抗手段として持っていたカードを百パーセントなくすことになった」（吉元副知事）。地主、自治体、収用委員会という地方の判断がどうあれ、国は強制使用の継続を確保し、今後、使用期限切れが生じる可能性はなくなった。

◆「国に楯つけない」制度

国民の権利を封じ込める論理が「安保条約堅持」である。憲法より安保が上位にある、というこの国の仕組み、それでよしとする国政と国民の意識があらためて明確に示された。このことがなしとげられる背景には、安保体制とともに「沖縄」があったように思える。それは「差別」という復帰して二十五年、この土地が忘れ掛けていた言葉を思い出させるに十分な内容を持っていた。

五二年に誕生した米軍用地特措法は、砂川土地闘争など本土において実際に適用された時代があった。だが、本土における米軍基地の縮小が進んだこともあって、適用されたのは六二年まで。その後、この法は「死文化」していた。二十年ぶりに復活したのは、八二年の沖縄。七二年復帰によって米軍統治から安保条約下に移った沖縄の基地は、日本政府によって確保しなければならなくなった。そのための法律が、七二年の公用地暫定法（五年の時限立法）であり、続く地籍明確化法だった（付則として、五年間の暫定使用の延長が盛り込まれた）。

この後に「伝家の宝刀」といわれた米軍特措法が登場する。米軍政時代は布令・布告による強制接収でまかない、復帰後の安保下に入った沖縄では初、全国でも二十年ぶりの再登場となった。さらに今回そのほころびが見えると、「契約拒否は当時想定していなかった」とばかりに改正する。公用地法、地籍明確化法に続く三度目のウチナービケーンの特別立法だった。

同時に、昨年四月から地主との契約が切れ「不法占拠」状態となっていた読谷村の楚辺通信所の一部用地についても、今回の改正の付則に入れて適用を可能とした。ここには、土俵（特措法）を拡大（改正）してまで「基地・オキナワ」は確保する、という前提がある。国益にかかわることは地方ではなく、国が手続きを確保すべきだという新規立法の動きも強まっている。「沖縄も日本丸の一員として安保を傷つけるべきでない。特別立法で国に楯つけない制度が必要」（田久保忠衛杏林大学教授、新進党推薦）と語ったように、今後、自民、新進による特別立法の可能性は強い。

◆米に提案せぬ政府

では、彼らが金科玉条とする安保論議はどうであっただろうか。共産党を除き、全てが「安保条約堅持・容認」のなかで、いまさら安保条約論議ではないのだが、沖縄の二〇一五年までの基地返還アクション・プログラム、海兵隊撤退による兵力削減という沖縄から投げられた二つのボールをどう受けとめたのか。

兵力削減について米側と協議する場を設けるとしていた橋本首相は、兵力は現状を維持するというゴア副大統領やコーエン国防長官ら米政府の強い主張にたちまち方向転換した。国会審議では、不安定な朝鮮半島情勢などを理由に、在日米軍の維持、海兵隊削減はないと逆に強調するようになった。国会論議中に来日したコーエン長官は「十二月にまとまる米戦略見直し（ＱＤＲ）で太平洋地域における十万人体制が変わらないことははっきりしている」とだめを押した。

「在日米軍基地の維持で米国がアジア太平洋地域から引かないことを示し、この地域に安心感を与えることは、世界平和における日本の一番の貢献といえる」（参院特別委・参考人・岡崎久彦氏、平成会推薦）。この論理が安保堅持論者の基調といえよう。しかし、ここには具体的な兵力について、政府側からの米側への提案はない。軍事的プレゼンスは、あくまで米国の戦略において必要な数値をはじき出すのである。駐留を願う日本政府は、米国の戦略と数値をおうむ返しに必要とするだけである。今国会で、民主党が「駐留なき安保」を主張、新しい安全保障の在り方をめぐる論議の一端がかいま見えたのが収穫といえば収穫だろうか。

なぜ沖縄に一極集中しているのか、在沖海兵隊を含む在日米軍の機能、戦略は国民生活との兼ね合いの中で具体的にどう整合性を持たせなければならないのか。安保堅持の大合唱と、政界再編劇を演じる議員たちに、論議を期待する方が無理というものだったのだろう。

◆新たな知恵の素材に

九五年九月の海兵隊兵士による暴行事件、大田知事の強制使用手続きにおける代理署名拒否で高まった「戦後五〇年の基地問題」は、司法においては九六年八月、最高裁大法廷が米軍特措法の合憲と知事への職務執行命令によって、立法・行政府は米軍用地特措法改正案成立によって、二つの答えが出た。予想された解答であった。

明治の琉球処分によって日本軍が駐屯し、沖縄戦で基地化された沖縄は、その後、米軍による建設で「基地の島」の命運を定められたかのように、日米両国によって規定されてきた。この一年あまりの「異議申し立て」は、基地の成立期からの強制的な接収に対する疑問の提示、暮らしの中での被害・不安に始まり、日米安保条約下における一方的な過重負担への解消、平等の負担を求めた。

この一年の日米政府の答えは特別行動委員会（ＳＡＣＯ）における普天間飛行場の県内移設を条件

とした返還を目玉に、十二施設の縮小・統合と県道一〇四号越え実弾砲撃演習の本土分散移転だった。沖縄の基地集中に変化はなかった。むしろ、最高裁判決、法改正によって、沖縄の対抗手段はことごとく封じ込められた、というのが実感である。

沖縄タイムス社・朝日新聞社の合同世論調査（九七年四月五、六日実施）で、県民の六割が特措法改正に反対し、八割が知事の海兵隊撤退を支持しているように、米軍用地強制使用への疑問と基地縮小への願いは根強い。昨年の県民投票とあわせ、沖縄の世論が強く基地整理・縮小を望んでいることは明白であろう。

その意思をさまざまに表現してきた結果としての「国の拒否」に対して、どのように基地を動かしていくのか。具体的な基地被害と県民生活への影響、跡利用と経済振興への青写真、などさまざまに問題を提起していく必要があろう。同時に、アジアの安全保障といった「基地・オキナワ」を規定する日米政府の論理に対抗できる理論の構築までも課されよう。再び、「沖縄から日本が見えた」ことを、私たちは新たな知恵を生む素材にしていかなければならない。

（『ＥＤＧＥ』第４号　１９９７年６月）

沖縄の選択　5

自立論の行方　沖縄戦後史を射程に

沖縄の戦後史において「自立」という言葉は、重要な転換点において繰り返し登場してきた。それは、祖国復帰が「民族の悲願」と形容されたと同レベルに、あるいは、一六〇九年の薩摩侵略以降、明治の琉球処分をも含め「自立」は呪文のように唱えられ、この土地の歴史的「命題」ともなってきたといえようか。

その一つの現れを、戦後初期、復帰前夜、そして今回の戦後五十年の基地問題の中で浮上してきた「独立論」の周期的な現れ方にもみることができよう。一方で経済的自立を予測できない独立論は、結局は日本という国の手のひらから飛び出す契機となってはこなかった。

では、戦後五十年の基地問題を発端とした新しい自立論はどの方向を目指しているのか。実現性こそが、今度もまた問われている。同時に、国の安全保障と密接な沖縄基地問題と、地方の自立策を並行して進めざるをえない政治的現実の中に、多くの課題と危険性さえ抱え込んでいる。

この二年間の政府と県（県民世論を背景とした国への異議申し立て）の交渉のなかで、結果となって現れたのは基地と振興策の不可分の関係であった。双方が絡み合う中で、県民は、平和主義にのっとり基地の重圧からの解放を追及するのか。または政府の基地政策を受け入れ振興策という経済の実を取るか、という戦後史の変わらぬ選択を迫られている。普天間基地返還と代替・海上へリポートで代表される県内移設問題は、内部的に解決していかなければならない選択といえる。一九九七年は、未来への選択をなしえた、と振り返ることができる記念すべき年となりえるのか。県民自身の判断と決断の時期を迎えつつある。

◆「受容と共感」が前提

県の国際都市形成構想、全県フリーゾーンという今回の「自立論」も、経済的振興を目指している点では目新しいものではない。文化的な自信、特異性の認知の一方で、「本土に遅れている」「産業基盤が脆弱」という県民の経済的な「弱さの自覚」が根底にあることは間違いのないことだろう。

県が設置した「産業・経済の復興と規制緩和等検討委員会」（田中直毅委員長）は七月、「新しい沖縄の創造—二一世紀の産業フロンティアをめざして」と題する報告書を提出した。「全県を無関税にする自由貿易地域（フリーゾーン）」による沖縄振興策。実施は二〇〇一年、目前である。

具体的には、①投資額の五〇％を法人税額から控除する企業立地促進投資減税制度②海外からの航空会社の自由乗り入れできるオープンスカイ政策③外国からの沖縄航路への参入を認める沖縄—本土航路の外航路扱い。

当初、地域限定による自由貿易を提案していた県は、委員会報告にそった全県フリーゾーンへと方針を転換、経済界や政党などの合意形成に動いているのが八月段階である。全県フリーゾーンの狙いは、国内外、県内からの投資をあおり、「特色ある産業フロンティアの先行モデル地域」とすることである。日本の将来の自由化を先取りすることで先行メリットを導く、成長のアジアと結ぶ、ということがイメージされており、同時に、国内の産業空洞化の受皿の役割も付加されている。

復帰二十五年を経て、なかなかに浮上しない県経済を大変革によって一挙に自立経済に変身させようとの大胆な提言である。当然のこととして、従来の特別措置はカットしていく「復帰プログラムの終焉」とセットになっている。米軍支配によって生じた本土との格差是正のための振興開発計画、補完する形のさまざまな保護措置の役割は終えた、とする。「沖縄は転換点にあり、自己決定・自己責任の原則」に基づく積極的な取り組みを求めている。

復帰後の三次にわたる振興開発計画が、根本に日本の経済圏にあって追いつくことに主眼がおかれ、本土と沖縄という相対的関係の中に目標が設定されていたことに対して、全県フリーゾーン構想は日本経済の一翼として制度的に先駆けることによって海外（アジア）と結び、自立化を図るとするところに違いがある。一見、自立化への雄大な構想のようにみえるがしかし、そこに問題がないわけではない。

田中委員長は沖縄タイムスのインタビューで、委員会の論議の前提として「新しい沖縄をつくる以外に選択肢はなかった」と語り、二十五年間の振興開発計画は県経済に自信を与えるものではなく、今後、復帰プログラムを延長しても二十一世紀への展望が開けないことは県民が認識している、と基本的なスタンスを述べている。復帰二十五年経ての県経済の状態に県民が納得してなく、新たな展開を望んでいる、という見方であった。同時に、「本土と沖縄の間における受容と共感の成立」を前提にしたという。

委員会はゆえに既成の制度を否定することを前提としていた。その一方で、県が提案した法人税減税、ノービザ制度を止め、投資減税を打ち出したことにあらわれたように、一国二制度的な要望については否定し、「本土との受容と共感」という政府の了解が得られる可能性を探りつつ論議を進めたといえる。報告書は、新制度導入と政府の了解、という二つの制約、兼ね合いの中で発想された。

この制約の中で導き出した結論が、①振興開発計画を含め財政依存体質からの脱却という「復帰プログラムの終焉」であり、②日本における役割としてのアジアと結ぶ先行モデル（田中委員長は「日本の将来を沖縄の可能性とともに展望してみたい」と述べている）③新しい沖縄の創造のための自己決定と自己責任、であった。

◆前準備なしの危険性

当然に賛否がある。賛成意見は主に、財政依存と保護措置の中の県経済を変えたいという期待度の大きさである。観光を除けば、土建、農業、製造業など必ずしも将来展望が開けてなく、この閉塞感からくる新しい産業創造への期待は大きい。

しかし、ここでは、否定的な意見を三点述べておきたい。

批判の一点目は、主に経済学者ら専門家が唱えている。報告書のいう全県フリーゾーンによる地場産業への影響がほとんど計測されてなく、漠然とした期待感だけだということ。沖国大の富川盛武教授はタイムスの座談会で「計量的に影響を出さないまま、結論を出す」ことの無責任さを指摘、また「法人税減税はなく、アジアに比べインフラ整備も遅れ人件費も高い。これではアジアからの投資メリットはない」と断言している。

全県フリーゾーンの導入について報告書は、APEC（アジア・太平洋経済協力会議）において先進国は二〇一〇年、発展途上国は二〇二〇年の自由化を決定しており、そのための国内の先行モデル、と位置づけている。また、国の財政構造改革で公共投資は減るからと保護措置の撤廃をあげている。これに対して批判の二点目として、関税なき世界を沖縄で実験し、財政措置をなくして県経済は成立するのか。国家的な目的が目立つ一方で、県経済のリスクは大きいとの指摘が出されている。実際、県経済界、特に農業、製造業では「壊滅的打撃」への危機感が強まり、「変わる保護措置」が今後、合意の条件として浮上してこよう。「自己責任」を負うには、変化はあまりに急激であり、予測、対応するには三年半はあまりに短い、というものだ。

三点目は、県の合意形成の拙速さに対するものだ。県は七月に報告を受け、同月末の政府の沖縄政策協議会に報告書を提出（提案ではない）、その際、大田知事は八月中には県案をまとめたい、と発言した。投資減税を実現するためには自民党税制調査会に図る一方、九八年度の予算編成をにらむ必要がある。県の行政スケジュールにのっての「結論ありき」の合意形成手法に対して、異論が出たのは当然といえよう。

このような県の動きは、戦後五十年の基地問題を契機にした政府との関係を重視し、新しい沖縄像を自立経済を中心に描くためのチャンスと見ているからにほかならない。政府の行政改革とあわせ、県独自に沖縄開発庁の機能強化を打ち出すことで、統廃合問題にコミットしたのもその意欲の現れ、とみることもできる。しかし、行政スケジュールが優先し、熱いうちに鉄を打つ方式で、沖縄の大変革を論じるには無理がある。

「復帰の終焉」や「自己決定、自己責任」という飛躍を期待させる言葉の響きの裏には、政府への要望による実現という手法の限界と、未知の領域への前準備なしの突入という精神論さえ感じられる。県経済の足腰と見通し、日本経済における先行モデル（空洞化産業の定着もあわせ）としての役割の明確化、アジア（特に台湾など華僑資本）の動向の分析、の三点は論議のための最低条件ではないだろうか。

◆名護市民の不信表明

政府にとって、沖縄問題の主眼は基地政策である。特に、日米両政府で合意した日米特別行動委員会（SACO）による普天間飛行場全面返還と、代替施設としての県内での海上へリポート建設は、そのめどづけがことし十一月と迫っており、県の振興策の要望は基地の県内移設、海上へリポート問題の解決について県自らの具体的な行動を迫るものともなっている。その時期もまた九月から十一月といわれる。

振興策とからめた基地政策という政府、県の「筋書」に対して、「待った」をかけたのは、代替基地建設の候補地とされた名護市民であった。

SACO合意に基づく普天間返還に伴う代替基地として名護市辺野古のキャンプ・シュワブ沖が決定、名護市民による是非を問う住民投票請求のための署名は一万九千七百三十五人と市有権者の半数を超えた。市民投票推進協議会が目標とした一万三千人を超える、市民の明確な意思表示だった。その矛先は国、県、市の三者に向けられた「不信」といって間違いない。

普天間返還は、橋本首相が沖縄基地問題解決の決定打として、米政府との交渉の中で決断した。大田県政が、住宅密集地の普天間基地返還を優先した経緯もある。モンデール駐日米大使と橋本首相の突然の記者会見はテレビでも全国放送され、笑顔の二人が映し出された。特に首相にとって基地返還を外交交渉で得た、という得意満面の会見だった。だが、ＳＡＣＯ合意の多くが県内移設を条件としたのと同じく、普天間飛行場もその機能を損なうことなく県内に代替基地をつくる、ということが条件だった。

そもそも、キャンプ・シュワブ沖はなかった。嘉手納弾薬庫（読谷村と恩納村部分）、嘉手納基地統合案など移設地は二転三転したあげくの名護市だった。市民、特に現地の辺野古を中心とする旧久志村の住民にとって、晴天の霹靂にも似て、たらい回しの結果の移設地決定だった。

その上、弾薬庫案には環境問題などをあげ明確に反対を表明し基本的に県内移設には反対の立場をとる県の、辺野古沖について「一義的には国と地元の問題」とする対応に、戸惑い以上の不信があった。また名護市当局も、二度の市民ぐるみ（市、市議会を含め）の反対集会にかかわらず、明確な反対の姿勢は示さず、むしろ北部振興への期待込みで、県の参加を待っての受け入れの方向にあるとみられた。那覇防衛施設局の建設準備のための現地調査に対して、県が同局から要請されたボーリング調査を許可した直後から住民投票を求める署名数が急増したことからも、市民の動向を知ることができよう。

海上ヘリポート地決定の過程に現れた構図は、中央が地方へ、やっかいなものをおしつけることと変わりはなかった。巨大な基地を安保条約という国際条約の名の下に沖縄へ過重に押しつける。この本土と沖縄の基本構図が、普天間の危険性は早急に改善しなければならない（県）という理由で、基地を人口密集地から過疎地に移そうとする。本土における原発や産業廃棄物の地方・過疎地への押しつけの構図と、どこが異なるのだろうか。

長さ一千五百メートル、幅五百メートルといわれる海上基地は、それ自体、巨大な鉄板となって辺野古の海を覆う。自然への影響も当然に考えられよう。住民投票推進協の宮城康博代表が「名護市の街づくりを自分たちで考えていくための住民投票」と再三述べているように、有権者の過半数を超えた署名は、地域の将来像を自ら決定したい、という強い意思表示だった。このことは沖縄が基地問題においてもっとも主張してきたことであり、県が評価する規制緩和検討委の報告書にある「自己決定」は経済だけに限るものではない。

住民投票の行方は、九月の市議会の採決を待たなければならない。制定に慎重、反対派が多数を占める議会が、市民の意思をどう判断するのか。議会もまた「自己決定」の重みと直面する。比嘉鉄也市長の対応も注目されよう。

◆米戦略の梃子となる

沖縄の戦後史を、その節目でみると常に日米の安保、基地問題と直面してきた。言葉を変えれば日米の軍事戦略は、沖縄の節目を巧みに利用し、「沖縄を梃子」に再編されてきた、ともいえよう。

一九五二年のサンフランシスコ講和条約により日本が独立する際、日米安保条約は結ばれる。占領軍だった米軍の多くは日本から去った。一方で、ソ連、中国への反共防衛ラインの拠点として沖縄の基地建設は進んだ。島ぐるみ闘争は、土地の強制接収への抵抗だった。七二年、異民族支配からの脱却と基地撤去を願った復帰もまた、日米返還協定において、米軍基地の自由使用が前提とされた。この時期も本土において米軍基地の整理縮小が進んだ半面、基地オキナワは確保された。復帰によって沖縄は国内となり、安保条約が適用された。そのことは、米国の世界戦略のための沖縄の基地を国内に抱えることを意味していた。日米安保自体が「極東の安全」の枠を実質的に越えることになった。

そして今回、沖縄の基地縮小の願いは、日米防衛協力の指針（ガイドライン）の見直しという形で、日米両政府の政策転換と密接にからみあっている。

九六年四月の普天間返還を盛り込んだＳＡＣＯの中間報告において、緊急時に米軍が国内の飛行場や自衛隊基地を有事使用できるようにするための共同研究の開始を合意。クリントン・橋本両首脳の日米安保共同宣言では極東から「アジア・太平洋地域」の安全保障をうたい、日米安保のグローバル化とともにガイドラインの再検討を確認。沖縄基地の整理・統合・縮小をうたった合意と表裏をなす形で段取りは進み、九七年六月の防衛指針中間報告では、日本有事に加え「周辺有事」への対応、自衛隊、民間施設を活用した米軍への後方支援が拡大された。

この中間報告について、「有事法制を前提としており、駐留軍用地特別措置法と同類の、基本的人権や私権の制限にわたる法律群の制定が不可欠」とする前田哲男氏は、ガイドライン見直しを「新日米軍事同盟」と位置づける。集団的自衛権の不行使、自衛隊の海外不出動という「政府が辛うじて保ってきた『憲法と安保』両立論に終止符を打つもの」とする。

ガイドラインの見直しは九月をめどに進められている。米軍用地特措法改正を大政翼賛会的な圧倒的多数で可決した国会において、今回は社民が反対を貫いたとしても、既に方向は定まっているとみていい。特措法改正においては、沖縄のみに適用されている法の改正は差別との主張がなされた。しかし国会論議においては、安保条約の順守、国益が優先され、強制使用という私権の制限を可能とした。今回のガイドライン見直しは、国民、県民の立場からは特措法改正論理の延長線上にあって、基地オキナワにとどまらず日本全体が国益優先の対象となる。復帰における「核抜き本土並み」が幻となり、かわって言われた「本土の沖縄化」が、今回のガイドライン見直しによって進む、と言うべきかもしれない。

とはいえ、有事に対応する米軍基地機能の多くは沖縄にある。ベトナム戦争、近くは湾岸戦争と常に出撃・兵站基地となってきたことから、今後、日米安保の枠拡大とともに基地オキナワもまた新たな機能が付加されていくことは確実であろう。

◆名護市民投票へ

拙文の「沖縄の選択」は五回を数えた。当初、一回切りのつもりが、「(沖縄問題は) エンドレスだよ」と編集者は電話の向こうで殺し文句をいう。戦後の沖縄は、沖縄戦を基点とし、土地闘争、復帰運動、反基地闘争を経て沖縄の平和主義を模索し、行動とイメージを広げてきた。戦後五十年の基地問題に対して、基地問題と自立という名の経済振興策は、複雑に絡まっている。いま一度、私たちの望む沖縄、そして未来像はなんなのか。

目まぐるしく変化したこの二年間の中で、からんだ糸を一度、ほぐす必要がないだろうか。「選択」はそれからでも遅くない。特に、名護市民の住民投票のための署名が過半数に達した意味を、じっくり考えたい。地域住民が地域の未来像にかかわっていく、その原点への思いは多くの県民が昨年九月の住民投票で体験した。基地問題の解決も振興策も、自らの足で立ちたい、というこの土地の命題の手段ということもできるのだから。

（『ＥＤＧＥ』第5号　１９９７年10月）

沖縄の選択 6

知事の決断　沖縄平和主義の帰結と課題

沖縄・戦後五十年の異議申し立ては、九八年二月、一応の帰結点を迎えた。普天間飛行場返還に伴う代替施設として政府が適地として選んだ名護市辺野古、キャンプシュワブ沖の海上ヘリ基地建設に、大田知事は「反対」の姿勢を明らかにした。協調から対立へ、橋本政権との緊張は高まり、政府・自民党の大田（県政）不信は定着した。政府は、見せしめ的に先送りしていた自由貿易地域拡大のための新たな税制措置などを盛り込んだ沖縄振興開発特別措置法（沖振法）の一部改正を予定より約二週間遅れて閣議決定し、同時に海上基地への沖縄（県）への協力を求めた。海上基地が唯一の選択肢、という方針を変えてはいない。振興策と基地をリンクさせつつ、県ではなく、県民の負託には応える、という大田外しへ沖縄対策の方針を変更しはじめた。

大田県政は土壇場で、戦後培われた「沖縄の民主主義」を選択した。落ち着くところに、といった結論だが、その過程は必ずしも一本道だったわけではない。日米、特に日本政府の沖縄基地問題への対応が、県民を納得させるだけの回答を出せず、日米交渉において日本側が初めて対等に論じ合った、という経過を知るほどに、かえって、政府の安保政策と沖縄の民意との落差が浮き彫りになったと感じざるをえない。しかし、政府の対応はなにも今に始まったことではなく、復帰前夜の沖縄返還交渉以来、一貫している、というべきだろう。なによりこの二年は「沖縄の意思」を手探りで再確認することだったといえ、その結果は県政の戦略と民意との緊張関係を生んだ。そして、大田知事は民意に従った、という意味で「帰結点」とは沖縄内にあてはまる言葉として使いたい。

◆名護市民、二つの選択

まず、海上ヘリ基地の主舞台となった名護市の動向を振り返ってみたい。

全国で初めてとなった基地問題をテーマとした市レベルの住民投票は、その成立の過程、反対過半数の結果を受けての市長の受け入れ表明と辞任、さらに仕切り直しの市長選での基地移設反対派候補の落選と、変転した。この曲折は、基地と振興策という戦後五十年このかた、私たちが常に選択に揺れてきたことの縮図そのものだった。

街のど真ん中にあり、危険性の高い施設（基地であれ、原発、あるいは産廃処理場）をどこに移すか、という設問に、より地方へ、過疎地域へ、というのは、この国の政府や地方を含めた行政組織が選ぶ模範回答である。さらに、そこに振興策という手形が振り込まれることもまた手法としては定番だ。住民投票実施への署名が名護市民の有権者の過半数を超えたことは、地元に基地反対の意思が強いことを物語っていた。政府はゆえに、住民投票の実施を阻もうと動いた。市議会は保守派が多数を占める。議員団は官邸で、首相自らの異例の歓待を受け、住民投票条例否決へと大きく傾いた。

住民投票署名の数を無視することのできなかった比嘉鉄也市長（当時）は、基地の賛否ではなく、振興策を加えた条件付き賛成を選択肢にすることで「勝てる」と読んだ。市議会は市長の方針に乗る。その後の市民投票に対する政府・自民党の積極的な関わり方は、国が沖縄をいかに重要視しているか、つまりは、沖縄に基地を置く以外に政策がなかったことを行動で示した。閣僚、党幹部が口々に沖縄振興策、特に北部振興策を唱え、基地と振興策が引き換えであることを隠しもしなかった。

政府は、海上基地の安全性、環境対策などを説明するものの、基地不安から反対する市民に、日本の安全保障政策、日米安保条約の重要性を説き理解を求めることはほとんどなかった。基地建設は振興策とリンクするものとして必要性が語られただけだった。なぜ、普天間代替の機能が県内移設なのか、そもそも海兵隊の常駐が必要なのか、その軍事的な役割はどう重要なのか。国の安全保障を基地政策では説明せず、振興策か基地反対か、という地域の選択肢に置き換えたことは日本の安全保障論議の未成熟さをも証明していよう。

大田知事の反対表明に際し、「基地はいらない、振興策はいるというのは勝手すぎる」といった政府・自民党の批判もまたその延長上にあって、安全保障政策を金（振興策）で「代替」させるという政治家の発想を映しだした。沖縄振興のための政府機関の長官が知事憎さのあまり、沖振法の一部改正を「私の権限で止められる」と発言するにおよんでは、政治がかくも幼稚なものかと耳を疑った県民も多かったのではないか。

九七年十二月二十一日の市民投票の結果は、投票総数三万一千四百七十七票（投票率82・45％）、反対一万六千二百五十四票（51・63％）、条件付き反対三百八十五票（1・22％）、賛成二千五百六十票（8・13％）、条件付き賛成万一千七百五票（37・18％）、無効票など五百七十一票（1・81％）。

移設拒否が明確になった三日後の二十四日、比嘉市長は橋本首相へ、基地受け入れを表明、自らは辞任した。「普天間飛行場の危険が解消され、基地の整理・縮小につながる道であるとするならば、批判があってもあえてその道を選ぼうと苦悩の末に決心した」と語り、「県の判断が示されないことに困惑」と大田知事への不満を表明した。橋本首相は、涙を流して感謝したといわれ、北部振興策についても責任もって取り組むことを伝えたという。

政府の振興策と基地建設をリンクさせた手法が、市民の意思と市長判断の「ねじれ」を起こさせた。この「ねじれ」は続く九八年二月八日の名護市長選で、条件付き賛成派の推す岸本建男候補が基地反対派が推した玉城義和候補を破り、比嘉前市長の後継者を市民が選択したことでより深まったかに見える。だが、岸本新市長は選挙中、「基地問題は、政府と県で検討すべきもの。賛成、反対であれ知事判断に従う」と基地問題を争点としなかった。就任後も「容認の立場にはない」とあくまで、政府と県に委ねる姿勢を崩していない。

岸本市長が、基地問題で揺れた市民間の「しこり」の解消を優先し、街づくりを自ら進めるという地方自治の原点から出発することは、政府、県への痛烈な批判とも思える。とはいえ、条件付き賛成派の支持で当選した基盤のなかで、どう指導力を発揮していけるか。

かつて、地方・やんばるこそ都市に比べ豊かな可能性を持つという「逆格差論」を展開した岸本市長。地方分権の時代に、「中央の意図」のままにはならぬ、新しい地方像を描いてほしい、と期待するのは筆者だけではあるまい。

◆投票日直前の知事転換

大田知事は、名護市長選投票日のわずか二日前の二月六日、海上ヘリ基地反対を正式に表明した。政府・自民党から「約束違反」「裏切り」といった、たぶんに身勝手な批判が噴出した（その後、市長選で賛成派が勝利したことで知事批判はなりを潜め「頭を冷やして」の対処、とトーンが変わった。地方の選挙に一喜一憂する政府である）。知事表明が、結果的に、基地反対を訴えた玉城候補に逆風になったことは、岸本側が知事表明で「勝った」と判断したという話からも逆説的に裏付けられよう。知事決断はあまりに遅かった。市民にはなにをいまさら、県の選挙介入、と受け取られた面は大きい。

決断が遅かったのは知事が民意の掌握についやした時間、とみることもできようが、シュワブ沖が移設候補地となって以後をみても、事前調査の受け入れ、市民投票、その直後の比嘉市長の建設受け入れ表明、同日の橋本・大田会談と、賛否どちらにせよ態度表明の舞台は幾度かあった。だが、大田知事には決断できない事情があった。その最大の理由は、民意の掌握ではなく、政府との関係をどう整理するかだったと思う。大田県政は、強制使用手続きにおける署名代行応諾によって走りだした政府との 協調路線を変更するかどうかの判断を迫られていた。

大田県政の特長は、基地問題の解決に二つの戦略を描いた点に見て取れる。一つは二〇一五年までの基地返還アクションプログラムであり、もう一点は国際都市形成構想を柱とする経済自立策だった。基地アクションプログラムは、今後の二十年を三つの時期に区切り、三段階で県内の基地を整理・縮小していく、というもので、最終的に嘉手納基地の撤去が明記された。正直いって県内の空気も嘉手納基地撤去を含む三段階全てについては、「現実的ではない」（政府首脳）とそう変わりはなかったように思える。だが、県は、同プログラムを政策として打ちだすことで、行政としての基地問題の方向性、解決の突破口を開こうとした。従来の革新県政の反対一本やりでもなく、保守県政の振興策中心でもない。それだけに行政の新しいビジョンとして注目され、評価もされた。

普天間飛行場返還、という第一段階の目玉が九六年四月、橋本竜太郎首相とモンデール駐日米大使の緊急記者会見で発表されるにおよんで、県のプランは具体性を帯びた。日米特別行動委員会（SACO）の合意における返還十一施設のほとんどが、アクションプログラムの一期で想定されていた。それ以降の二期、三期は将来の課題としても、まず一期目のメニューが出された。県の戦略が動きだしたかに見えた。

しかし同プログラムは、日米両政府の沖縄の基地は基本的に維持する、という壁にぶつかった。同時に、県内移設という条件に対する県民の反発。双方からはさみうちになる格好で、宙に浮き始める。

大田知事が九五年に強制使用手続きの署名拒否で、政府と対峙する行政として最大のカードを切った背景には、その年二月のナイ・レポートへの危機感があったことは知られている。米軍の存在をアジア・太平洋地域の平和を維持する「酸素」と形容し、日米安保体制の重要性を再確認する、ということに主眼がおかれたナイ米国防総省次官補代理の戦略レポートは、米軍のアジア十万人、日本四万七千人体制の維持を確認するものであった。それは、基地沖縄は動かない、ということと同義だと大田知事は考えた。知事の見通しの正しさは、その後の日米首脳の共同声明、安保の再定義において、ナイ・レポートが実態を持ったことでも証明されよう。その延長にガイドライン見直しもある。

◆反対と協調の綱渡り

大田県政は首相から知事が訴えられるというセンセーショナルな司法の舞台で、沖縄基地問題をアピールし、多くの国民の支持を得た。しかし、SACO合意は、沖縄基地の機能維持という日米の基本政策を変えるレベルのものではなかった。県道104号越え実弾砲撃演習の本土移転というシンボリックな成果はあったものの、基地機能は県内移設という形で維持された。後に防衛庁首脳は「本土移転は机上の理論では成り立つ。だが、政治的コストが高すぎて、現実的ではない」(秋山防衛事務次官、九八年一月、沖縄タイムス)という趣旨のことを述べている。「基地は沖縄に」という政府の基本政策に変化はみられなかった。「沖縄の痛みを分かちあおう」と橋本首相は国会で何度も語ったが、具体的に本土や国外移設の方針は示していない。

日米両政府の基地政策が変化しない中、基地返還プログラムを実現するため、県は、県内移設を現実的な選択とせざるをえない立場におかれた。もともと同プログラムは、目標を将来へ設定することで、その時点における現実的対応を可能にする方策であったともいえる。

その例が普天間飛行場だった。嘉手納基地統合、嘉手納弾薬庫内などいくつかの代替案が浮上しては消えた。県は、地元の意向に追随する形で次々と反対を表明。だが、名護市辺野古のキャンプシュワブ沖への海上ヘリ基地については明確な回答を避けた。

この間の県の対応は、不明瞭な部分が多いといわざるをえない。移設先候補は主に新聞などの報道が先行、候補地が挙がっては地元が反対し、県は遅れて同調反対するというパターンだった。県は「県内移設には反対」の立場をとったが、「普天間」代替施設の県内移設反対とは一度も正面切って表明することはなかった。それは、海上基地反対の表明においても一貫している。「普天間」の危険性除去と、国際都市形成構想の中核としての同基地跡地利用という両睨みのなかで、「現実的対応」の余地を残していたといえよう。

県のアクションプログラムにおける命題は、基地の整理・縮小を図るということであり、県内移設もその選択肢であったことは疑いない。その条件として県が政府に求めたのが、国会決議における将来の整理・縮小への明言であり、海上ヘリ基地問題の山場を迎えた九七年十二月の「二〇一五年返還の明示」という政府のお墨付きであった。将来の担保を得て現実対応をする—ことが大田県政の戦略だった。膠着した基地問題に対してプログラムを提示し、政府に国策として沖縄基地問題の解決を約束させ、県民には現実的な対応も理解してもらう、といういわば両面作戦であった。従来の県政にはなかった、平和理念と現実的対応の両方に手を伸ばした大田県政の行政手法だった。

しかし政府と県民、二つの壁は破れず、結果的に普天間返還はデッドロックにのった。大田知事の海上基地反対表明は、民意の尊重という選択ではあったが、県政の流れからは、現実的対応を県民に理解させることができず、政府との協調路線の放棄につながった。この二年間の大田県政の戦略の練り直しを意味したといえよう。ただし、それが即座に政府との全面対決を意図するものではなく、一方で県民の基地反対に全て同調するわけではない、という県行政の立場は保ちつつという綱渡り的な役割は踏襲しての「海上基地反対」の表明であった。

◆民意は示す「基地ノー」

「沖縄の人に、闘争には終わりがあるということを考えてもらいたい」。昨年十月、海上基地をめぐる名護市の市民投票の是非が言われていた頃、政府の防衛担当者はある席で「現実的な選択」を沖縄(のマスコミ)にうながした。日米交渉の末、普天間飛行場返還という実を取った、と自負の念も隠さずに語る彼にとって、一定の前進をまず確保することになぜ沖縄は迷うのかという苛立ちさえあったように思う。このことは、知事の海上基地反対をめぐり、橋本龍太郎首相をはじめとする政府・自民党からの「沖縄はなぜだ」という不信感を露骨に示した反応と軌を一にする。

鳴り物入りのSACO合意も、戦後、五十年余の沖縄の現実に照らして見ては大幅な前進と評価するにはあたらない、というのが県民の見方だ。街のど真ん中にある基地・普天間の返還は急務であり、望ましい。しかし、その引き換えが「代替基地の県内移設」では、国が五十年の贖罪を果たす政策にはほど遠い、と県民は答えを出した。なにより、なぜ沖縄に安保条約に基づく米軍基地を集中させるのか。沖縄戦に端を発する既成事実と、米国の強い主張と裏返しの自国政府の不十分な対応、本土移設への政治的コスト、がわずかに見えてはきた。しかし、地政学的という抽象論以外に、軍事的な論拠は残念ながら沖縄に示されたことはない。

九五年十月の県民総決起大会に始まり、九六年九月の県民投票、九七年十二月の名護市民投票を結ぶなかで現れた「民意」は「基地ノー」であった。県民が自らの行動で示した県民大会と二つの住民投票は、日米政府、あるいは大田県政の思惑をも超えた。この二年間は、「基地を自ら容認することはやるまい」という、この土地が戦中、戦後の体験の中で培ってきた「沖縄の民主主義」の原点、を再確認する作業だったともいえよう。

同時に、市民投票における振興策への期待票、続く市長選での条件付き賛成派の推す岸本氏の当選、県経済界を中心とする政府支援への要望もまた当然に、沖縄の民意を形成している。イモハダシ論を待つまでもなく、政府への依存体質の根は深く、必要ともしている。この現実から、どう将来を組み立てていくのか。その狭間で揺れた二年余りでもあった。

大田知事は、県民の根底にある反基地の意思に従い、民意にそって「原点回帰」した。知事の反対表明は、ねじれ、きしみ、揺れ続けた中で県民の下した決断に促された結果だった。九五年九月から二年余り、曲折を経て、この地平から、あらためて次代を描く作業はスタートする。

（『ＥＤＧＥ』第６号　１９９８年３月）

沖縄の選択 7

県知事選　振り子は動いた

一九九八年十一月十五日、県民はひとつの選択を行った。現職の大田昌秀氏と、新人の稲嶺恵一氏で争われた県知事選は、稲嶺氏が大差で大田氏を下し、保守は八年ぶりに県政を奪還した。稲嶺氏は出馬表明からわずか二カ月半で勝利を手にした。九日後の二十四日、小渕恵三首相をはじめ政府・自民党首脳と会談。「国と県が協力し沖縄のためになることは全面的に協力する」と首相。稲嶺氏は「国と県は車の両輪」と受けた。約一年、閉じていた沖縄政策協議会も再開を確認、政府と就任前の新知事は早くも太いパイプで結びついた。

政府の熱烈歓迎ぶりは、県内移設を容認する県政出現への喜びにあふれていた。大田県政から稲嶺県政へ、県民の選択は、政府と県の蜜月時代を演出しようとしている。

◆「経済」求めた県民

知事選の結果は、主役の交代を求める県民の意思を示した。七六・五四%という高い投票率、大田氏が四年前を約七千票上回る約三十三万七千票を得てもなお、三万七千票差がついた。稲嶺氏は過去最高の約三十七万四千八百票、革新市政を含む都市部でも高い支持を示した。数字は「変化を求める風」の強かったことを証明する。

政府と対立する大田氏への信任投票でもあった知事選は、政府と協調し財政支援を受けて経済振興、不況克服を図ることを訴えた稲嶺氏を選んだ。

知事選さなかの沖縄タイムス・朝日新聞世論調査では、普天間代替施設の県外、国外移設を求める声が六五％、県内（陸上案・海上基地含め）一九％、という結果も出ている。基地の過重負担への県民の反応は当然といえ、稲嶺氏の唱える軍民共用空港の陸上案が必ずしも受け入れられたとは言い難い数字だ。しかし世論調査で候補者決定の基準を問う質問には、経済振興五一％、基地二五％と答えている。基地問題以上に経済重視へと関心は移り、それが「経済の稲嶺」への期待とつながったことがうかがえる。

不況脱出のため政府との太いパイプを強調し、基地の県内移設も振興策と結びつける稲嶺氏の政策を県民は支持し、新たな基地建設容認へと踏み出す結論を出したことを示している。九五年十月二十一日の県民大会から、ほぼ三年、戦後初めて自らの意思で新しい基地建設を容認する方向へシフトした。

普天間飛行場代替施設を軍民共用空港の条件付きで北部にと主張した稲嶺氏の当選を、政府は県民の「県内移設ＮＯ」から「ＯＫ」へ、一八〇度転換という意思表示と受け取り、凍結していた振興策のバルブを早速開けることにした。政府の豹変ぶりは、基地沖縄に振り回されてきた中央の久々に見せた笑みとも自信とも見えた。

一方で三十三万七千票という大田支持票は、本人を含む過去の革新知事の得票では最多。大田氏が「いくばくかの財政支援を得て、基地の建設を容認し、沖縄の誇りを失うのか」という言葉で象徴される反基地、対政府への批判勢力もまた根強いことを示した。保革対決という一九六八年の主席公選以来続く緊迫した政治状況は、巨大な米軍基地の存在がある以上、解消されることなく続くことを示した。日米政府の一貫した沖縄基地政策の中で表出するこの政治状況は、沖縄人に自らの存在を問う思想的な契機ともなって続いていくだろう。

政府にとって、沖縄とはやっかいなところだろう。反基地の県政によって政策の変更を迫られ、今度は容認側から新たに譲歩を要望される。それもこれも今後も基地を集中できる見返りと思えば安いもの、とあるいは判断しているからだろうか。稲嶺氏の当選に安堵しつつも、初対面は振興策を中心に、基地問題は県内論議を尊重するときわめて慎重な対応だった。海上ヘリ基地案のように、自ら提案するのではなく、沖縄に決めさせる。肥料を与えつつ、実が熟して落ちるのを待つ、それが最良だと判断したのだろう。実際に、具体的な位置決定、建設規模が明らかになるにつれ、激しい反対闘争が予想される。

◆大田県政のジレンマ

今回の選挙結果を、大田県政の側から見ていきたい。自己検証という意味も含めて。山（基地）を動かし、夢（国際都市形成構想・全県自由貿易制度）を提案した大田県政に対し、結果として県民は「不信任」を選んだ。

米兵による暴行事件がきっかけとなった県民の反基地へのうねりをバックに、大田県政は代理署名拒否という政府との対峙策によって、基地を動かし経済振興策を得ようとした。その手法は、市民運動を挺子にしつつ、行政手続きを武器として国に譲歩を迫るもので、従来の抗議・陳情型と異なる特徴が見て取れる。

県民総決起大会において大田知事は「人間の尊厳」と基地の存在を対比させることで、基地沖縄の問題点を鋭く指摘した。この主張は、後の最高裁まで争われる米軍用地強制使用にかかる代理署名拒否裁判においても、沖縄戦の体験、戦後の米軍支配、復帰後の日米安保体制下における基地の過重負担という戦後史が、平和を望む「沖縄の心」といかに対立するものかを訴え、そのような現実を押しつけてきた日米両政府への「異議申し立て」として展開していった。

そのような対峙の中で、大田県政は長期的な段階的整理縮小案の基地返還アクションプログラムを提起。日米特別行動委員会の設置による普天間飛行場返還で象徴される、復帰後、最大級の縮小を引き出していく。期限付の基地返還プログラムは表向き日米両政府が受け入れたわけではなかった。だが、普天間返還はそのプログラムに見合う形で決まった。基地撤去論の革新県政が、現実的な段階的縮小論を持ち出し、具体的な成果を引き出した、という点で、大田県政の行政手法は特徴づけられよう。

その一方で、沖縄をアジアと結ぶ拠点として国家（国益）の中に位置づけつつ、閣僚、知事で構成する政策協議会の設置と、国際都市形成構想の提示、さらに沖振法改正による自由貿易地域構想の具体化、法人税など「一国二制度」的な枠組づくりを進めた。振興策においても政府、国会を動かした。

その手法は、理念としての反基地、平和主義と、行政として政府との交渉で振興策の具体的な前進を図る、という相反するテーマを内包していた。落としどころ、が常に内（県民）と外（政府）から期待されていた。綱渡り的な手法は、内側から現実主義的だと批判され、外側から理念的だと批判される要素を含み、その結末として知事選敗北がある。

話を少し戻そう。微妙なバランスで押し進めてきた県政の中で、注目されるのが、昨年十二月二十二日、大田県政の中核であった吉元政矩副知事に対する県議会の再任決議案の否決だった。九月定例会に続く否決で、吉元氏は県政から去った。野党・自民党県連の反対は当然としても、与党内からも、氏の那覇軍港の浦添移設、海上基地の容認姿勢への疑問が出され、一部が再任案否決へと動いた。

政府との直接交渉による現実的な対応を推し進める県政への革新与党の不満と批判があった。反基地を旗印にしてきた革新与党には受け入れ難いものだった。政府筋は、大田県政は海上基地を撤去可能とすることで受け入れへと動いていたと明かす。政府・自民党本部が県連に、吉元否決の動きを止めようとしたともいわれる。政府は、大田県政が十分に現実的選択をなしうる、その要としての吉元氏を評価していた。

吉元氏の再任否決、続く名護市民投票の実施と移設反対派の勝利は、県政の方針を転換する分岐点になった。大田知事は市民の判断に従うことを決断、海上ヘリ基地反対を表明。当時の世論調査では、県民の多くも知事決断を支持した。その後、大田県政は、国外移設とともに平等の負担論で国内移設を言及するようになる。知事選で海外とともに国内移設は、大田の主張の柱ともなっていく。

政府・自民党は、知事の海上基地反対の表明の後、県政への圧力を一挙に強めた。政策協議会、各種振興プロジェクトは事実上凍結となり、「約束違反の大田」を批判。振興策と基地問題はリンクせずという橋本首相の弁も、いつしか基地返還あってこその振興策、移設に反対なら振興策も進めようがないとリンク論を唱え始めた。日米安保体制の維持のために基地沖縄は必要であり、国内移設は政治的リスクが高すぎる。基地機能の水準を維持したい米国の意向は優先される。なにより、可能な限り基地負担を減らし撤去可能という最大限の条件を、県側の要望に沿って用意したのが海上ヘリ基地、という政府側の思いがあった。

政府と県の協調・蜜月時代は崩れ、政府・自民党は大田県政潰しに動く。今年八月、橋本首相の退陣に際し大田知事から直接の感謝の言葉がなかったとして、野中官房長官が「人の道に反する」と批判をしたように、政府は「大田憎し」を露骨に示し始めた。野中発言は県民に、政府と知事とののっぴきならない関係を演出することに成功した。県民は、政府の態度に「閉塞感」への思いを強めた。この閉塞感はやがて、選挙戦における稲嶺陣営の「県政不況」キャンペーンへとつながっていく。

◆十年周期

十年周期で県民の振り子は動く、という。主席・県知事選に見られる保革交代劇のパターンは今回もあてはまった。

六八年の初の主席公選では復帰エネルギーの集約として屋良革新主席は生まれた。その復帰は、日米政府の沖縄基地政策に変化をもたらすものではなかった。革新県政は県民との狭間に揺れながらも政府との現実的対応に傾斜し、県民のエネルギーはしだいに拡散していく。六八年十一月の嘉手納基地のB52墜落事故から六九年の2・4ゼネストへと燃え上がった県民の反基地闘争は、誕生したばかりの革新主席によって回避された。革新県政ゆえの安全弁、という逆説もまたいわれてきた。

その後、西銘保守県政が十二年。沖振法による開発、県民生活の安定は進められたが、基地問題という根本的な矛盾は解消されなかった。そこで登場した大田氏は「平和」を旗印に、沖縄戦の体験に基づきつつ、糸満市摩文仁の平和祈念公園に建立した「平和の礎（いしじ）」に象徴される「平和志向の沖縄」を推し進めた。この八年は、県民が率直に自己主張し、自らの土地について考える貴重な時間だったといえる。

振り子は再び、基地の容認を差し出す形で政府から振興策の提供を受ける方向へと動いている。稲嶺新知事は「県内移設」という新たなカードを持って登場、政府から凍結していた振興策を引き出すという保守県政のスタイルに戻った。

稲嶺新県政は、当面、政府の支援を受けつつ景気浮揚に存在感を示そうとしている。懸念されるのは、最大の支持母体である経済界から、不況克服のための公共工事など財政投融資の大合唱が始まっていることだ。県規制緩和検討委員会（田中直毅委員長）を含め沸騰した経済論議は、県民が「現実」の分析と「未来」への道筋について考えた季節だった。初めてともいえる経済論議が、目前の景気対策で従来の依存型の中についえてはなるまい。

正反対の基地カードを切る両者を、県民は交互に選んだ。基地と経済との間で振り子は動く。見方を変えるとその振り幅は、地球から逃れることのできない月と似て、政府の引力から離れることのできない地方の姿そのものかも知れない。大田知事は「沖縄の心」という歴史的体験と、「アジアとの接点」という未来への遠心力で突き抜けようとしつつ、強力な政府の磁場の中で失速した。ここで必要なのは失速の要因を、地方の理念による抵抗を評価しつつ、その限界を考えることだろう。
大田時代に描いた絵が、どのように引き継がれていくのか。この三年間の「沖縄の時代」を経た県民が、今度は実行していく役割を担う。

（『ＥＤＧＥ』第7号　１９９８年12月）

沖縄基地問題の変遷と日米安保体制

２０００年10月に名古屋大学で行われた第2回日中学術シンポジウム「21世紀への政治学・国際政治学」（名古屋大学大学院法学研究科主催）においての報告。中国から北京大学、復旦大学など、国内では名古屋大、九州大から研究者が参加した。東アジアの安全保障や中国の民主化についてセッションを行った。研究者同士の率直な意見交換が印象に残っている。当時、九州大学大学院法学研究院に在籍（助教授）しており、米国の戦略と日本政府の同意に基づく沖縄の基地の変遷と、これに抗う民意をテーマとして報告した。

◆日米の沖縄政策

２０００年7月に行われた沖縄サミット（G8）において、首脳会合とは別に沖縄開催を象徴する場面があった。全国紙のコラムニストが「米国の指導者が日本国民に、心と心を重ね合わせるように語りかけたスピーチは戦後なかった」と形容した、クリントン米大統領の沖縄戦の祈念碑である「平和の礎（いしじ）」における演説である。

その碑は、住民14万人余、日本兵7万3千人、米兵1万4千人、強制連行された韓国、北朝鮮の人々、台湾の「日本兵」を含め23万人余りの死者の名を大理石に刻んでいる。

スーツ姿の大統領は南の島の太陽にネクタイまでも汗にぬらしながら、敵味方区別なく追悼する碑を「最も強い人類愛を示している」とたたえ、県民の基地負担に理解を示しつつ、「アジアの平和は日米の強固な同盟にある」と語り、同盟維持のための沖縄の重要性を強調した。

クリントン大統領は中東和平交渉を中断し、日米首脳会談を後回しする形で直接沖縄入りし、その足で祈念碑に向かった。この県民説得のための演説は、米国にとっての沖縄基地の重要性を示すとともに、沖縄開催を決めた日本政府の意図に沿うものであった。地元紙の県民意識調査によると、クリントン大統領の演説を55%が評価し、28%が批判的だった。「心と心を重ね合わせるように」語った演説を好意的に、だが冷静に見つめた、というところだろう。

米国の東アジア戦略における「太平洋の要石」としての沖縄は、戦後半世紀、冷戦後も変わっていない。それは、日米安保を安全保障の基軸とし、在日米軍の主要基地を沖縄に据える日本政府の政策に支えられてきた。県民からすれば、米兵の事件や事故の多発であり、戦闘機の墜落、演習での誤射、戦闘機の騒音などさまざまな基地被害をもたらすものであった。基地の過重負担は必然的に反基地の動きを招くことになる。

住民の米軍基地への反対運動は大きく三つの時期にわけられる。１９５０年代半ばの本格的基地建設に伴う「島ぐるみ闘争」、60年代後半から72年施政権返還前後の反基地とセットになった祖国復帰運動の高まり、そして戦後50年を迎えた95年以降の基地の整理・縮小を求めた「沖縄の異議申し立て」である。

これらの時期は、冷戦の定着、ベトナム戦争期、冷戦後という米国の東アジア戦略の転換と密接にかかわり、当然のことながら日米安保体制の質的転換を伴い、日本の安全保障政策の変化と重なってきた。

戦後の沖縄基地問題を概括しつつ、特に95年以降の「沖縄の異議申し立て」の背景と日米政府の対応を、沖縄の視点からみていきたい。

◆１９５０年代「島ぐるみ闘争」

１９４９年の中華人民共和国の誕生によって、米国の反共を目的とする極東戦略における日本の重要性は増し、同時に米政府は「沖縄の長期保有」を決定する。アジアにおける米国の防衛線は、アリューシャンから日本、沖縄、フィリピンにいたる太平洋全域であり、沖縄が極東防衛の戦略的な重要拠点として明確に位置付けられた。50年６月に起きた朝鮮戦争は、出撃・兵站基地として沖縄の重要性を証明した。

サンフランシスコ講和条約は51年７月に署名され、52年４月28日に発効する。日本は独立とともに、日米安保体制という今日に続く安全保障政策を選択し、日本ではない沖縄は安保条約の外にあって米軍の直接統治となった。

地元紙(沖縄タイムス紙)は「新生日本の門出」と報じ、社説は「歴史の峠に立ちて」と題し、次のように書いている。「講和条約が発効して国際社会へ復帰した祖国日本の慶事を、われわれ琉球住民は無量の感慨をこめて祝福したい。それにしても取残された嘆息が深く、もがいたところでどうにもならぬ諦めがわれわれの胸をしめつける」。不透明な沖縄の将来への不安がつづられている。発効の4月28日はその後、祖国から切り離された「屈辱の日」とされ祖国復帰運動の象徴的な日となった。

米国は「極東に脅威と緊張が存在する限り沖縄を保持する」と再三言明し、53年、「土地収用令」を公布、強制土地接収が始まる。本土の在日米軍の縮小とともに、沖縄では恒久的な基地建設が本格化する。座り込みで反対する住民に対し武装兵が出動し、ブルドーザーで家、畑をひきならした。ある地域では「水田に蚊が発生し、脳炎を媒介する恐れがあるので米作を禁ずる」と通告、接収するという具合で、「銃剣とブルドーザーによる強制接収」の時代である。

米軍用地の強制使用問題は、現在においても地主や市町村の反対、契約拒否が起こり、主要な基地問題となっている。沖縄の軍用地の所有構成は、国有地中心の本土と異なり、国有地、公有地(市町村有地)、私有地がそれぞれ約3分の1となっている。沖縄戦において住民が戦火に追われ逃げ惑い捕虜収容所に入れられた。その間に米軍が土地を確保し、さらに強制接収が重なったことが背景にあり、基地建設の過程が今日に続く基地問題の遠因となっている。

50年代半ば、米軍の土地接収が続く中、「島ぐるみ闘争」は広がった。「金は一時、土地は万年」と住民は、土地代の一括払いや新規接収に反対し、「土地を守る四原則」を掲げた。「おとなしく民族運動がない」島での土地闘争は、民主主義国・アメリカに対して憧れから軍統治批判へと変わり、祖国復帰へと住民の「希望」を向かわせる契機となった。

◆基地の重要性増す中での返還

65年8月、佐藤栄作首相が沖縄を訪問した。戦後20年目で初めての首相訪問だった。「沖縄の祖国復帰が実現しない限り、日本の戦後は終わらない」と佐藤首相は、沖縄返還への決意を語った。同時に、その日の歓迎大会で「極東の平和と安全のために、沖縄の果たしている役割は重要」と強調した。祖国復帰運動の中核だった教職員らは、児童・生徒を引率し日の丸で歓迎する一方で、基地の継続に反対するデモに参加する。民族主義的な復帰運動は、祖国の首相を迎える中で、ジレンマを抱えることになった。米軍統治に反対し、抵抗のシンボルだった日の丸は、大衆運動の中から徐々に姿を消していった。

72年にいたる60年代後半の日米首脳会談は3回行われた。65年1月の佐藤・ジョンソン会談で沖縄の米軍基地が極東の安全のため重要と確認し、67年の第2次佐藤・ジョンソン会談で沖縄返還の方針が決まった。そして69年11月の佐藤・ニクソン会談で72年返還が決定した。

日米の沖縄政策は「分離」から「返還」へと大きく転換したが、この時期はベトナム戦争の激化と重なり、北爆の出撃基地となった沖縄の重要性を日米政府が確認する交渉の場ともなった。焦点は施政権が日本に移った後も、基地の自由使用を保障することであり、有事の際の「核持ち込み」密約もいわれた。69年の共同声明において、佐藤首相は「韓国の安全は日本の安全にとって緊要」「台湾地域の平和と安全の維持もきわめて重要な要素」という、いわゆる韓国、台湾条項について言及。ナショナルプレスクラブでの演説では、韓国への武力攻撃が万一発生し、米軍が日本国内の施設・区域を戦闘作戦行動の発信基地として使用しなければならないような事態が生じた場合、「事前協議に対し前向きかつすみやかに態度を決定する方針」と述べ、極東有事における日本の役割を果たす意思を表明した。

沖縄返還によって日米安保体制は、米軍が自由使用できる巨大な基地を国内に持つことになる。あらたな段階へ進んだといえよう。

この沖縄返還の時期に、本土では関東計画といわれる米軍基地の整理・統合が進んだ。71年以降、本土の米軍基地は58％の返還がなされ、沖縄の基地は15％減にとどまった。52年、72年と沖縄の地位の変化とともに、在日米軍基地の比重は沖縄へと移った。「異民族支配」からの脱却を望んだ住民の運動は、返還が基地維持政策であることに反基地の色合いを強めていった。平和憲法の下の祖国へ帰るという喜びと、基地の重圧が続くことに、県民は期待と不安の感情をあわせ持った。

◆１９９５年、沖縄の異議申し立て

大急ぎで、米軍占領下の27年を振り返ったが、ここで、在沖米軍基地の現状を簡単に紹介しておきたい。

95年の東アジア戦略レポートは、アジア10万人体制としているが、在日米軍約４万人と在韓米軍約３万６５００人が中心といえる。在韓米軍が陸軍を主力にしているのに対し、在日米軍は海兵隊約

1万9200人と空軍約1万3900人、海軍約5200人で陸軍は1800人。うち沖縄には、面積で在日米軍基地の約75％、兵員は62％（約2万4800人）が集中する。頭脳は本土（司令部は横田）でマッスルは沖縄、といわれるように在沖米軍の60％、1万6000人が海兵隊で、基地面積でも演習地など75％を占める。普天間飛行場もそうであり、ヘリ事故や兵士の犯罪など海兵隊がらみの問題が多い。

安保条約はいわゆる「全土基地方式」といわれ、地域が指定されているわけではない。沖縄への過度の基地集中の解決には、とりわけ海兵隊の兵力見直しが焦点であることは数字からも明らかであろう。

さて、95年以降の「沖縄の異議申し立て」について報告したい。9月に発生した米兵3人による暴行事件は、県民に大きな衝撃と怒りを燃え上がらせた。10月には、復帰運動以来という8万5000人の抗議県民大会が開かれた。自民党県連を含む各政党、経済団体、婦人会、青年会、市町村代表や個人が参加、全県民的な抗議の場となったことは記憶に新しい。

この反基地の高まりは、米兵らの暴力への怒りにとどまらなかった。全県民的な盛り上がりとなった背景として、95年が戦後50年であったことを指摘しておきたい。この年の6月には、沖縄戦の全犠牲者を弔う「平和の礎」が県によって建立され、平和への誓いを再確認する場となった。また地元新聞の記事や、自治体などのさまざまなシンポジウム、市民運動など戦争体験や戦後の歩みを振り返る季節を迎えていた。復帰後の繁栄と、変わらぬ基地の存在という矛盾の中で、歩んできた戦後に思い巡らす年となっていた。

抗議県民大会で、大田昌秀知事は「人間の尊厳を守れなかった」と行政の責任者として被害者に謝罪し、女子高校生が「問題解決をあきらめることが、次の悲しい事件を起こしてしまう。軍隊のない平和な島を返してください」と訴えた言葉が共感を呼んだのは、戦後50年の歩みへの疑問と不満が共有されていたからといえる。

一方、日米政府にとっては冷戦後の日米安保体制を再構築する、いわゆる安保再定義が政治的課題として浮上する時期と重なった。基地反対の主導的役割を果たした大田知事が、同年2月に発表された米国の東アジア戦略報告に「基地固定化」への危機感を抱き、若者が未来へ希望の持てる「基地のない平和な島」を求め、政府への対決姿勢を強めたことは、両者の立場の違いを象徴していよう。

◆普天間返還は「頭金」

安全保障政策に基づく日米関係の再構築という課題を抱えていたこの時期を、『同盟漂流』という著書で著した朝日新聞の船橋洋一氏は、次のように書いている。

96年初頭に、村山内閣を受け継いだ橋本首相の問題意識を、朝鮮有事に備え日本の体制の整備を痛感し、日米間のガイドラインの見直しを重要な要素と位置づけていた。その橋本と対談したペリー国防長官もまた、日米安保体制を強化するにはガイドラインの見直しを進め、それに筋金を入れなければならない、と考えていた。普天間飛行場返還を目玉とする沖縄基地問題の解決策を考える日米特別行動委員会(SACO)について、ペリー長官は「SACOはガイドラインのためのダウンペイメント(頭金)のようなものだ」と語り、沖縄基地問題をガイドラインの追い風になるように取り組むべきだと思っていた、と書いている。

96年4月、橋本首相はモンデール駐日大使と共同会見し、「普天間飛行場」返還を発表。12月までにＳＡＣＯは普天間返還を含む約20％の基地削減に合意した。復帰後23年間の４３００ヘクタールを上回る４７００ヘクタールの基地返還策だった。だが、普天間飛行場と沖縄本島北部の原生林の訓練場が主な返還面積であり、多くが県内移設を条件としていた。基地負担の軽減にはならないのではないか。地元新聞の連載タイトルが「基地は動いた」から「基地転がし」へと変化したところに、現地の受け取り方が表現されている。

沖縄の反基地の高まりは、日米政府に、地元住民の支持がなければ基地の安定的使用ができないことを教えた。日米政府は、県民の不満解消と安保再定義、ふたつの課題に直面していた。その答えがＳＡＣＯ合意での普天間返還であり、一方で、同じく4月の橋本・クリントン首脳会談による日米安保共同宣言だった。当時、読売新聞の社説は、普天間返還以上に日米安保において意味を持つのは有事における共同研究開始の合意、と書いた。

アジア・太平洋の平和と安定のための日米安保の貢献を謳い、安保再定義が打ち上げられた。97年9月の「新しい日米防衛のための指針」（新ガイドライン）の合意、99年5月成立の新ガイドライン関連法（周辺事態法、改正自衛隊法、改正日米物品役務相互協定）と法的整備が進んだ。日米安保体制は「漂流」から、具体的支援策を含む有事の協力体制へと一挙に「再定義」された。

沖縄返還交渉において、朝鮮・台湾条項、朝鮮有事への日本の役割が表明され、再び「沖縄の異議申し立て」を梃子に実態を持ったといえよう。ペリー長官の語る「頭金」は十分、ペイするものとなった。

その後の焦点は、普天間返還にともなう代替基地建設を中心とするＳＡＣＯ合意の具体化へと移った。97年は海上へリポート案の浮上と、地元・名護市における市民投票による反対多数、保守系市長の移設受け入れの表明、辞任と、県内移設の是非をめぐって県内は揺れた。

98年は、大田知事の県内移設反対表明と政府との対峙、名護市長選挙で受け入れ賛成の新市長の誕生。3月、橋本内閣から小渕新内閣へ、さらに12月の県知事選挙で大田氏は敗れ、保守派の稲嶺惠一知事が誕生する。詳しく説明するゆとりはないが、政府の海上へリポート案は頓挫し、一方で、県民は基地反対の大田氏に代わって、経済振興を旗印にする稲嶺氏を選択した。98年は、膠着状態の基地問題の中で、「当事者交代」の時期だった。

◆沖縄サミットと人間の鎖

99年は小渕政権にとって沖縄問題解決を急ぐ年と認識されていた。4月の小渕首相によるサミット沖縄開催決定は、その脈絡でとらえることができよう。サミット沖縄開催は、沖縄側には朗報と受け取られた。地元紙は号外で伝え、稲嶺知事は歓迎の意を表明、経済界は経済振興につながると喜んだ。

同時に基地問題とのリンク論が反対する側から警戒の念をもって主張された。政府は当初リンク論を否定したが、6月、クリントン大統領の「われわれが行くまでには、すべての未解決問題が解決していることを願っている」という発言以降、「普天間問題」の決着とサミット成功を結びつけるようになる。普天間返還にともなう名護市辺野古沿岸域への代替基地建設について、同年11月の稲嶺知事、12月に岸本市長が相次いで受け入れを表明、小渕首相の「沖縄開催」決断は現地の国家的イベントを歓迎するムードの中で「成果」を挙げた。

稲嶺知事は、軍民共用空港、15年の使用期限などを条件とし、岸本市長も15年使用期限とともに、安全性の確保、自然環境への配慮、北部振興策の確実な継続などを挙げた。市長は、これらの条件が実施されなければ撤回もありえる、ことを市民に約束した。政府と協調路線にある稲嶺県政と、同じく保守の立場の市長は、政府の経済振興策と引き換えの形で受け入れた。だが、今年に入り、サミットを前に、米兵のあらたなわいせつ行為事件など基地がらみの事件・事故が続いた。サミット開催のお祝いムードの中で抗議県民大会が開かれ、サミット開催前日の7月20日、嘉手納基地を包囲する「人間の鎖」に2万7千人が参加した。地元紙の県民意識調査によると、サミットにおける「基地の整理・縮小、平和を願う県民の心のアピール」が、この嘉手納包囲によって「できた」と評価する回答が80％に達した。

稲嶺知事誕生後、経済振興策など「現実的対応」がいわれる一方で、県民世論調査で県内基地移設には常に反対の意思が示されていることも忘れてはならない。

9月以降、政府と県、市でつくる「普天間代替施設協議会」がスタートするなど、事務的な作業が進んでいる。しかし、米国と協議すると閣議決定した「15年使用期限」問題は、米側の否定もあって進んでいない。将来のアジア戦略がどうなるか、現在の段階で「15年」と区切るのは、米政府でなくとも、非現実的であろう。しかし、15年期限は沖縄側が県内移設を承諾するぎりぎりの条件として提示され、政府も理解した経緯がある。岸本市長は9月の市議会で、この条件の進展がなければ受け入れ撤回もありうる、ことを示唆した。

稲嶺県政が受け入れのため県民向けに発したバーチャルな条件ともいわれた15年使用期限は、現地の受認限度の指標となり、政府の沖縄政策の誠意を示す政治的課題、となってきた。代替施設建設は、規模・機能、住民・自然への影響など具体化するにつれ反発も予想され、成否はまだ不透明な状況といえる。

◆歴史的構図を持つ沖縄問題

またサミット開催と連動し注目される言論として、「本土と沖縄の一体化」論の展開がある。いわば、国策を批判し続ける「まつろわぬ民」への、国民としての自覚を促す統合化への動きといえる。

沖縄内部からも「沖縄再評価」の形で、日米安保の要としての役割を認めつつ、国内におけるアジアと結ぶ拠点という国家の中の役割を果たそうという提起が出され、論議を呼んでいる。琉球王朝が明治国家に包摂された以後の歴史も含め、アイデンティティーが今もって論じられているところに、沖縄問題が基地問題だけに収斂できない、国家との複雑な歴史的構図と県民感情を抱えていることを示していよう。

政府においても沖縄基地問題は山を越え、事務方の詰めの段階という認識があり、国民の関心はすでに遠のいている。沖縄基地問題は、見てきたように日本の安全保障政策と密接に結びついている。一地方の「国民」の人権と暮らしの問題であるとともに、中国、朝鮮半島、東南アジアを含むアジアの安全保障のあり方と日本の選択を問う課題を提起している、と考えている。

最後に、岸本市長が受け入れ表明の際、述べた話を、少し長いが紹介して、私の報告を終えたい。

「沖縄の米軍基地が、わが国の安全保障の上で、あるいはアジア及び世界の平和維持のために不可欠というのであれば、基地の負担は等しく日本国民が引き受けるべきものである。しかし、どの県もそれをなす意思はなく、またそのための国民的合意は形成されず、米軍基地の国内分散は可能性が全くないというのが現状です。このような状況で、沖縄県民が基地の移設先を自らの県内に求め、名護市民にその是非が問われている。日本国民はこのことの重大さを十分に認識すべきだと考える」。

（第2回日中学術シンポジウム「21世紀への政治学・国際政治学」２０００年10月13、14日）

米軍再編と沖縄　削減への期待ばかりではない

◆動き出すか沖縄基地問題

「ＳＡＣＯ（日米特別行動委員会）にこだわらず、（米軍）再編の過程でアクセルを踏む」。

昨年（二〇〇四年）の十一月、沖縄タイムス政経懇話会で講演した山崎拓・首相補佐官は、普天間飛行場問題に言及し、早期返還に意欲をみせた。

五―七年の返還合意が八年も経過した。今後、着工までに三年、工事九年半、完成まで十数年と見通しを語った上で、「表現は難しいが、かなりこと志と違い、宙に浮いた」と、これまでの政策を暗に批判した。

沖縄国際大学への米軍ヘリ墜落事故は、私たちに「危険性の除去」が緊急の課題であることをあらためて教えた。「普天間」の早期返還は県民の一致するところだろう。伊波洋一宜野湾市長が思わず山崎氏へ感謝の意を示したのも、その場の期待を現していた。

十二月にはいると、一九九六年のＳＡＣＯで普天間移設をまとめた元米国防総省次官補代理のカート・キャンベル氏（戦略国際研究所上級副所長）が、同飛行場の県外移設を含めた検討が国防総省で行われているとし、米軍再編とからんで「辺野古案の合理性はもはやない」と明言した。

沖縄基地問題は一九九六年のＳＡＣＯ合意から、在日米軍再編に軸足を置き換えつつあるようだ。

◆安保条約超える在日米軍再編

在日米軍再編には、二つの大きな柱がある。

在日米軍の役割がこれまで以上に日米安保条約の枠組みを超え、米国の世界戦略と直結すること。それと並行して日米同盟の緊密化は、軍事的に自衛隊と米軍の一体化を促進することだ。テロや大量破壊兵器の拡散という「新たな脅威」に対応することがブッシュ米政権の戦略の要であり、日本はこれまで以上の役割が求められている。

私たちの関心はこの二つの「条件」によって、沖縄の過重な基地負担が軽減されるのか、それとも新たな負担を招くのか、にある。

在日米軍再編の目的、内容を大まかに見ておきたい。

ラムズフェルド国防長官の主導で進む米軍再編は世界的な規模でなされている。二〇〇一年九月十一日の米中枢同時テロ後に、一層明確となった米国の新しい安全保障戦略に沿うものだ。

弾道ミサイルや大量破壊兵器の拡散、テロの脅威、いわゆる「非対称の敵」に対応するための再編で、これを支えているのが軍事革命（ＲＭＡ）といわれる軍事技術と情報技術の高度化だ。

効率化を進めつつ「非対称の脅威」に備える米軍再編は、欧州や隣の韓国では削減の形で進められている。米本国でも基地閉鎖が進むなど軍事費の軽減も行われている。

しかし、在日米軍は削減の流れとは異なるようだ。〇四年十二月時点で、さまざまな報道から知ることのできる再編の中身は、役割・機能が拡大基調にある、といえる。

最近、防衛庁幹部らがしきりに強調する言葉がある。「不安定の弧」である。

東南アジアから中東にかけて親米国家は少なく、イスラム圏など不安定な国家が多い。しかも、米軍が使える主要基地はインド洋のディエゴ・ガルシアのほかには、グアム、そして沖縄で、その間は米軍の空白地帯である。

「不安定の弧」とはもともと米側の戦略上の見方なのだが、なぜか日本の安全保障論議や在日米軍再編問題の説明に使われている。つまり、在日米軍は中東まで含む「不安定の弧」に対応する必要があり、日本も米国と協力していくべきだ、という論法である。

その具体化が米陸軍第1軍団司令部のキャンプ座間（神奈川県）への移転だ。

米西海岸ワシントン州フォート・ルイス基地にある司令部機能を日本に移すことは、とりもなおさず日本が米軍の世界展開のための重要拠点となることを意味する。あとあと「米陸軍アジア司令部」というより広範な機能へと変貌する、という指摘もある（石川巌氏『世界』〇四年十二月号）。

ここに、日米安保条約を超える問題が起きてくる。

米軍の日本駐留を決めた日米安全保障条約（安保条約）は、軍事行動を「日本国施政の下での武力攻撃」（いわゆる「日本有事」第5条）に限定し、米軍駐留の目的を「日本国の安全、並びに極東における国際の平和及び安全の維持に寄与」するもの（「極東条項」第6条）と定めている。

「不安定の弧」を対象に陸軍の展開を図る米国の司令部設置は、「日本有事」でもなければ、「極東条項」

の範囲も超えている。

これまでも在沖海兵隊のイラク派兵や、横須賀を母港とする空母など第七艦隊もまた中東へと派遣されている。日米安保を超える在日米軍の行動は両政府の「事前協議」の対象とされているが、実態としては一度も事前協議はされず、米国の世界戦略に沿って運用されてきた。

第一軍団司令部の設置は、在日米軍の機能拡大を明確にするもので安保条約の拡大に直結する。本来ならば、条約改正が必要なほど重大な変更であるが、日米両政府からそのような話は出ない。

◆安倍・山崎両氏の考え

では、日米安保を超えた新たな米軍再編について、政権を担う自民党はどう考えているのか。再び山崎氏と、自民党若手でもタカ派で知られる安倍晋三幹事長代理に登場してもらおう。

山崎氏は、先のタイムス政経懇で、二項目とも問題はないという立場を示した。

「日本有事」は新ガイドライン（日米防衛協力のための指針）や周辺事態法で整備され、「極東条項」も九六年の橋本・クリントン日米首脳会談における日米安保共同宣言で「極東の言葉は一度も使わず、全てアジア・太平洋だった。九六年以降、極東は使わない、という認識が日米間に広がった」とし、極東条項は「死文化」していると語った。

安倍氏もまた、再編問題を積極的にとらえているようだ。昨年九月、共同通信社に加盟する新聞社の論説研究会で、次のように語っている。

安全保障問題で十年前と異なり米国と対等な議論ができるようになった―と強調した。理由は山崎氏とほぼ共通している。

有事法制や物品役務相互提供協定改正、アフガニスタンやイラクへの自衛隊派遣など日本は「できません」から「できる」国へ変化した、という。今なら政府は（ＳＡＣＯを）考え直すことができる―とも語ったが、まさに山崎氏と同じである。

防衛庁サイドからの、米軍再編を在日米軍の基地問題に限定せず、日本の安全保障、日米関係のあり方から考えるべきだという主張と、両氏の話はつながってこよう。

これら日本側の対応は、アーミテージ米国務副長官（当時）が昨年語った「個別の基地問題ではなく戦略対話から始める」とも一致する。

梅林宏道・ＮＰＯ法人ピースデポ代表は次のように指摘している。

「日本を守るための在日米軍の役割は小さくなっている。『世界的なテロ対策のためにいる』ことを認めることは、戦後日本の国防政策の大転換だ」。

戦後六十年のことし、日本は大きな岐路にあることを知っておきたい。

◆「負担軽減」の内実

米軍再編のもう一つの柱である自衛隊との一体化は、また自衛隊の性質を変え、沖縄においては増強の形で現れようとしている。

小泉純一郎首相は「沖縄の負担を全国民で分かち合うなら国外、本土移転の両方を考えていい」と語った。

首相が、沖縄の負担軽減策として米軍基地の国内移設に踏み込んだ「サプライズ発言」だが、残念ながら驚くほどの中身はまだ見えてこない。

再編協議のなかで政府は、キャンプ・シュワブに駐留する第三海兵師団第四連隊（歩兵三個大隊、約三千人）の国外移転を提案したといわれる。

一方、米側は在沖海兵隊の砲兵、歩兵部隊約二千六百人の本土移転案を日本側に伝えている。

両政府がそれぞれに「沖縄の負担軽減」を配慮してのことだとも思えるが、実態からは別の側面が見える。

政府案の第四連隊は、イラクに派遣されており現在は沖縄にいない。イラクには五千人規模で派遣され、在沖海兵隊は「空洞化」している。米側もイラク任務終了後、沖縄に戻さず、三千人規模の削減を検討しているといわれる。

政府案はすでにいない「幽霊部隊」を、ことさら削減と言っているようなものだ。

ただし、米側では海兵隊についてさまざまに削減案が検討されている。

グレグソン米太平洋軍海兵隊司令官は本紙の取材に対し、兵力の一部本土移転とともに、沖縄での海兵隊訓練をフィリピンなど海外へ移す考えを示した。

アジア太平洋安全保障研究所のスタックポール所長（元太平洋軍海兵隊司令官）は、現在の司令部機能が遠征軍（ＭＥＦ）から旅団（ＭＥＢ）規模へ縮小される見通しを語っている。司令部縮小により、在沖海兵隊は現在の三分の二程度へ削減が可能としている。

海兵隊司令官らの発言は、米軍基地、そのなかでも海兵隊の劇的変化の可能性を示しており、普天間飛行場の早期返還もその流れにあるのかもしれない。

在沖海兵隊の削減に希望が見えたとしても、「基地の島」を根底から「平和の島」に変えるには、逆行するもう一つの動きを注視しておかなければならない。

自衛隊と米軍との基地共用と、自衛隊の増強である。

◆沖縄で増強される自衛隊

前述の石川巌氏は、グレグソン司令官の注目すべき発言を紹介している。ちなみに同司令官は〇三年六月まで在沖海兵隊司令官で、四軍調整官（沖縄のトップ）だった。

「われわれは共同使用の基地（combined bases）を生み出すべく努力すべきだ。そうすることによって一緒に訓練し、一緒に出兵し、生活を共にすることが可能となる。今のキャンプ富士や岩国のように自衛隊が管理し、米軍がテナントとして駐屯する基地を増やすべきである」（『米海軍協会報』〇四年二月号）

石川氏は「ここ一、二年来の急激な米日軍事一体化の好機を取り逃がさずに、在日米軍再編を進めようということである」と書いている。

小泉首相の諮問機関「安全保障と防衛力に関する懇談会」の報告書は、安全保障政策の大転換をうたっている。

「二〇〇一年九月十一日、安全保障に関する二十一世紀が始まった」とする報告書は、テロや犯罪者集団など非国家主体からの脅威を真正面から考慮しないと、安全保障は成り立たない――と、米国の安全保障戦略とまったく同じ認識に立っている。同時に自衛隊の海外派遣の「本来任務」への格上げ、を主張している。

この報告書にそって、昨年十二月、政府は今後十年間の防衛力の指針となる新「防衛計画の大綱」と次期中期防衛力整備計画を決定した。

専守防衛の考え方に沿った「基盤的防衛力」構想を見直し、テロなど新たな脅威に対応する「多機能弾力的防衛力」への転換をうたっている。日米同盟重視が鮮明となり、ブッシュ米政権の「テロとの戦い」を基盤とする安全保障戦略への日本側の連動策なのは、これまで見てきたとおりである。

沖縄に関しては、陸上自衛隊第一混成団を増強し旅団へ格上げする。

現在の陸自混成団に約八百五十人の普通科連隊を新設、二千三百人規模の旅団にする方針だ。ほかにも、宮古島への陸自部隊の配置、航空自衛隊那覇基地のＦ４戦闘機部隊を機動力の高いＦ15戦闘機部隊への変更も検討課題としている。

またこの間、下地島空港の利用が何度か取りざたされてきた。

背景には中国脅威論があり、新防衛大綱は「新たな脅威や多様な事態」のなかで「島しょ部に対する侵略への対応」を位置づけている。

沖縄の負担軽減を目指し、普天間返還などを決めた九六年のＳＡＣＯの協議で両政府が選択したのは、米軍の機能維持を前提に沖縄への基地集中の継続を意味する県内移設だった。

今回の在日米軍再編も、日本の安全保障のための米軍の抑止力維持とともに沖縄の負担軽減がうたわれている。

しかし、米軍の役割ばかりか自衛隊と一体化した「新安保体制」への変質、が透けて見える。日米「両軍」の「基地の島」として続くことを警戒しなくてはならない。

◆基地の島から平和の島へ

歴史的に沖縄の節目は、日米安保の「大転換」と重なってきた。それは大きく三度にわたっている。最初が一九五一年。日本の独立と沖縄の分離・米軍支配が決定したサンフランシスコ講和条約締結と同時に、(旧)日米安保条約は両国間で結ばれた。米国の直接統治下に置かれた沖縄は「反共の砦」と位置づけられ、「基地の島」建設が本格化した。

二度目が一九七二年の祖国復帰。県民は祖国への願望とともに、基地撤去を訴えた。結果は、適用された日米安保条約の要としての「基地の島」の延長であり、実質的な米軍の基地自由使用であった。また、日本防衛にとどまらず、韓国や台湾の防衛も重要と、日米安保の拡大もこのときになされた。

三度目が九五年にはじまった「沖縄基地問題」である。

米兵による事件への怒りが日米政府を動かし、ＳＡＣＯを導き出しはしたが、日米同盟の「地球規模」の協力、安保再定義、さらに日米の有事研究の開始などが合意されていった。今日の有事法制の流れが、普天間返還を含むＳＡＣＯ合意の一方で進められた。

現在の日米同盟の強化が、中国脅威論を背景にしていることも気になる。

沖縄は尖閣諸島を持ち、台湾とも接している。「国境の島」が六十年前と同じく「国土防衛」の役割を再び持たされることを危惧する。中国を含め東アジアのなかで、共生していく方途を探るべきではないだろうか。

沖縄県の将来にどう影響するのか、米軍再編と自衛隊問題はこの地点から見る必要がある。今年は戦後六十年、「基地の島」から「平和な島」に立ち返るために、ひとりひとりがなにをなすべきか。考え、行動を起こす時を迎えている。

（『うらそえ文芸』第10号　２００５年5月）

Ⅳ　「実相」を語り継ぐ——沖縄戦

マラリアの悲劇　波照間島

忘勿石

六月二十三日は「慰霊の日」。沖縄戦から三十七年たった。戦禍に巻き込まれた一般住民の犠牲者は十二万人余を数え、県民は「6・23」を平和の誓いの日として毎年迎える。〝戦闘なき戦場〟となった宮古、八重山の人々の悲劇はあまり知られていない。そのひとつ、波照間島は、全住民が一人の特務機関の軍人によって西表に強制移住させられ、約五百人、三人に一人がマラリアで亡くなる地獄の島と化した。今、国からの補償もなく、住民の死は歴史のかなたに追いやられようとしている。日本最南端、サンゴ礁に浮かぶ島・波照間島。赤がわらの屋根と石垣に囲まれた静寂の島を襲った〝沖縄戦の悲劇〟をルポした。

八重山の戦争の悲劇は、日本軍による飛行場建設など労働、強制疎開、さらに食糧難によって引き起こされたマラリア禍であった。

強制疎開によるマラリアの犠牲者は、八重山全体で三千六百四十七人。人口三万一千人余で、二割あまりがかかり一割にあたる住民が死んだ。

波照間の疎開は、沖縄戦の始まる直前の一九四五年三月下旬、村長を通して伝えられた。住民は連日のように協議した。マラリアのない波照間の人々はマラリアの地・西表への疎開をおそれた。軍命として賛成する者と二つに分かれた。

この疎開決定において、山下虎雄という青年学校指導員が大きな役割を果たす。

「協議のとき山下が来て、疎開せよと一方的に命令した。反対する者は切る、牛馬も皆殺す、家も火をつけて焼き払う、井戸にも毒を入れる、と押しつけるだけで島民の声など全然聞かなかった」と住民は断言する。米軍上陸を予想した日本軍は、住民を西表に疎開させ、牛馬は米軍の食糧になると考えた。

山下指導員（本名・酒井清、護郷隊では酒井喜代輔軍曹）は、特務機関、陸軍中野学校出身で、名を変え波照間に赴任、「軍命だ」と住民を疎開へと追いやる。島にいる軍人は彼一人、抜刀し威かくする命令は絶対であったと多くの証言者は語る。

疎開準備は、まず家畜の大量と殺から始まった。『沖縄県史10、波照間の戦争体験』をまとめた同島出身の玉城功一さん（46）は「軍の食糧確保のため住民を強制疎開させたのでは」と言う。

当時、波照間は家畜の豊かな島であった。やせた土地を耕すに牛や馬は大切だった。牛馬合わせて八百頭、豚四百頭、山羊千七百頭、五千羽のニワトリ。そのほとんどが殺され、カツオ節工場でくん製にされ、軍が徴用した。また疎開地へ移っていく住民の食糧となった。

さらに残った牛馬は、米軍の食糧になってはと次々と殺された。リン鉱跡の穴は、骨で埋まり、血のとび散った木々にハエがたかった。「島のいたるところで殺された牛馬が腐敗し、異様なにおいがたち込めた」と県史で住民は証言している。

この家畜の地獄は、二カ月後の住民のマラリア地獄への序章にすぎなかった。

波照間の北に位置する西表島。多くの島民が疎開した南風見田（はえみだ）からは、真南に約二十二キロ離れて波照間島が見える。

本島において沖縄戦が惨状をきわめていた頃、波照間島民約千五百人は、南風見田の浜に渡り、アダンの茂る密林の下で避難生活を始めた。

この浜の東側に岩場がある。たたみ十畳ほどの平べったい岩が二つ並んでいる。そこは、米軍機の空襲におびえつつ、島の子供らが学んだ〝教室〟だった。

奥まった岩の一つに、消えかかった文字があった。

『忘勿石　ハテルマ　シキナ』

三十七年の歳月を超え、浜辺の白い砂をかけるとくっきり浮かんだ。当時の国民学校・識名信升校長が、マラリアで死んだ生徒を悼み「波照間住民よ、この石を忘れる勿れ」と刻んだ痛恨の文字だ。西表疎開して間もなく、住民の最も恐れていたマラリアが襲ってきた。

仮埋葬

波照間の住民の疎開は、一九四五年四月八日。沖縄本島への米軍上陸（四月一日）から一週間後だった。

家畜のと殺と荷造りを進める一方、五つの部落から先遣隊を出し仮小屋造りを行っていた。西表島の南海岸、南風見（はえみ）。アダン、ユウナなどがうっそうと茂る密林の下に、細長く小屋は造られた。中央に通路があり、男女が分かれて寝たという。

密林は米軍機から住民をカムフラージュした半面、カやハエとの〝同居〟を強いた。梅雨に入ると、じめじめと湿り、砂地に掘った便所は雨で崩れ、ウジムシがあふれ出した。

約千五百人の移住は、米軍機の空襲を避け夜闇にまぎれて行われた。カツオ漁の船に乗り、二時間ないし三時間。船の中で陣痛を起こした東里ミヨさんは、沖縄県史で語っている。

「旧三月三日の晩出発したが、夜中に陣痛が始まり、明け方西表に着いた。上陸して二里の山道を南風見まで歩いた。周期的にくる陣痛の合間をどのようにして歩いたのか知らない」。その子は無事出産、元気に育った。が、九月に栄養失調とマラリアのため生後五カ月で死んだ。

出生届を出さぬまま、死んだ子は多い、と東里さんは語っている。

住民のほとんどは、南風見に疎開した。北、名石、南の三部落は東側、前、富嘉両部落はシタダレ川の近くの西側。東側は広い砂浜と原野に恵まれ、岩陰も多く空襲を避けることができたが、川の水は濁り、マラリア感染の危険性が高い。一方、西側は海岸にせまり狭かったが、シタダレ川の水は澄み、マラリアの少ないところだった。このほか、古見、由布島に移り住んだ人々もいた。

同じ浜に沿い、わずか数十メートル離れた疎開地の違いが後の不幸の大きな分かれ目になった。

「ここはマラリアが多いから昼寝をしないこと。カにかまれるからと、寝るとよくたたかれた。感染するカの名前を何度も教わり、今でも覚えている」と当時小学三年だった平田（旧姓新城）登美さん（47）は、疎開地での授業について語る。「アマダラ・アノフェレス・カ」とそらんじた。

石垣に住む識名信升元校長は「もう授業どころではなく、志気高揚とイモ作りをさせるだけだった」と岩場の学校について語る。子供たちは、波が引いた直後の締まった砂地に、文字を書いて学んだ。

「ユタがね、今でも島人と共によく来るんです。魂を拾いに」と話す保久盛長正さん（52）。五三年、波照間から南風見に近い豊原に移住した。

当時住民の住んだ密林から数十メートル離れた原野にマラリアで死んだ約八十人の仮埋葬地がある。掘りやすい砂地の墓地であった。

アダン葉ムシロにくるみ、砂岩の小石に名前と死亡年月日を刻んで埋めた。戦後の四七年、人々は掘り返し、島に骨を持っていった。今、その跡がくぼ地となって、密林の中に残る。

「当時はススキのような草が茂る原野でした。不思議と埋めた所に大きな木が伸びている。収骨の日もきょうのように暑かった」。一つひとつのくぼ地を指さす保久盛さんの額に汗が流れる。ことしの六月十五日、梅雨空のどんより曇った西表は、三十七年前の波照間の人々のあえぎにつながる。

保久盛さんの妻、康さん（53）は「島から持ってきた食糧もなくなり、ソテツを食べ始めた。植えたイモはまだ育ってなかった。牛が食べられる草は人でも、と…」。飢えが始まった。

七月に入り、暑さが増すにつれてマラリア患者は急増する。薬とてない中で、ヨモギの汁を飲ませ、かかったら死を待つ。「母親が死に、一人の幼子はその乳房をくわえ、他の一人はかたわらで泣いていた」（佐事安祥さん・故人）

死者は、東側の三部落で七十人を超え、西側の前、富嘉両部落で三人、ほか古見部落で四人と続出、住民は「死ぬなら生まれ島で」と波照間に帰ることを願った。

生き地獄

「食べ物は底をつき、それにマラリアでしょう。このままでは全滅だ、とにかく早く島に帰ろうと石垣の旅団司令部に直訴した」と語る識名信升元国民学校校長。

夜闇にまぎれ、識名校長は島づたいに石垣に渡った。七月三十日のことだったという。宮崎武之旅団長は、疎開解除を許可した。

「私が、もう帰れるんだ、と言うとね、みんなバンザイ、バンザイでね、涙を流してね…」。マラリアにあえぐ波照間の住民は、狂喜した。だが、解除命令を信用せず、反対した人物がいる。

山下虎雄指導員（護郷隊）であった。沖縄県史で波照間の悲劇をまとめた玉城功一さん（46）は「山下は疎開解除を拒んだ。なぜ、彼にそれだけの権限があったのか、そこに隠された特務機関の秘密があった」と言及する。

しかし、ここで住民は立ち上がる。八月二日、疎開地の西表・南風見で緊急部落会を開く。山下指導員は疎開解除を拒否、「島に帰るなら玉砕することを覚悟しろ」と怒鳴ったという。島に帰って玉砕するか、残ってマラリア禍の中で生活するか。住民は全員一致で帰島を選んだ。強制疎開から四カ月後のことだった。

八月七日、住民は生まれ島への帰島を始めた。重病人や老人、子供を先に。「せめて島で死なせてあげたい」と願った。

だが、波照間の悲劇は終わりではなかった。島に戻った住民を襲ったのは、南風見にましてのマラリアと飢えであった。

八月末、石垣から復員した保久盛長正さん（52）は変わり果てた島に驚いた。

「夜の九時ごろ島に着くと同時に、人は住んでいない、全滅したと感じた。村道まで背たけほどの草が伸び、家々から明かりはなく、人声もしなかった」。島はマラリア地獄と化していた。

「家にたどりつくと、嫁いでいた姉がワァワァと泣いて飛び出してきた。髪の毛は抜けおち、とても人間とは思えなかった。各部落を回ると、腹は大きくふくれ、手足は骨と皮となっている人が、立つ気力もなく横たわっている。親類のある人は、意識もはっきりせず、下半身裸でたれ流していた」。姉の大泊ミツさんの嫁いだ大泊家は、十七人家族から嫁のミツさん一人が生き残った。

「話したくありません」。固く口を閉ざすミツさんは、一人生き残った者の苦しみを背負い続けている。玉城さんの聞き取りした『沖縄県史10巻』を引用させていただく。

『南風見では長男の嫁が妊娠八カ月でありながら亡くなり、またその子（五男）も。そのときまでは私も三男の姉嫁も元気でしたので、他の人に棺（かん）を作ってもらい、四、五人で葬式しましたが、当時にしては最高の葬式でした。

その後は大家族のうえに食糧も少なく、栄養失調と看病不足で次々枕を並べて死んでゆくのでした。私の二男（四歳）の葬式は、むしろに包んで元気な方を頼んで二人で燐鉱の石垣の側に運び、土を掘って埋め、石でかぶせておきました。まるで動物を埋めるようなものでした。それでも後の葬式に比べれば、土を掘って埋めたので良い方でした…』

「本島とは違う、こんな犠牲もあったと伝えてください」

─波照間の取材中、ほとんどの人がそう前置きした。言葉で言いつくせないもどかしさを訴えつつ、人々は語り始めた。

保久盛（旧姓新城）康さん（52）は「家族全員が枕を並べて寝たっきり。父親が死んでも悲しみさえわいてこない。自分もそうなるんだ」とぼんやり考えていた。

人口千五百九十人、うちマラリアにかかったもの千五百八十七人。病魔を逃れたものは、わずかに三人。死亡者四百七十七人（八重山民政府調べ）。当時の区長の調査では未届けの新生児、マラリア以外の死亡者を含めると七百人を超えたという。

疎開のため食糧となる家畜を失い、田畑も荒れ果てた。本格的な救援の始まったのは翌四六年四月。その間の八カ月間、島の人々は死と直面し続けた。波照間の沖縄戦は、まだ終わっていなかった。

続く沖縄戦

「家族が死んでも、こわいとは思わず、ただ、どんなにして始末するかだけ考えていた」と浦仲タカさん（53）。

父母をはじめ九人の家族を失い、妹と二人だけ生き残った。「薬もなく、井戸水をくんで冷やすだけ。でも、水をくむ元気もない」。一番座か三番座そして裏座まで、病気の家族と遺体が一緒だった。

「周期的にふるえがきて、やがて高熱を発す。わかるんですよ、そろそろだな、と」。マラリアについて語る新盛良政さん（55）。

少しでも動ける者は、食糧となるソテツの切り出しと葬式に当たる。途中で背筋がゾクッとくる。「やって来た」とミノやあるだけの服を着こみ、ソテツの下にもぐり込む。新盛さんの場合、三十分ほどでふるえが止まった。そして作業を続けた。

マラリアとは、ハマダラカによって感染するマラリア原虫による伝染病。赤血球を破壊する時期に発熱し、一日おきに発熱する三日熱、四日目に発熱する四日熱、不規則な熱帯熱の三種がある。高熱と食欲減退で、体が衰弱し死亡する。

方言で〝ヤキー〟〝ヤイ〟と呼ばれる。西表の移住部落が全滅するなど、八重山を中心に長く苦しまされた伝染病だ。戦後は、ハマダラカの撲滅が進み、一九五八年二人が死亡したあとは、県内感染患者の死者は出ていない。県は七八年十一月、石垣市で開かれた第十回県公衆衛生大会学会で、マラリア終息宣言を出した。

ソテツの切り出しに行ける人は軽い方だった。高熱で脳を侵され走り出し、十数年後洞くつで白骨で見つかった人もいる。田んぼに釣り糸をたれ、「家族に魚をやるんだ」とつぶやく男性、腐乱するまで発見されなかった孤独な死…。食糧もなく、家族全員が寝こみ、全滅した一家も数軒あった。元気で復員した男たちも、次々と病に倒れた。

保久盛康さん（52）は「体の倍も、風船みたいにお腹がふくれる。立つこともできず、髪の毛はすべて抜け落ちた。戸にしがみついて立ち上がれた時のうれしさは、今でも覚えている」と語る。

一家で多くの死者が出ると、墓もいっぱいになった。勝連文雄さん（65）は「一日三つの遺体を運んだ。一方に石、片方に遺体を載せ、天びん棒でね。人間とは思われず、動物のように…」。

サンゴ礁の土地は固く、岩が多い。体力がなく掘る力もない住民は、浜辺に近い砂地や燐鉱跡の岩を用いて遺体を埋めた。保久盛長正さん（52）は「葬式なんていうものではなく〝捨てる〟ように。

むしろに巻き、マーニー（ヤシ科）の葉に乗せて引っぱった。岩を周りにつみ、葉をかぶせるだけだった」。

「生き残る自信はだれもなかった。自分もそうなると思っていた。生き地獄とはあんなものでしょう」と花城辰末さん（63）。男たちは、毎日葬式にあけくれていた。

死者の多くは四五年八月から十二月に集中している。その年の暮れ、石垣の日本軍旅団から二人の軍医と数人の救援隊が派遣された。わずかの医薬品と食糧を持って。「たったそれだけですね、日本軍が援助したのは」と康さんは言い放つ。敗戦後残った軍には、住民を助ける力はなかった。

翌四六年四月、八重山支庁の本格的な救助活動が開始され、波照間島はようやく地獄からはい出した。

「昔なら親の敵、憎んでいますよ。なぜ彼が、何を思って島に来るんだ」。激しい怒りの口調で一人の婦人は語った。「彼」とは当時の山下虎雄青年学校指導員（残置工作員・酒井清軍曹）。強制疎開を直接命じた日本兵だ。

昨年八月、酒井元軍曹は島をこっそり訪れた。波照間の人々は、三十六年前の怨念をこめて、彼への抗議に立ち上がった。陸軍中野学校（特務機関養成所）出身の酒井軍曹の活動から住民に犠牲を強いた沖縄戦の本質が浮かび上がってきた。

離島工作員

『あなたは、今次大戦中から今日に至るまで名前をいつわり、波照間住民をだまし、あらゆる謀略と犯罪を続けてきながら、何らその償いをせぬどころか、この平和な島に平然として、あの戦前の軍国主義の亡霊を呼びもどすように三度来島したことについて全住民は満身の怒りをこめて抗議する—略』

昨年八月七日、浦仲浩公民館長はじめ、五つの部落代表、老人、婦人、青年会、町議など十九人の連名でもって、山下虎雄元青年学校指導員の来島に対し、直接抗議を行った。

抗議書には『山下虎雄　酒井喜代輔　酒井清　殿』と三つの名が記されている。

山下は波照間赴任での偽名、酒井喜代輔は石垣の第四遊撃隊での名、清は本名。彼は赴任当時、二十代前半で陸軍中野学校（諜報要員養成機関）出身の残置工作員だった。

離島工作員は、無防備離島の諜報と遊撃戦の戦闘準備のため、派遣された。伊平屋、伊是名、粟国、久米島、多良間、黒島、西表、波照間、与那国の九島に一～二人ずつ配置された。離島に配置された「離島残置工作員」は、国民学校（小学校）の教師や青年学校の指導員に化けて、島の青少年へ護郷精神を教え込み、遊撃戦、ゲリラ戦の要員を養成していた。

沖縄戦の実態調査を進めている石原昌家・沖国大教授は「彼らの任務は後方かく乱だった。負けがわかっていても国体維持、本土決戦を有利に導くため、沖縄で住民を巻き込んでの抵抗戦を計画した」

と指摘する。

山下指導員は、四五年二月初旬、県知事の「青年学校指導員」の辞令を携えて赴任した。疎開命令の下った三月下旬、山下指導員の態度は一変する。長髪を切り落とし、軍服に身を固め、帯刀した。工作員から本来の軍人の姿を現したのだ。

「それまでの〝奥さん〟から、〝きさまは〟と話し方まで変わって」と識名清・校長夫人は語る。無防備離島の波照間で、山下は唯一の軍人として君臨する。強制疎開命令の忠実な実行者として、島民を威嚇する。

「自分の言葉は天皇の言葉と思えと怒鳴る。太い精神棒で父親が目の前でぶたれた」「(疎開に)反対の声があると、日本刀を振り回し、きるとおどした。だれひとりものを言う人はいなかった」。

「スパイ変じて救世主」とのタイトルのついた一文がある(畠山清行著、「陸軍中野学校」)。その中で『山下先生は、およそ起き上がるだけの気力のあるものをことごとく動員して、部落の再建に駆け廻った』、彼の言葉として『先年島を訪れた。島民からひどい仕打ちをうけるかもしれない、あるいは殺されるかもしれない』と考えたが『殺されるどころか、〝山下先生が帰って来た〟と大歓迎をうけたのは、実に嬉しかった…』

島の人々は、この話に猛反発した。

浦仲公民館長は「事実に反することが公表され、私たちの怒りは知られないまま終わってしまう。

その時も、彼は内密に島にきて、一部の同じ護郷隊や〝身内〟と会って歓迎されただけだ。彼がなぜ島に来るのか。もっと隠された意図があるように思える」と語る。

昨年夏、三度目の来島を知った浦仲さんらは大急ぎで連絡しあい、抗議文を突きつけた。酒井氏は「みなさんから抗議を受けるのは心外だ」と答えたという。

当時の村議・仲本信幸さん（故人）が、マラリアの地・西表への疎開は非常識だと反発したとき、山下指導員の言葉として次のように県史で証言している。

「慶良間島に敵の潜水艦から米軍が上陸して、島の有志がとらえられ、日本軍の配置がもれたのでたやすく陥落した。波照間にもそのことがおこらないとも限らない」。

沖縄戦は、軍が住民を巻き込んでの戦いだった。現地召集は男ばかりでなく、学生、婦女子まで駆り出した。本来、軍機密を知らせてはならない一般住民の力を借りて戦うことに、軍の作戦の自己矛盾があった。そこに「捕虜となればスパイと見なす」という軍の論理が生まれ、幾多の悲劇が起こった。

波照間の強制疎開の悲劇は、住民を巻き込んでも本土決戦までの時間かせぎを行う日本軍の沖縄作戦の本質につながっている。

体験を伝える

波照間島の創世伝説は「油雨（アバーアミ）」という。

その昔、人口が増えた島には盗み、殺人などが起こり、人々の心がすさんだ。その時、島全体に油雨が降り、すべてを焼きつくしてしまった。助かったのは心の正直な兄妹二人だけだった。波照間の人々は、この正直な心を持った二人の子孫であり、最初に生まれた女を「アラマリィヌパー（新生の女）」と言う。

波照間の人々は、昔から正直者といわれ、そのことを誇りにしていた。

道に手ぬぐいが落ちていると、石垣の上に置いておく。持ち主が現れるまでいつまでも残っている。つい最近まで、沖縄のどこでも見られた風景だ。波照間でも、その心は大切に保たれていた。

「ドロボウ裁判」が、戦後起こった。保久盛康さん（52）は「盗人が増えてね。一緒に分けあっていた者同士が、盗むんです。嫌でしたね」と話してくれた。

その裁判は、部落長が裁判官を務めた。原告と被告二人を対峙させ、訴えた者に対し「とったと信じているならば、相手にびんたをくわせろ」。今度は、ぶたれた者に「自分が盗んでいないと思うなら、相手をたたきなさい」と。

「私は子供だったたし、自信あったので相手をぶちました。その人は返さなかったですよ。でも、悲しくてね」と康さん。戦争による荒廃は、人の心にまでもぐり込んだ。しかし、この裁判は、底辺で互いの正直さを信頼して行われた。アバーアミの心は、島人に深くいきづいていた。

「戦争で島の歴史は、大きく失われた」と玉城功一さん（46）は、残念がる。

〝波照間の人とは古謡ユンタの勝負はするな〟と言われたほどの歌の島。農作業で年寄りがユンタ、ジラバを歌い、若者が覚えた。「多くの年寄りが死んだ。歌を伝えることもなく、マラリアに倒れた」と玉城さん。

さらに、祭祀の簡素化、農業の変化（アワ、稲作からキビ作へ）など、島の古い慣習は失われつつある。

取材中、ユイマールによる共同作業に出会った。親せき十数人が集まり、墓づくりを行っていた。

その一人、新盛良政さん（55）は「主が来た人の〝借り〟を控えておく。Aさんは何日間来た。Bさんはたたみ何畳持ってきた」と。この控えた〝ユイ帳〟は、各家庭にあり各種のユイについての「貸し、借り」を記す。労賃で八千円受け取るのを、五千円にして、次の機会にその分の労力を受けることもある。

「いずれは自分も（墓を）造らんといかんしね」と新盛さん。離島の小島で互いに助け合って生きる知恵が、システムを作り、今に引き継がれている。それは、キビ刈りの班単位の活動にも生かされていた。

だが、このユイ制度も近年変わりつつある。青年らはユイに頼らず、石垣から大工を呼んで家を造る。加屋本正一さん（31）は「経費のムダが省けるし、時間も速い。また、老齢化が進み、青年が働いた〝貸し〟が、いざ本人が家を建てる際には戻ってこない」と青年を代表して語る。

労働の相互扶助（ユイ）の崩壊現象と、島の過疎化、老齢化は関連している。

今、島の大人たちは沖縄戦の体験を子や孫に伝えたいと具体的な活動を始めつつある。

公民館長の浦仲浩さんは「子供たちに、知らせなければならない。そのためにも慰霊碑を建てたい。

死ぬべき立場にない人たちの、悲憤の霊を慰める碑にしたい」と。

玉城功一さんは「犠牲者の実態を調べ直す必要がある。各人が自分の家のことから記録すること。戦争は忘れかけたころやってくる」。保久盛長正さん（52）は「若者たちは自衛隊をかっこいいと言う。戦争とは、こんなに悲惨なんだ、戦う力もない人が犠牲になるんだぞ、と教えてあげたい」。そして「国に補償を求めたい」と異口同音に語った。

取材した多くの家は、子供たちが石垣、本島に渡り、老夫婦だけが残っていた。その一人、花城辰末さん（63）、「語ろうと思っても、子供たちはみんな旅に出ていない。あと十年、二十年したら、戦争はあったそうだ、としかならないだろう」と寂し気に話した。

地獄を見、生き残った島の人々は今、切実に体験の継承を願う。自らの責任として担おうとしている。

（『沖縄タイムス』１９８２年６月21〜26日）

鉄の暴風から40年　宮古・南静園

「軍が動けない」と強制隔離

ハンセン病の国立療養施設「南静園」――平良市街地より北へ約十キロ、大浦と島尻両区の間にある。こう配の急な坂を下ると、整然と並ぶ治療棟と入園者の寮。東に美しい砂浜が広がり、リーフが内海を守っている。波が削った自然の洞穴は、北の島尻区へと連なる。入園者たちはその荒けずりの自然の壕で生死の境をさまよった。

「強制収容ですよ。町役場の衛生係が憲兵二人と来て、〝あんた方みたいな病人がいたら、軍が思うように動けないから〟と家から園に連れていかれた。治療より社会の浄化、汚れるから一カ所に集められたようだ」。

与那覇次郎さん(67)は怒気をはらんだ口調で、体験を語りだす。悔しさと悲しみをともないながら。

戦前、国家のハンセン病対策は、彼らを一般社会と引き離す〝強制隔離撲滅政策〟であった。患者を強制隔離し、伝染を抑える。では〝撲滅〟とは、何を意味していたのだろうか。

宮古では、一九三八（昭和十三）年に続いて、戦火の気配が濃厚となった四三～四四年に、再び強制収容が行われた。後者はとくに〝軍強制収容〟と呼ばれる。軍事優先の時代、作戦遂行のための隔離であった。南静園には、八重山を含め先島全体から連れてこられ、入園者は四百～四百五十人に上った。

与那覇さんは、三八年に入園、四二年に妻の出産もあって母、姉のいる平良の久松に戻っていた。男手は与那覇さんだけであり、病に侵された指を傷めつけつつ農作業を続けた。

四四年のある日、衛生係と憲兵が来た。立退命令書を読み、与那覇さんと話をするのは役場の衛生係だけである。二人の憲兵は、息をつめるように無言のまま、ただ、その手にはけん銃が握られていた。「家具を整理するため一日待ってくれ、と頼んだが聞き入れてもらえなかった」。

「石垣の入園者は船からクレーンでつりあげられた。まるで荷物扱いでしたよ」と目撃談を語る下沢伸夫さん（69）。島内の療養者は、人目に触れるのを嫌い、夜間ひっそりと園に向かった。残された家は、家具ごとすべて焼きつくされた。

「部落の人も、家族も病気は嫌っていますよ。でも、部落はずれや、家の裏座で暮らしてはいけた。私たちをみじめに扱ったのは政府ですよ。それに園の職員」と二人は言う。

隔離政策は、入園者の無断外出を厳しく取り締まり、違反すると監禁室に入れた。通貨も、園内だけで通用するセルロイド製の〝円券〟にかえられた。

「収容所ですよ」と与那覇さんは語る。「男は去勢、女は堕胎、それが所内の規則でした。私らの人生に何も残らない。みじめでしたよ」。

そんな生活の中で、入園者らは宮城遥拝をし、陣地構築のマツ切り出し、壕掘りにかりだされた。四四年十月十日、宮古も二度にわたる空襲を受け、軍用員死傷十人、民間人は四人の死者を出す。翌四五年三月二十六日の空襲で南静園に初めて犠牲者が出る。即死一人、四、五人が傷を負い、いずれも後に亡くなった。

この時を境に、多田景勝園長ら職員はすべて園を離れた。医療はマヒ状態となる。空襲で施設は焼かれ、入園者は海岸の洞穴へ避難する。

四百人余の〝自給自足〟の生活が始まる。空襲におびえる洞穴生活、飢え、無医療、病苦、さらにマラリア、赤痢、毎日のように死者がでる地獄の日々は、敗戦を知らされることなく九月まで続く。

飢えと病が襲う

当時、南静園の入園者は軍強制収容によってふくれあがり四百人余といわれるが、確定した人数は明らかではない。はっきりしているのは、戦時中の死亡者が一九四四（昭和十九）年二十三人、四五年百十人にも上ったことである。逃亡者も続出し、戦後の入園者は百十六人に急減していた。

日本軍の機銃陣地化、続く空襲による施設焼失、職員の雲隠れ…入園者は四五年三月から九月までの約半年間、海岸の洞穴で生死の境をさまよった。

飢え、病は極まった。

毎日のように死者が出た。多くはマラリア、赤痢である。朝、夫が死に、午後に妻が後を追う。下沢伸夫さんの妻もマラリアで亡くなった。「裏山で十五、六の男の子が餓死していた。与那国から強制収容されてきた子だった」とも。

死者には五人の少年も含まれている。空襲のない日、海辺で腐りかけの魚の頭をむさぼり食べていた小学五年のＹ少年。入園者の一人が、捨てるように注意すると、少年はためらった後、手のなかの魚を思いきって海に投げた。少年は二カ月ほどして死んだ。

「少年たちは社会復帰が可能だったのに」と、二人は尊い生命を悼む。

「本来、私たちとともにあるべき職員は、みんな逃げた。食糧をつくり、治療する者とてなく、もう療養所ではなかった」と与那覇さん。死者を葬る日々であった。

三年前、一つの〝嘆願書〟が米・スタンフォード大学のワトキンス・コレクションで見つかった。四五年十一月、当時の石原雅太郎平良町長より米軍政府あての手紙である。

「住民は食料が不足しています。ある人は日に一回、ある人は日に二回、食事をとっています。しかし、ある人は野菜や果物を主食にし、ある人は餓死に直面しています」(『平良市史第六巻戦後資料集成』)

――切々と宮古の窮状を訴え、救済を求めている。二万五千余の日本軍が残ったまま、宮古六万の住民が飢えに直面していた。

そのころ、南静園は〝隔離収容〟のまま、飢えと病に侵され続けていた。

「私たちは八月十五日の終戦は知らされなかった。九月になって、どこからともなく日本は負けたとのうわさが広がった。なら、園に戻ってみようか、ということになった」と与那覇さんは語る。

園に戻った人々は、早速、畑でイモ、野菜づくりを始めた。焼け残りの木材とカヤで小屋も建てた。生活が落ち着くと、仮埋葬の犠牲者の骨を掘り出し、納骨堂にまつった。園にアメリカ物資が入ったのは四七年になってからだ。

ことしの六月二十三日慰霊の日、南静園はいつもとかわらない。自治会長の前里財祐さん（63）は「みんな病と闘って死んでいきました。旧盆に、すべての亡くなった方々の慰霊祭をやっています」。「病との闘い」には、国家、そして社会との闘いも含まれる。

体験談をひと通り語り終えた時、下沢さんが「本名は平良でした」と静かに話しはじめた。

一九四一年、実家に帰った下沢さんは、「消毒済」と朱印が押されていた自分の手紙を見た。「いやな気持ち、寂しさ。もう平良は死んだ、新しく生きよう」と名を変えた。同じような体験で改名した人は多く、今また元の名に戻す人もいるという。

最近、下沢さんの生まれた部落の九月の敬老会へ、甥から招待したい、との連絡があった。うれしさとまどいの表情で「後遺症がなければ参加するんだが…」と曲がった指先を気にする下沢さん。「行きなさいよ。私たちが勇気を出すことですよ」とみんなが笑顔で励ました。

（『沖縄タイムス』1985年6月27・28日）

沖縄にとっての日の丸・君が代

◆復帰20年　高校生と日の丸・君が代

「方言札」って知ってますか。明治40年頃から沖縄戦まで、日本化・皇民化のために、沖縄の政治家や教師ら指導者たちが標準語を押し進め、沖縄の言葉（方言）の〝撲滅〟に乗り出した、そのときに学校で用いられた方法のこと。札とあるように、土地の言葉を使った生徒に罰として「方言」と書いた札を首などに吊した。

その方言札による標準語教育が戦後、今度は米軍支配下にあって、祖国をめざす教師たちにより再び学校で行われた。君が代・日の丸問題は、沖縄においては皇民化・日本化という歴史と重なり、身近には言葉の標準語化とも深く結びついている。そのことはさらには、国と地方（沖縄）の関係はどのようにあるべきなのか、人びとはどのように生きたいと願うのか、という問題としても考えられてきた。沖縄の高校生たちにとっての「日の丸・君が代」について、戦後史と重ねながらレポートする。

◇　◇　◇

この原稿を書いている最中の6月27日（1992年）、復帰20周年を記念しての九州高校総体が開幕した。その開会式では君が代斉唱と日の丸掲揚があり、高教組は押しつけに反対の立場で県教育庁へ申し入れた。県教育庁も大会の要綱に沿うという型どおりの回答だが、そのなかで「国歌・国旗に対する県民の認識は復帰後だいぶかわってきた。歌わないのは少数になっている」と、沖縄社会で受け入れられてきているという言い方をしている。

当日、生徒たちは、行政と教組の双方への答えを用意していた。君が代斉唱では150人の合唱隊はほぼ全員が押し黙り、250人の吹奏隊も三分の一程度が演奏したに過ぎなかった。取材記者は「音量も小さめで遠慮がち」と記事にしている。

「帽子をおとりください」のアナウンスに合唱隊はかぶったまま。この日、沖縄は梅雨明けの夏空で、気温も会場の陸上競技場は36度にものぼり、本土勢は6人が救護室に運ばれたほどの暑さ。合唱隊が脱帽しなかったことを責めるわけにはいかない。

スタンドでは観客の多くが立ち、数少ない座り込み組はとうの高校生たちだった。「起立」に立ちかけた女生徒は「君が代だって」と腰をおろした。「拒否反応」と決めつけるのは大人の側の思い込みで、「面倒臭い」といった調子だったと取材した二十代の記者は語っていた。

◆米軍政下、教師たちは日の丸を求めた

日の丸と君が代について、戦後の沖縄の流れを追ってみる。

太平洋戦争の末期、沖縄は米軍の支配下に入る。1945年3月26日、米海軍ニミッツ元師は布告第一号を出し、南西諸島地域での日本の行政権を廃止すると発表した。布告第二号（戦時刑法）は「日

本帝国旗を掲揚し、あるいはその国歌を唱弾する者は禁固、または罰金、あるいは両刑に処する」と処罰の対象とした。8月15日の敗戦の前に、すでに占領された沖縄では日の丸・君が代が禁止されていたことになる。

52年4月28日、サンフランシスコ講和条約が発効され、日本は独立を果たした。この日に沖縄では、米国民政府（在沖米軍の統治組織）が刑法の一部を改正し、政治的な目的を持たぬ場合に限って家庭や集会などの祝宴での日の丸掲揚を許可した。米軍は「プレゼント」だと表現したが、公共の建物などの掲揚は制限していた。

当時は東西冷戦が本格化し、朝鮮戦争（51〜52年）が起こっていた。米国は沖縄を「反共の砦」にしようと考え、軍事的に重要な「キーストーン・オブ・ザ・パシフィック（太平洋の要石）」といわれるようになる。

軍事的な要石になった沖縄で起きたことは、米軍は新しい基地を必要とし、住民たちは住んでいる家、耕している畑を米兵の銃剣でもって追われることだった。53年から56年にかけて人々は土地を守るため、巨大な米軍へ初めて抗議に立ち上がった。「島ぐるみ闘争」といわれ、その後の復帰運動など住民が主張をしていく端緒ともなった抗議運動だった。

戦後の混乱の中で沖縄の人々は祖国への復帰を強く望んでいた。その中心となって復帰運動を担ったのは教師たちだ。戦争で全てを失ったことで、沖縄教職員会（労働組合は認められてなく親睦団体）は全国行脚に出る。「教科書もない、教室もない。備品を」と訴えて回った。日本人としての教育を目標としての寄付行脚だった。

このような強い祖国への思いが形となったのが日の丸掲揚運動だった。その発想を、沖縄教職員会が琉球政府主席（県知事・米軍により任命された）へあてた国旗掲揚請願の文書（52年）からみてみよう。入学式や卒業式、運動会などの学校行事、教職員の政治目的のない集会（米軍は復帰運動を抑制していた）とことわりつつ掲揚を求めている。

「吾々は自由愛好の日本人としての自覚の下に米国の国際平和政策に全面的に協力して行ける日が一日も速やかに実現することを念ずるものであるが、完全に日本復帰が実現した暁に、日本国民としての魂の空白をつくることなく、豊かな国民感情と国民的自覚を堅持せしめるためには、機会あるごとに日本の象徴である『日の丸』の旗を掲揚し、之に親しませることは極めて重要なことであって、このことは琉球住民は勿論、わけても教育界にとって最も重大な意義をもつものであると信ずる」

◆米軍政への抵抗のシンボル

53年の元旦に向け、教職員会は、各学校長に「新年の歌」と「各家庭の国旗掲揚」の周知徹底を呼びかけ、同時に国旗購入の注文受付を始める。日の丸は多くが戦火に焼け、戦後、敵国の国旗は米兵たちの格好の土産品となっていた。

58年の「日の丸を立てよう運動」でいよいよ本格化する。この時期までは学校での掲揚は許されてなく、その分、家庭での日の丸を推進した。教職員会は毎年注文を受け、その数は年に一万本にものぼった。国旗購入が間に合わない場合は、学校で紙の旗を制作するよう指導もしている。

日の丸を掲揚することへの要望は教職員会だけではなく、広く社会的な広がりを持っていた。当時の考え方を知るために、60年に中央教育委員会（現在の県教育委員会）が米国民政府へ要請した文書を紹介する。

「日の丸は日本国民として琉球住民の憧れの的であり、心のよりどころであります。新年を迎えるに当たり、日の丸をかかげ、なごやかな気分で全住民が新正を祝うということは、新生活運動の推進の面から意義あるものと考えます」と訴えている。

61年6月21日、ケネディ米大統領と池田首相との日米首脳会談で日の丸掲揚が認められることになった。同24日、在沖米軍トップの高等弁務官は、日本と琉球の祝祭日、正月3日間に限り公共建築物への掲揚を許可する速報を出した。ただし、掲揚できるのは琉球政府の所有する庁舎や裁判所、立法院（現・県議会）、学校などであり、随意の掲揚は許されなかった。政治的な利用を米側は警戒したと考えられる。自由な掲揚が認められるのは、72年復帰が決定した69年12月まで待たなければならない。

◆戦前の「方言札」が復活

少し脱線するが、国旗・国歌と筆者の個人的な生活史とを重ねてみたい。

私は1951年生まれ。復帰の年に20歳で、ことし40歳。同世代の記者仲間と日の丸・君が代の話題になると、「むしろ米軍政下の復帰前に育ったぼくたちが日本人教育を受けた方で、君が代もソラで歌える。復帰後世代は日本人であることは自明なことであり悩みもないかわりに、君が代の歌詞もわからない」という会話になる。

小学1年のころ「方言札」を経験した。家庭で母や祖母と話すウチナーロを学校で話すと罰せられた。先生にその札を首から掛けられ、外すにはほかのだれかが方言を使うのを待たなければならない。クラスメイトの足を踏んづけて「アガー（痛い！）」と声をあげさせ、すかさず「方言を使った」と札をかける。

この罰の仕組みの持つ「こわさ」とは別に、いかに当時の教師たち（教職員会）が「標準語（後には共通語といったようだが）励行」に懸命だったかがわかろうというものだ。君が代は小学二年の音楽で習った覚えがあるし、入学式など主だった行事で歌った。まさに戦前の日本人化=皇民化の教育と軌を一にしていたように思う。

日の丸については、もう一つ中学時代の思い出がある。

「沖縄の返還なくして日本の戦後は終わらない」と語った佐藤総理の来沖（65年）にあたって、私たちは学校から近い一号線（現・国道58号、米軍が那覇軍港と中北部の基地を結ぶ幹線として建設した）の沿道に並び、日の丸の小旗を振らされた。意味もわからず、祖国の一番偉い人が来るから、と授業のあいまに動員された思いが「振らされた」記憶につながるのだが、そのとき、担任の教師たちは赤旗で首相を迎えた。

復帰協主催の「祖国復帰要求県民大会」は初の首相来沖に対し、復帰請願と基地の島からの脱却を求めた。このころから、日の丸への見方は変わりつつあった。

◆復帰を前に運動から消えた日の丸

米軍支配への「抵抗のシンボル」とされた日の丸が、当の祖国の沖縄政策への反発から否定されはじめていく。

祖国復帰運動は、日本政府が米国と国家間の取り引きをはじめたとき、大きな矛盾に突きあたった。祖国への復帰は沖縄を解放するものではなく、米軍の直接統治から日米安保条約に基づく軍事体制に移行する、ということに過ぎないことが明らかになってくる。基地の島が祖国に帰ることで解消されるのではなく続くことを県民は知っていく。

軍事体制がどういうものかを沖縄の住民の経験としていえば、ジェット戦闘機が小学校に墜落し多くの児童が死傷し、米軍用機からはトレーラーが落下し女の子が下敷きになって死亡、米兵による殺人事件の続発、しかも、裁判権は米側にあって地元にはない、といった「日常」を連想させる。68年には嘉手納基地で離陸に失敗したＢ52戦略爆撃機が爆発、炎上した。そのＢ52は連日、ベトナムへ爆撃に飛び立ち、沖縄の基地が海兵隊のベトナムへの出撃基地であってみれば、復帰後も米軍基地が存続することになるとすれば「なにゆえの祖国復帰闘争」だったのかを運動側、つまり県民が深刻に悩むことになる。69年に沖縄の施政権返還が決まって72年の実現までの間に、日の丸の立場は大きく変化する。祖国願望と米軍への抵抗のシンボルから、基地の即時無条件全面撤去を主張する大衆運動において否定されるべき対象へと変わっていく。

民族主義的色彩の強かった祖国復帰運動は、反戦・反基地闘争へと質的転換をしていった。そのような変化の時代に、教職員会は69年３月、日の丸斡旋の中止を定期総会で決める。戦後、米軍支配下にあって「日本人教育」を徹底された私たちの世代もまた、青春期の反戦反基地闘争のなかで、日本国旗としての日の丸を拒否していく。君が代も同様であった。

◆君が代に重なる沖縄戦体験

君が代は天皇（制）とのかかわりを持つゆえにもっと複雑な経路をたどったように思える。日の丸がストレートに国家を象徴するとすれば、君が代はその時代を生きた人間の価値観、教育の成果、をも含むものではないだろうか。

米軍支配下にあって、高等弁務官はとくに君が代に言及はしていないようだ。復帰運動のなかで日の丸をシンボルとする一方で、君が代への欲求が強くなかったことに関係していたのだろうか。

沖縄戦が皇民化教育の行きつく結果としてあり、住民を巻き込むかたちで日本軍守備軍が行動したことは明らかにされている。さらに、方言を使う住民をスパイと見なすとの命令が出され、実際に日本兵による住民虐殺の事例は数多い。

国内唯一の地上戦、との枕ことばは、被害者意識の強調や復帰後の国への援助獲得用語に聞こえてしようがないのだが、その事実の重みにかかわりはない。とくに復帰前後から、地上戦の中身が県民（重い口をやっと開いた多くの体験者）によって、つぎつぎに明らかにされていった。

極度の混乱のなか追いつめられた住民が選んだ「集団自決（強制集団死）」や日本兵による住民虐殺や壕追い出しなどの実相が語られはじめた。強制疎開によるマラリア死、終戦の8月15日後もつづく友軍による食糧強奪と住民殺害。沖縄戦における天皇の軍隊の行動、そして天皇を戴く国家がなした

「捨て石」としての沖縄作戦。この事実もまた、この地域をして国家に向かいあわざるを得ない歴史的な体験となっている。

それらが、地元のマスコミや刊行される幾多の本で繰り返し掘り返され、語られ、6月23日の「慰霊の日」前後の平和特設授業で生徒たちは学んでいく。沖縄戦の体験は地域社会の「蓄積」となり、視点までも広く共有化されてきた。

また、高校の歴史教科書から「日本軍による住民殺害」が削除されるなど、82年ごろから目立つ文部省の教科書検定の強まりもまた、真実をなぜ伝えないのか、との反発を招いてきた。家永教科書裁判の沖縄出張法廷も「沖縄の真実」を考えていく場となった。

天皇については「天皇メッセージ」の衝撃も大きかった。日本が独立をなしたサンフランシスコ講和条約は、沖縄・奄美を切り離すことで成立し、そのことに天皇が重要な役割を果たした、との報道もまた住民の記憶にとどめられてきた。

国家を絶対化することを強制されるとともに、住民もひたすら協力してきた。住民が懸命に同化したときに国家から裏切られる。その体験を繰り返し社会で学びあうなかで、沖縄という地域は「国家を相対化する」視点を身につけていくことになったと思う。その沖縄から「日の丸・君が代」は、人間の心を吸い取って国家に服従させる装置に見える。

◆全国最低から掲揚百％へ

話を現在に戻そう。復帰から13年経った85年の9月5日、文部省の発表した一つの調査結果が沖縄を席巻した。

全国公立小・中・高校の卒業式と入学式における日の丸掲揚、君が代斉唱の実施調査がこの年に行われた。

結果はよく知られているとおりに、卒業式だけをみると、全国平均は日の丸が小・中学校では90％を超え、高校80％台。君が代はやや下がるものの小学72・8％、中学68％、高校53・8％。これに対し沖縄は日の丸が小学6・5％、中学6・8％、高校0％。君が代は小中高校ともすべて0％であった。

この結果に県教育庁、沖教組はともに〝衝撃〟を受けた。

県教育庁の幹部は「そうとう恥をかくと予想はしていた。こんなに低いとは。驚きました」。文部官僚そのものの言いまわしである。沖教組は、教育庁が嘆いた数字を多いと考えた。小中学校で日の丸掲揚率が6％台の数字は、小・中466校のなかで28校の掲揚を示している。沖教組の書記長は「地域によって1、2校あると聞いていたが、小、中とも2ケタでしょう。驚きました」。

文部省の「国旗と国歌の適切な取り扱いの徹底」の通知が県教育委員会になされ、翌86年の春、沖縄の学校に「嵐」が吹き荒れた。県教育庁の指示を受け、掲揚・斉唱にこだわる校長と反対する沖教組の教師たちが対立した。生徒たちは悩み、混乱しながら自主卒業式を行った学校もあった。

ある高校では、卒業生全員が体育館での式を討論会場にかえ、「日の丸を降ろしてください」と要求した。掲揚しようとする校長に抗議して体育館での式典をボイコット、運動場での自主卒業式に切り替えた。クラスごとに生徒が卒業生の名を読みあげ、担任が卒業証書を手渡した。この間、在校生は卒業生を送る歌を合唱、卒業生らは男女ともほとんどが泣いていた。そのとき、生徒のいない体育館では校長が卒業認定書を読みあげていた。

どの学校でも斉唱はテープで流しうつむいて聞く生徒たちの姿があった、と新聞は報じた。生徒たちの声を沖縄タイムス紙面から拾うと、「卒業式の主役は私たちなんです」と残念がる生徒、「決められたことだから、いいんじゃない。あまり関心ない」とそっけない生徒。「この時期に卒業となったぼくらが不運なんですかね」との男子生徒も。「押しつけは嫌」と反対の意見もあったが、「君が代は歌ってもかまわないが、歌がわからない」と率直な声も載っている。

この3月1日の結果に、「予想以上の実施率」と県教育庁。「父母と連帯が組めた」と沖教組。ともに「自己評価」した。

県教育庁の発表では、掲揚率80%、君が代斉唱6%。自主卒業式をした高校について、教育長は「事態は誠に遺憾。教師が生徒を巻き込むようなことがあればゆゆしき問題」。生徒は自主的に式場の体育館を出たという記者の説明に、「自発的に生徒が全員出るものか。そうであればこれから指導に力を入れたい」と語った。また卒業式未実施の高校11校については、服務規定に反する行為と教師らの処分も示唆した。

翌87年、日の丸掲揚率は早くも全国平均を上回る。復帰後の本土化のなかで、教育はとくにテンポアップしているかのようだ。復帰20年を迎えたことし、掲揚はほぼ100%の実施率という。そこに、政府の意図とは別に、受け入れる側の沖縄に、戦前と同じ体質を見てしまうのは私一人ではない。新崎盛暉・沖縄大学教授がその著『日本になった沖縄』(有斐閣新書)で、そのタイトルにずばり語るように。

冒頭の92年高校総体で触れたように、１００％の実施率が額面通りに学校現場や生徒たちに受け入れられた、ということではない。むしろ「違和感」を若者たちを含め沖縄社会は依然として持っているといえるだろう。

◆国体で問われた日の丸・君が代

同時期の復帰15年にあたる87年に開かれた第42回国民体育大会（海邦国体）は、同じように日の丸・君が代問題で揺れた。

沖縄本島中部の読谷村は少年男子ソフトボール会場となっていた。村はリハーサルの段階では、君が代のかわりに「若い力」を演奏、日の丸掲揚も中止していた。これに対し日本ソフトボール協会会長は「(沖縄戦の体験など）県民の気持ちはわかるが、国体開催の要綱に明記されており、やらなければならない。選手が政争に巻き込まれる」と会場変更を通告する。そのなかで、「国体をやりたい、と言ってきたのは沖縄県であり、そうであるからには日の丸・君が代も当然ついてくるもの」との発言が印象に残った。国体で、県民全体が「国歌と国旗」に向き合うことになったのである。

県労協など労組、革新団体は、日の丸・君が代反対を表明。一方で、国体の成功を心から歓迎する、との立場で実力行動は控えた。本番では開催競技の主体となる市町村単位で対応が異なった。君が代を合唱し日の丸も掲揚する、日の丸は掲揚するが君が代はテープ演奏を流しスタンドの客も歌わず、日の丸を事前掲揚し君が代は歌わない、など競技会場ごとにさまざまに分かれた。

ソフトボール会場だった読谷村では、君が代は演奏なし日の丸は掲揚で、協会と村が妥協した。だが当日、村民の男性が開会式中に掲揚された日の丸を降ろし焼き捨てた。同村には、米軍基地とともに沖縄戦において多数の住民が「集団自決」したチビチリガマという自然壕が残る。その男性は「集団自決は深い意味を持っており、死んでいった人たちへの失礼きわまる姿勢は許せない。行動には賛否あろうが、考えは正しいと思う」と警察への出頭前に語った。

国体が文字どおりに国家的行事であり、当時の知事がいみじくも「(沖縄の)戦後は終わった」と閉幕で語ったように、県民の多くが復帰を記念しての国体に祖国との一体感を味わいたいと望んだことは確かだ。だが日の丸・君が代が沖縄戦の天皇の名の下における国家による犠牲、という事実を想起させるものだけに鋭く噴出せざるをえない。

◆歴史を問い直す契機に

沖縄もまた全国の地方と同じく、明治の国家的な統一の過程において日の丸・君が代を天皇制の価値観とセットで与えられた。全国において敗戦がそうであったように、沖縄戦の体験は国家や天皇(制)を考える契機となった。一方で戦後の沖縄では祖国復帰を願い米軍政への抵抗を含めて日の丸を掲げ、君が代を受け入れた。いわば戦後史の中で一度、日の丸・君が代に免罪符を与えた経験を持つ。そのみずからの歴史をいま一度、問い直す必要がある。それともいままた、問いかけるチャンスを私たちは逃し、日本国民の義務として日の丸・君が代を迎え入れていくのだろうか。

(『ひと』第237号　1992年9月)

教科書裁判で争われた「軍の虐殺」

◆真実伝えぬ教科書検定

文部省の教科書検定制度の違憲・違法を主張する家永三郎・東京教育大名誉教授の一連の教科書裁判に、沖縄県民は大きな関心を寄せてきた。特に中国や韓国、東南アジア諸国からも批判が出た「八〇年代（昭和五十五年、五十七年、五十八年）検定」をめぐる第三次教科書訴訟は、沖縄戦の記述も争点の一つとなっており、八八年二月には沖縄出張法廷が開廷された。「集団自決」（注1）と「日本軍による住民殺害」という沖縄戦を沖縄戦たらしめた、つまりは日本軍が住民を死に追い詰めた地上戦の実相を論ずる場となった。八二年にも、別の高校日本史教科書検定で「日本軍による住民殺害」の

注1　「集団自決」の表記については家永教科書裁判を契機として、沖縄のメディアでも「集団自決（強制集団死）」などとあらわすようになった。「自決」の言葉は自らの選択、という意味合いを持ち、沖縄戦における住民の集団的な死について誤解を招くとの判断からだ。沖縄戦における「集団自決」は軍命、あるいは軍よって追い詰められた強制的な死である、という理解に基づいており、その契機となったのが家永訴訟といえよう。本稿では1992年時点の「」付けによる表記をそのままとした。

削除、県史証言集の否定、という文部省検定の姿勢が明らかにされ、県内で批判の的となった。沖縄戦についての教科書検定は「沖縄（県民）の事実」と「国の事実」が正面から問われるものであった。

◆否定された県民の「体験記録」

沖縄で教科書問題が大きく表面化したのは八二年七月だった。翌八三年四月から使用される高校社会科・日本史で「日本軍による住民殺害」の記述が、検定によって削除された、との報道がきっかけだった。県民の沖縄戦証言をまとめた県発刊の『県史』を、体験集であり研究書ではないとの理由で根拠とならないと検定で否定したとされ、県内で批判が高まった。

この時期、中国、韓国、東南アジアで日本への教科書批判が拡大した。日中戦争の記述で日本の「侵略」を「進出」とするなど、意図的な書き換えに対し各国から抗議が強まった。政府は「記述是正を行う。検定基準を改める」などの見解を出し、事態の収拾を図った。

沖縄戦記述については、以下のような検定がなされ、修正意見（従わないと不合格になる）がついた。

原稿本

6月までつづいた戦闘で、戦闘員約10万人、民間人約20万人が死んだ。鉄血勤皇隊・ひめゆり部隊などに編成された少年少女も犠牲になった。また、戦闘のじゃまになるとの理由で、約800人の沖縄県民が、日本軍の手で殺害された。

文部省意見

「戦闘員約10万人、民間人約20万人」の数字の根拠は確かでない（修正意見）。

800人という人数に根拠がない。日本軍の手で県民が殺害されたということ自体疑義がある（修正意見）。

検定後

6月まで続いた戦闘で軍人・軍属約94，000人（うち沖縄出身者28，000人）、戦闘協力の住民（鉄血勤皇隊・ひめゆり部隊などに編成された少年少女を含む）約55，000人が死亡したほか、戦闘に巻き込まれた一般住民約39，000人が犠牲となった。県民の死亡総数は県人口の約20％に達する。

この間に、執筆者は「混乱を極めた戦場では、友軍による犠牲者も少なくなかった」「沖縄県史には友軍によって殺害された県民の体験がある」など、日本軍による住民殺害を記述しようとしたが、検定のなかで拒否されたという。

当時、文部省の検定課長は「日本軍による住民殺害の事実を否定したものではなく、八百人の数字に疑問があった。住民殺害は、県史に体験談として記されており、県史を否定するものではない」と語った。

最終的に住民殺害が削られていることについて、「戦争に巻き込まれた一般住民が犠牲となった、とあり、犠牲との言葉の中に住民殺害も含まれていると理解していいのではないか」と述べている。「日本軍による殺害」から「友軍による犠牲者も少なくなかった」となり、さらに「戦闘に巻き込まれた」との変更を、沖縄では「事実の削除」と受け取り、体験者の証言を集めた『県史』の否定に批判が集中した。

「日本兵が県民をスパイだ、と日本刀で首をはねるのを見た」という新たな証言者が現れるなど、日本軍の殺害を事実と論じる声は高まった。沖縄タイムス紙も連載企画で、各地で起きた日本兵による住民殺害、朝鮮人軍夫や在日朝鮮人一家の虐殺など幾多の証言を再度、掘り起こした。県議会の意見書採択や県民大会が行われるなど抗議が広がり、文部省は記述復活を認めた。

この検定は大陸「侵略」を「進出」とする書き換えを含め、教科書の歴史修正の動きが強まったことを示していた。この流れは、沖縄戦記述においては次の段階へと移る。場面は家永教科書の検定だった。

文部省は沖縄戦の記述で「日本軍による住民殺害」を認めたが、続く検定において、「犠牲者が一番、多かったのは集団自決」だとして、これを最初に書くことを求めた。日本軍による住民殺害以上に、国に殉じた「集団自決」を強調する意図だとして県内からも批判が高まった。家永第三次訴訟は「集団自決」の内実が焦点となった。

◆「集団自決」を加える意図

家永教科書裁判は、高校日本史用教科書『新日本史』に対する文部省の検定の妥当性が一貫して争われてきた。「教科書偏向キャンペーンを契機に八〇年代検定は、日本の対外侵略責任をあいまいにする方向での修正を露骨に強制した」（家永氏）として賠償請求をおこなった。

検定対象としては「南京大虐殺」、中国への「侵略」、「七三一部隊」などとともに「沖縄戦」への修正意見も入っている。沖縄戦記述への検定の経過を説明する。

家永教授の八〇年度検定済み教科書の記述

沖縄県は地上戦の戦場となり、約一六万もの多数の県民老若男女が戦火のなかで非業の死に追いやられた。

八三年度改訂に際し記述を改訂した。

沖縄県は地上戦の戦場となり、約一六万もの多数の県民老若男女が戦火のなかで非業の死をとげたが、そのなかには日本軍のために殺された人も少なくなかった。

これについて文部省検定は、沖縄県の犠牲について、県民が犠牲になった全貌が客観的に理解できるようにするため、最も多くの犠牲者を生じさせた「集団自決」を書き加える必要があるとして、修正意見を付した。

家永教授の最終的な記述は次の通りとなった。

沖縄県は地上戦の戦場となり、約一六万もの多数の県民老若男女が砲爆撃にたおれたり、集団自決に追いやられたりするなど、非業の死をとげたが、なかには日本軍のために殺された人びとも少なくなかった。

この検定に対し、原告側は「集団自決」を犠牲的精神の発露とし強調することで日本軍による住民殺害という沖縄戦の本質を隠すもの、と国の検定意図を批判。「集団自決」は軍による強制と誘導であった―と論を展開した。

◆日本軍に追い詰められた「死」

沖縄出張法廷（八八年二月九、十日・那覇地裁）は、沖縄戦の本質を問う論戦となった。「沖縄の主張」を理解していただくために、原告の沖縄側証人の意見を当時の沖縄タイムス紙などから紹介する。

証言者は、米軍が最初に上陸し三百二十九人が自決したとされる渡嘉敷島の金城重明さん（沖縄キリスト教短大教授）、戦史を専門とし自らも鉄血勤皇隊で死の彷徨を体験した大田昌秀さん（当時、琉大教授、現・県知事）、沖縄国際大学の安仁屋政昭教授、山川宗秀高校教諭。

金城さんは「集団自決」の生き残りとして、その体験をとつとつと語った。「私は母を殺した」との証言に法廷内は静まり返った。長い引用になるが紹介したい。

「渡嘉敷島に米軍が上陸したのは（四五年）三月二十七日。私たち住民は、日本軍の指示でその夜急遽、西山陣地近くに移動させられた。いざというときは皇軍と運命をともにするとの死の連帯感が内面に生じていったが、それは日本軍によって醸成されたものである。日本軍の近くにいることで守ってもらえるとの安堵感があったのも確かだが、われわれの期待は裏目にでた。

いよいよ三月二十八日という私の生涯で最も長く、暗い日がやってきた。千人近くの住民が一カ所に集められ、軍からの命令を待った。追い詰められて死以外に道がなくなった母親たちは、子供たちに迫っている悲劇的死について嗚咽しながら語り伝える。死を目前にして、きれいに髪を整えている女性たちの様子は、忘れられない場面の一つである。

死刑囚が刑の執行を不安と恐怖のうちに待つように、私たちも自決命令を待った。軍から命令が出たと情報が伝えられ、配られた手榴弾で、家族・親戚同士が輪になって自決が行われた。しかし発火が少なかったため死傷者は少数にとどまった。

不幸にして、その結末はより恐ろしい惨事を招くことになった。

米軍から撃ち込まれた至近弾の爆風で私は意識朦朧となり、自分は死んだと思った。体をつねってみると、まだ感覚がある。そのうち私の目に異様な光景が飛び込んできた。

一人の中年の男性が一本の小木をへし折り、それで狂人のごとく愛する妻子を殴り殺し始めた。これが恐ろしい悲劇の始まりだった。精神的に追い詰められた私たちは以心伝心で愛する者たちに手をかけていった。

夫が妻を、親がわが子を、兄弟が姉妹を、カマや剃刀で頸動脈や手首を切り、こん棒や石で頭を殴ったり、ヒモで首を締めるなど、考えられるあらゆる方法で貴い命が絶たれていった。

兄と私も幼い弟妹たちの最後を見届けてやらねばならなかった。愛するがゆえに放置することができなかった。私は十六歳と一カ月だった。兄弟二人が母親に手をかけねばならなかった時、私は生まれて初めて悲痛のあまり号泣した。

集団自決が多くの要素の複合によって起こったものであることは言うまでもない。しかしその決定的要因は、皇民化教育と日本軍によって追い詰められた、という事実である。自決以外に選択の余地がなかったという極限状態が真相である。

従ってスパイ容疑で殺されたり、壕を追い出されて敵弾に倒れたり、そのほかの日本軍に処刑された人々の犠牲と、集団自決による死では現象的には異なっていても同質同根である。集団自決を自発的死であると記述するようなことがあれば、歴史を歪曲する結果になる」

『証言にみる住民殺害の実態』調査に基づき大田教授は、防衛庁資料を含む豊富な資料・証言から集団自決と住民殺害を実証的に示した。

日本軍による住民殺害は百六十一件、被害者数は二百九十八人。この中に人数不明が二十七件あり、少なくとも一人の犠牲者があったとし被害者数に二十七人を含めた。

集団自決が三十三件で被害者が八百二十四人。証言者、加害者、被害者、月日などすべての状況がはっきりしているものが、四件四百八十三人。

日本軍による住民の壕追い出しが百九件、二百九十一人、住民からの食糧強奪二十一件、百五十人。朝鮮人殺害が二十一件、百十一人。マラリアによる死亡が四千三百五十人。

法廷で大田教授は「友軍将兵による非人間的な悪行や住民の悲惨な犠牲を生んだのは教育が誤っていたからだ」と皇民化教育を批判。家永記述に関しては「著者の事実判断に基づく表現の自由に関する問題であって、ことさら検定の対象になるとは思えない。教科書の内容は、執筆者の学問的良心と、それを選択し使用する個々の教師たちの自主的な良識にゆだねる方が、検定によって時の政治権力による思想審査とも受け取られかねない事態を生むより一段と望ましい」と語った。

安仁屋教授は「自決」との表現に疑問を提起した。

「〝自決〟との言葉は、死を選ぶ人の任意性・自発性を前提として使われる。乳幼児が自決をすることはできないし、肉親を喜んで殺す者もいない。牛島司令官ら皇軍の自決とは、全く別の次元だ。強制、あるいは追い詰められた人々の死を、集団自決と言うことはできない。集団自決の表現は不適切であり、真相を正しく伝えることを妨げ誤解を招く」と主張。

防衛庁資料（沖縄方面陸軍作戦）の「婦女子までも戦闘に協力し、軍と一体となって父祖の地を守ろうとし、戦闘に協力できないものは、小離島のため避難する場所もなく、戦闘員の煩累を絶つため崇高な犠牲的精神により自らの命を絶つ者も生じた」の表記を批判。「住民は戦場動員を強いられたのであり、犠牲的精神はなかった。恐怖と絶望が人々を支配していた」と語った。

山川教諭は、授業実践のなかから「多大な犠牲の中で得た憲法、教育基本法を守っていくための平和教育」の必要性を強調、「正しいことも、戦争のみにくい出来事も、事実は事実として正しく記述することが県民の願い」と主張した。

◆検定制度に合憲判断

東京地裁（加藤和夫裁判長）判決（八九年十月）は、「国は必要かつ相当な範囲で教育内容を決めることができ、検定は教育や学問、表現の自由を侵害しない」と検定制度の合憲判断を下し、一部に行き過ぎを認めただけで、実質的な家永氏の敗訴となった。

沖縄戦についていえば、①検定当時、「集団自決」も沖縄戦の大きな特徴となっていた②検定意見は「集団自決」の記述を求めたにすぎず、沖縄戦の一大特徴である日本軍の住民殺害の事実を否定するものではない③記述の削除を求めるものではない—として、文部省の修正意見を「合理的根拠を欠き著しく不当なものとまですることはできない」と原告の請求を退けた。

その上で加藤裁判長は「沖縄戦における住民の犠牲者の中には、日本軍によって直接殺害された者のほか、日本軍によって自決を強要された者、日本軍によって壕を追い出され、あるいは食糧を強奪されたため死亡するに至った者があるとするのは、概ね学界の一般的理解」とした。

国側の証言（一富襄・元防衛庁戦史教官）については「日本軍の行動を擁護する立場から同人の推測ないし個人的信念を述べたもの。学界の客観的状況を証言するものとは認められない」と否定した。

この判決を伝える沖縄タイムス紙の見出しをみると、「沖縄戦の実相、認めず」「集団自決の洞察を怠る」「踏みにじられた県民の心」と批判的なトーンとなった。

佐久川政一・民主教育を守る県民会議議長は「住民虐殺よりも集団自決をあえて記述させようという文部省の意図を、深い洞察もなしに妥当としている。住民虐殺の前に集団自決を記述させようとする国の姿勢は、殉国美談につながり、平和憲法下の教科書としては行き過ぎ」と語った。

証言者の大田氏は「検定の裁量の範囲で国側に重きを置き、教育権は国民にあるとの基本理念を否定した。沖縄戦の実相が理解されないとなると、その延長線上にある基地・沖縄の現実や、日本軍のアジア侵略についても理解を求めることは期待できない」とした。

第三次訴訟の控訴審は、一審判決への沖縄側の厳しい批判のなかで、石原昌家教授（沖縄国際大学）が再び「沖縄の事実」を証言することとなった。

石原教授は九一年十月二十一日、東京高裁で次のように証言した。

「沖縄戦は、満州事変を起点とする十五年戦争の帰結点であり、日本史のなかでまれにみる、国内で外国の軍隊と住民を巻き込んだ地上戦闘であった。国民は、天皇の軍隊がどのように自国民に対応するか具体的に想像することができなかった。その結果としての沖縄戦は日米両軍の戦闘員の戦死者数よりも、非戦闘員である一般住民の戦没者が多いところに最大の特徴がある」と語った。

沖縄守備軍第三十二軍は、出血持久作戦・沖縄の捨て石作戦をとった、と論じる。その背景に「軍部が明治以降、徴兵業務などをとおして得た沖縄県民観は、軍事思想、国家意識、皇室に対する尊崇の念がうすく、外国の支配に容易に甘んじる」との判断があったとし、皇国防衛のために総力戦を展開するにあたって〝軍官民共生共死ノ一体化〟という指導がいちばん有効と考えた。

日本軍による住民殺害事例として、スパイ視しての拷問・殺害、避難壕や食糧の提供を渋ったとしての殺害、軍民雑居の壕の中で乳幼児の泣き声で陣地漏洩を恐れた日本兵が乳幼児を毒殺・絞殺・刺殺など直接的な殺害、悪性マラリアの有病地を承知しての住民強制疎開。さらに、日本軍は肉親・友人・知人同士が殺し合うよう誘導・命令した（集団自決と呼ばれている）—を挙げた。

「日本軍のために殺された人、というときは、直接殺害された人のみを指すものと理解するのが通常」とする一審判決に対し、「合理的な理由がないのみならず、沖縄戦の実相に照らして明らかに誤り。検定意見が〝日本軍に殺された人〟という範疇に〝集団自決〟を入れないという考えに立っていることは明白」と主張した（注2）。

最後に私なりの「沖縄の事実」の背景を述べてみたい。

沖縄県民の語る「沖縄戦の実相」という言葉は、戦争と軍隊の持つ究極の残酷さ、の事実認識に基づいている。このことを県民共通の認識として共有化していったのは、むしろ戦後体験があったからではないだろうか。米軍支配下にあって、新たな軍隊の論理の下に基本的人権が無視され、一方で祖国・日本への復帰という願望がかなった時、巨大な軍事基地は残ったままだという現実に立ち戻った。復帰と同時に配備された自衛隊への拒否反応も強かった—それらの戦後体験のなかで、沖縄戦を何度も掘り起こし、その実態を問い直すなかで「沖縄戦の実相」は深められていった。現実としての「軍隊」の存在が沖縄戦の体験と結びつき、歴史教訓を呼び起こす。

沖縄戦で軍とともに看護隊として行動した沖縄第一高等女学校や師範学校女子部のひめゆり学徒の犠牲者は百九十四人。この数字が確定できたのは一九八二年、沖縄戦から三十七年もの歳月が必要だった。

仲宗根政善・元琉大教授（ひめゆり学徒の引率教師）の「平時に考えられるのが、客観性というのか。

歴史には、人間が想像もできない事実がある。戦争が〝容認〟へと傾く。次に〝肯定〟、さらに〝賛美〟ですよ。絶対に引きずられてはいけない。引きずられる側にも責任がある」との言葉が印象に残る。

◆付記　教科書問題のその後

高校の歴史教科書における沖縄戦の記述は、文科省の検定によってその後も変更されてきた。

家永教科書裁判で沖縄戦については、検定意見は違法とされず原告側の主張は却下されたが、その後の教科書においては「集団自決（強制集団死）」を明記する一方で、日本軍による「住民虐殺」の事実も表記されるなど、沖縄戦の実相を伝える努力がなされてきた。一方で、文科省は06年度の検定で「沖縄戦の実態について誤解を与えるおそれのある表現」として、「集団自決」における「軍命」を認めないとする意見を付けた。

2007年3月、文科省は高校日本史教科書の「集団自決」から、日本軍の強制の記述を修正・削除した検定結果を公表した。全市町村議会、県議会が検定撤回の意見書を可決するなど、「沖縄戦の事実を教えるべきだ」「軍命の否定は事実を歪める」との声が全県的に高まった。同年9月29日、宜野湾市海浜公園で開かれた「教科書検定意見撤回を求める県民大会」には主催者発表で11万6000

注2　家永第三次訴訟は97年8月29日、最高裁小法廷（大野正男裁判長）で判決がでた。検定制度は合憲とし、沖縄戦の記述に対する原告の訴えは却下された。この訴訟で検定の裁量権の逸脱として7件中4件（「南京大虐殺」「中国戦線における日本軍の残虐行為」「旧満州731部隊の記述」など）を違法とし、国側に40万円の賠償を命令した。

人が参加した。復帰後、最大規模の参加者で、95年10月21日の米兵による暴行事件と地位協定の見直しを求める県民総決起大会（主催者発表・8万5千人）とともに、県民の強い意思が示された。県民の強い行動によって日本軍の「関与」を示す記述とはなったが、はっきりと強制したという表現はなされていない。

07年検定の背景について沖縄戦を研究してきた石原昌家沖縄国際大学教授は、政府の有事法制や国民保護法などと結びつく「靖国の視座」を指摘している（岩波書店刊『世界』２００７年7月号）。現代における国民の「軍民一体意識」の形成を図る上で、国内戦を3カ月以上も体験した沖縄住民の戦場体験は障害の一つだという。「本土国民が体験したことのない『軍隊は住民を守るどころか、軍事優先の結果、住民を直接殺害したり、死に追いやったりする』教訓を沖縄住民は戦場から得ていたからである」と書いている。「反靖国の視座」の沖縄戦言説を「靖国の視座」へ転換しなければならないという政府の意図を指摘している。

教科書検定で執拗に繰り返される「沖縄戦の事実」の書き換えは、戦争体験という過去をめぐる問題ではない。まして、沖縄という地域限定の課題でもない。中高校生たちが歴史の事実を学ぶことで実現していくだろう「未来の選択」と直結している。

（別冊歴史読本特別増刊『沖縄　日本軍最期の決戦』１９９２年。一部を手直しし、「付記」は新たに書き加えた）

沖縄の思い〝刻む〟　侵略の歴史語る無刻の石

1995年6月23日、糸満市摩文仁の平和祈念公園で「平和の礎（いしじ）」の除幕式が行われた。沖縄で亡くなった全ての犠牲者の名を刻む「礎」には、沖縄県民（県関係者は1931年の日中戦争以降の犠牲者を含む）、日本兵、米兵、韓国、北朝鮮の徴用された人、台湾出身の日本兵らの名が刻まれている。「特集戦後50年」担当の編集委員として取材した。

焼けつくほどの暑さの下で、遺族は肉親の名を見つけ涙を流す。「平和の礎」の除幕式。老いた遺族が、元米兵らが、それぞれに過去の悲劇を重ねあわせる。敵も味方も、住民も軍人も、すべて戦争の犠牲者として名を刻む。このような戦争碑は、たしかにほかにないのだろう。

そこに「沖縄の優しさ」を垣間見ることもできる。世界へ、沖縄の平和への願い、共生を志向する心を届けたい（大田知事の式辞）、との思いは多くの県民が共通に持っている。

その傍ら、韓国、台湾、北朝鮮の碑は、人影もまばらに小さな空白となっていた。「礎」は多くの人々の死を、訪れるものに迫ってくる。その一角にわずかに刻まれ、無刻の御影石が続く韓国・北朝鮮、台湾の碑が、記されなかった犠牲者の存在を伝える。

在日大韓民国民団沖縄地方本部の全泰慶団長はメッセージで「不義の戦争の犠牲になった同胞の本名を探し出せたのは数十名にすぎない。子々孫々の恥辱と拒んだ遺家族もいる。平和の礎の除幕によって責任が果たされたと思っては決してなりません」と語った。

この言葉を、政府とともに、私たちへ向けられたものとして考えていきたい。

無刻の石が浮き彫りにするのは、朝鮮や台湾への日本の植民地支配であり、そこから延長するアジアへの侵略の歴史だろう。

もうひとつ、記されることのない名も浮かんでくる。

県出身者の刻銘対象を一九三一年にさかのぼり、十五年戦争で出征し、外地で死亡した兵士を加えた。このことによって、私たちは、彼らの死の向こう側にあった、アジアの人々の死をも、見ることになった。

犠牲者の名を通して、アジアへ目を向けることを知り、またアジアからの眼差しを受け取ることになった。

沖縄戦が終わって五十年、歳月のかなたから、また一つ、重い事実が語られている。

本紙文化欄で、宮城晴美さんは、座間味島の「集団自決」について書いている。援護法の適用をえるために軍命令とした、という「事実」が、初めて関係者によって語られている。

「人材、財産のほとんどを失った小さな島」で生きていくため、住民の「自決」を軍命としてきた。そのことを隠し、結果として一人の日本兵の人生さえ変えてしまった、という母親の自責の念を、託されたノートをもとにつづっている。母親の死から五年たって彼女自身、重い口を開いた、といえる。

宮城さんは「一般住民に対して『勝手に』死んだ者には補償されず、軍とのかかわりで死んだものにだけ補償されるという（国の）論理を、住民たちが逆手にとった」と、援護法であがなわれる「死」

平和の礎（いしじ）が除幕＝1995年6月23日、糸満市摩文仁の平和祈念公園

を問う。

座間味だけの問題ではないだろう。その「事実」の是非を問うことは、沖縄の戦後史と深くかかわり、現在とつながる重い課題といえる。大切なことは、五十年の歳月を要して、ひとつの真実が明らかにされつつある、という意味の大きさだろう。

宮城さんは、事実を踏まえることで、さらに集団自決の背景へと論を進めている。そこから国家によってなされた戦争と住民の関係、ひいてはアジアの人々と沖縄との違いと共通性への視点が生まれる（注）。

◇　◇　◇

四カ国の子どもらが「平和の火」をともし、多くの小中学校の児童・生徒が除幕式に参加した。親子で訪れる姿も目立った。「平和の礎」に刻銘された犠牲者が、私たちに「刻む」平和への遺志を、次代へとつなぎたい。

（『沖縄タイムス』１９９５年６月24日朝刊）

注　「集団自決（強制集団死）」に対して援護法との関係に焦点を絞って書いた。「集団自決」が日本軍による追い詰められた死であり、軍命によることは沖縄戦研究の中で指摘されている。宮城晴美氏インタビュー（「東奔西走・編集局長インタビュー」２００８年５月25日付沖縄タイムス）、「教科書裁判で争われた『軍の虐殺』」（本書335ページ）を参照していただきたい。

沖縄の六月二十三日

梅雨も終わろうとする六月二十三日、沖縄は香煙にけぶる島となる。

一九四五年三月二十六日、米第七七歩兵師団が那覇沖に浮かぶ慶良間列島に上陸、米軍の沖縄攻略作戦が始まった。米機動部隊による猛烈な艦砲射撃が続く中、四月一日、沖縄本島中部の嘉手納・読谷海岸に上陸。日米両軍の戦闘は、各地で住民を巻き込んで繰り広げられた。日本守備軍第三二軍の牛島満司令官、長勇参謀長が本島南部の摩文仁で自決し、日本軍の組織的抵抗が終わった六月二十三日を沖縄戦の終焉としている。

この日、糸満市摩文仁の平和祈念公園における県主催の沖縄全戦没者追悼式を中心に各市町村、さらには小集落ごと、ひめゆり学徒や鉄血勤皇隊の母校単位などさまざまな形で慰霊祭は行われる。あわせて、本土からは都道府県、各隊ごとに遺族らが訪れ、各々の慰霊碑に花がたむけられる。

最後の激戦地となった糸満市を中心としながら、慰霊祭は県内各地、あるいは家庭の仏壇の前で、と幾層をも織りなし、遺族らもまた場所を移って幾つかの碑を訪れる。

約三カ月の沖縄の戦いは、戦闘地、住民地と分けることもなく、住民は友軍とともにあり、米軍の攻撃の対象となって「死の彷徨」へと追い詰められた。そのような「鉄の暴風」の中、「カンポーヌクェーヌクサー（艦砲の食い残し）」と九死に一生を苦い比喩とした住民にとって、慰霊はどのような思いと形でなされてきたのだろうか。戦後すぐの米軍支配下における収骨と慰霊碑の建立への思い、戦後五十年を経た現在、時を超えた二つの場面から見ていきたい。

◆収骨から始まった慰霊

米軍は沖縄統治にあたって、捕虜とした住民と日本兵を分けて収容した。本島北部を中心にテント小屋からの戦後の出発だった。背中に「ＰＷ（捕虜）」と大書きされた支給品の服をつけ、空き缶にパラシュートの紐を用いたカンカラ三線をつまびき、互いに肉親の安否を少ない情報を交わし確かめあった。

米軍が住民を元の居住地に帰しはじめたのは四五年の終わりごろ。廃墟となった那覇では、まず壺屋と首里へ移動が許可された。真和志村（現在・那覇市真和志）の住民は翌四六年一月。だが那覇の旧市街の多くは米軍が占領し兵站部隊が置かれ、民間人の出入りは許されていなかった。村民の行先は那覇からさらに南へ、激戦地の摩文仁・米須（糸満市）の海岸だった。その後、五月に豊見城村、八月にようやく真和志村に移動が許されるのだが、戦火に追われ全島に散っていた約二千人の住民は、最初に硝煙の残る南部の地で再会を喜びあう。

戦前、国民学校校長だった金城和信は米軍から村長に任命される。彼は「まず山野を清めて、しかる後に畑に鍬を入れるべきだ」と思った。終戦直後であり、遺骨の収集はまだ敵対行為と誤解されるおそれがあった。人々は米軍をはばかって、路傍の遺骨に手をふれようとしなかった。

「同胞の遺骨を収集することで、もし刑に処せられることがあるならば、喜んで首を呈する」と公言し、遺骨収集を呼びかける金城村長を、村民たちは「ナマチナムン（くそ度胸のある人）」と呼んだ。米軍が組織した住民側の行政機構（沖縄諮詢会）では「対日講和条約が結ばれるまで、沖縄は戦時状態にあり、収骨すれば米軍を怒らしてしまう」という話も残っている。遺骨収集と慰霊の碑建立は、戦火のくすぶるなかにあっては「命懸け」のことだった。

そのような状況の中で金城は米軍司令部の日系二世に、仏教や沖縄に根強い祖先崇拝の心を説き、「収骨に限って認める」との許可を得る。早速、村民約百人によって納骨隊が編成された。

村民は米軍の野戦用折り畳みベッドなどをモッコ代わりにし、山野に野晒しにされていた遺骨を集めた。たちまち数千体に上り、魂魄（こんぱく）之塔を建てて納骨した。土を盛り回りに石を積み上げた円形、上部をセメントで固めただけの簡易なものだったが、自らはテント小屋などに住む村民としては精一杯の墓苑であった。

金城の娘二人は、ひめゆり学徒として死亡している。収骨作業のころ、次女が糸満の第三外科壕で最後をとげたことを知った。壕はすでに米軍によってガソリンをかけて焼きつくされ、娘の骨を拾うすべはなかった。岩陰にモンペの切れ端や鏡、石鹸箱、櫛などがはさまれていた。この壕に、ひめゆりの塔と刻んだ石碑を立てた。今、南部戦跡の中で観光客や慰霊団がもっとも多く訪れる場所である。碑の傍らに、石に刻まれた小さな碑文が残っている。

「いはまくらかたくもあらむやすらかに　ねむれとぞいのるまなびのともは」

歌は引率教師として彼女らとともに戦場を彷徨った仲宗根政善の作。戦後、琉球大学教授（言語学）となり、著書『ひめゆりの塔をめぐる人々の手記』で彼女たちの最後と戦場の悲惨さをまとめている。ひめゆりの塔の建立に立ちあった仲宗根は、金城に案内され少し離れた魂魄之塔へ向かった。その時の様子を、後に金城の追悼の中で次のように記している。

「まるく築いた塔の上に蓋があり、開けてのぞかせてもらった。幾千の遺骨がぎっしりつまっていた。住民や日本兵の遺骨ばかりでなく、米兵の遺骨もまじっているという。

戦争がすんで、敵も味方もない。皆、丁重にとむらって、霊を慰めなければならないと、金城氏は、手を合わせるようにして言われた。（中略）

夜おそく日本兵が訪ねて来た。沖縄戦が終わって。一年近くにもなろうというのに、まだ周辺の壕には、かなりの日本兵がひそんでいたのである。日本兵たちは、日本はほんとに敗けたんですかとしきりに聞いてきた。金城氏は、早く投降するようにと、親切に説ききかせて帰した。（中略）

（魂魄之塔の裏の浜には）無数の遺骨が、波にころころと音をたててころがっているのである。そばの針山のような岩の上にも、無数に骨が打ちあげられていた。（中略）村民が総動員して、遺骨を収集したという魂魄之塔のすぐ裏に、まだこれほど多くの遺骨がころがっているのである。現実とは思えない。まるで地獄にまよいこんでいるような白昼夢をみているようであった」（仲宗根政善著『石に刻む』一九八三年沖縄タイムス社刊）。

真和志村民ばかりではなく多くの県民が肉親の眠る山野に、遺骨収集へと急いだ。戦後五十年の九五年に証言を集めた『庶民がつづる沖縄戦後生活史』（九八年沖縄タイムス社刊）から、その一端を紹介する。

「母が（芋畑の）土を掘り返していた時、白い棒切れのようなものが掘り起こされた。そばにいた私はとっさに母にしがみついた。『心配ないよ。これは豚の骨だよ。』母がどこに届けたか記憶は定かではないが、掘り出されたお骨をしっかり抱ていった姿を私は忘れない」

「（高校時代、摩文仁へ遺骨収集した）ススキやカヤなど茂ったところは、特に白骨の小さな山となっていた。バケツは瞬く間にいっぱいになった」

「収骨作業は不発弾や敷設された地雷、戦争中に張られたピアノ線（敵の侵入を防ぐ一種の防護線）を避けながらの危険なものであった。生き残った祖母や叔母が植えた芋を掘ると、芋よりも人骨が多く出た。祖母は骨の一つひとつを頭上にささげ、『ユクリミミショーリ』（安らかに眠ってください）と唱えてカマスに入れた」

魂魄之塔、ひめゆりの塔、男子学徒を祀る健児之塔は、金城、仲宗根らによって戦後、いち早く建てられた。仲宗根は次のように書いている。

「ひめゆりの塔は、沖縄女子師範学校の交友会名『白百合』と第一高等女学校交友会名『乙姫』を合わせて、金城氏がひめゆりの塔と名づけられた。名はひめゆりの塔とつけたけれども、その実は、愛嬢（注、金城の2人の娘のこと）や、女子部・一高女のなくなった生徒だけを祀るつもりではなく、全女子戦没中等学校生徒を合祀する意図であった。健児之塔も同じく、男子部の鉄血勤皇隊だけではなく、全男子中等学校の戦没学徒を合祀する意図であった。魂魄之塔も、住民も兵隊も、沖縄戦で戦没したすべての同胞をお祀りし、この三塔を平和への原点とするつもりであった」

◆戦没青少年をあざむくなかれ

慰霊の塔を追悼の場としてだけではなく、生き残った側の務めとして「平和の原点」とする考え方は、戦後の沖縄の「平和思想」ともなって形づくられていった。それは戦後五十年の九五年に糸満市摩文仁に建立された『平和の礎』へと引き継がれる。いま少し金城の足跡をたどる。

「私は生涯、遺骨を背負うて生きぬく」

金城がよく口にしたという言葉である。金城は後に沖縄遺族連合会会長となり、戦後の補償問題に取り組む。

沖縄戦では、男子中等学生の二年生以上は適性検査を受け、鉄血勤皇隊、通信隊に入隊した。十六歳以下の下級生も通信隊に編入した。女子中等学生も看護教育を受け、軍に配置した。学徒隊の悲劇は明確な軍命から始まった。だが戦後、厚生省は十七歳以下は法規の上では兵隊ではない、女子の軍属扱いも認められない、という意向を示していた。

金城は「生きている人間をあざむいても、戦没した青少年をあざむくことは絶対に許されない。男子中等学生は、現地軍が法規を無視して十七歳以下をも軍人として取り扱ったのは厳然たる事実であり、女子中等学生が軍属として軍に徴用されたのも厳然たる事実」と言って、政府にあたった。五六年五月、男子は陸軍上等兵、女子は軍属の処遇となった。

金城の考え方を知る手掛かりとして、沖縄県遺族連合会の会館がある。五七年に那覇市内に建てられた会館に、金城は「くろしお会館」と名をつけた。沖縄戦で戦没した本土兵士の御霊が、黒潮に乗って本土に帰れるように祈りをこめたという。

七二年の復帰後、魂魄之碑に祀られていた遺骨は、摩文仁の丘にある国立墓苑に移された。だが、毎年の慰霊の日の朝、県内の遺族たちは魂魄之塔におもむき、沖縄独特の黒く平たい線香や果物などを供え、亡き霊を慰める。遺骨がないとはいえ素朴な円形の碑は、庶民をして心落ち着いて肉親を偲ぶ空間となっている。その祈りを終え、県主催の追悼式へ向かう。

◆「慰霊の日」の存続問題

沖縄における慰霊の問題を考える上で、ひとつのできごとを紹介しておきたい。法の施行と県民の心が鋭く対立した「慰霊の日休日廃止問題」である。

八九年六月、西銘順治知事は、土曜閉庁の導入にともなう地方自治法改正により、県条例で休日と定めていた六月二十三日「慰霊の日」の廃止方針を示した。県庁など公務員や学校の休日として条例化されていたが、自治法改正により全国統一の休日化が図られることになった。「慰霊の日」という沖縄県のみの休日は許されない、というわけだ。県民から「慰霊の心を踏みにじるものだ」と批判の声が高まった。

慰霊の日の休日は、米軍統治下の五一年から実施されている。当時の沖縄群島政府が各市町村長、各学校長などあてに出した祝祭日に関する通知には、正月や春分の日、子どもの日、母の日などとともに慰霊祭（6月22日。六五年から現在の23日になった）がある。復帰（七二年）後も「人類普遍の恒久平和を希求し戦没者の霊を慰める日」として存続、広島市の原爆の日とともに、地方独自の法定休日として続いていた。

県の廃止方針に対し、県遺族連合会、婦人団体、医師会など広範な団体のみならず、与党の自民党県連からも反対の声があがった。県議会でも県の廃止案を実質「廃案」とするなど、県民の多くが「慰霊の日を軽視するもの」ととらえた。同時に国の法律改正が、地方の休日をなくす画一的なものとして、地方自治と中央との関係も議論となった。

遺族連合会の知念盛仁会長は六二年に平和祈願慰霊大行進を実現させた一人。平和行進は遺族連合会が主催し県内だけではなく全国から参加、「慰霊の日」に激戦の南部路を県追悼式が行われる摩文仁に向け歩く。

「琉球政府は異民族支配下にあっても住民の休日にした。以来、県民が黙々と実践してきたこと。沖縄戦の体験をどこまで国に主張したのか。なさけない」と県を批判した。

体験者にとって、亡くなった犠牲者への思いとともに、高齢化のなかで体験の風化をなにより危惧していた。

「戦争体験が失われていく時代だからこそ、若い世代への平和教育をしていくべきだ。休日だからこそ、親と子、孫がともに平和祈願大行進に参加できる」と神谷乗二事務局長も強調した。その年の参加者は小学生からお年寄り、本土からの遺族ら約一千五百人、白装束の列が摩文仁へと向かった。

政府は当初「特例は認められない」としていたが、九〇年六月の沖縄全戦没者追悼式に参列した海部俊樹首相は「慰霊の日が持つ特別な意義は認識している」と存続へ前向きの姿勢を示した。結局、西銘知事は方針を転換、従来通り休日として続けるとした。慰霊と戦争体験の継承という県民の思いが、国、県を動かした。

◆戦後五十年に「平和の礎」建立

戦後五十年を迎えた九五年、沖縄県は糸満市摩文仁の平和祈念公園に「平和の礎」を建立した。県民ばかりではなく、沖縄戦において亡くなった日米両軍の兵士、強制連行された朝鮮人軍夫、元従軍慰安婦や台湾の「日本兵」など、すべての戦争犠牲者の名を刻銘する。また県民については、移住先の南洋、フィリピンなどで犠牲になった人々、一九三一年の満州事変以来の、いわゆる十五年戦争において出兵し亡くなった人々の名も加えられた。

その年、大理石の墓石に刻銘されたのは、二十三万四千百八十三柱。沖縄県出身者十四万七千百十人、他の都道府県七万二千九百七人、米国一万四千五人、韓国五十一人、台湾二十八人、北朝鮮八十二人。

大田昌秀知事は、式辞で次のように述べた。

「本県は太平洋戦争末期に、一般住民をも巻き込んで展開された熾烈な戦闘の場となり、二十万余の貴い人命を犠牲にした。国策としての戦争に何ら疑念を抱くゆとりもなく、ひたすらに国策に追従したあげくの甚大な犠牲だった。しかも犠牲者の中には、かつての朝鮮から強制的に連行されてきた人たちや、台湾出身の兵士たちも含まれていた事実を、県民は自らの問題として忘れることはできません。それだけに、この地で肉親を亡くした国内外のご遺族の悲しみを共有するとともに、外国籍の死者たちやご遺族の方々に対し、痛恨の思いを禁じえません。

国籍を問わず、また軍人、非軍人の別なく、すべての戦没者の氏名を石に刻んで永久に残すべく『平和の礎』を建立し、追悼の誠をささげるとともに、この地に二度と再び戦争の惨禍をもたらしてはならないとの決意を明確にする」

『礎』は、沖縄の言葉にあわせ「いしじ」と読む。石碑には日本語、英語、ハングル語など異なる文字で二十三万人あまりの名が刻まれている。そのような碑をつくる行為は、戦後すぐに金城和信ら真和志村民が山野に眠る遺骨を敵味方の区別なく集め、冥福を祈ったこととつながっている。

刻碑の作業は、その二年前から始まった。正式な記録として残る日米両軍の兵士のほかは、名を確定する作業は困難を極めた。朝鮮人の名は、当時の日本側の記録が不十分なためほとんど分からない。この問題については後述するが、沖縄においても戦没者調査はきめ細かに行われ、新たな事実が浮かびあがってきた。その一つが、戸籍にもなく、家族の中でひっそりと祀られていた「幼子」たちだった。沖縄タイムスの紙面から、新たに分かった事実を紹介したい。

■山に追い詰められた家族はみな、飢えていた。母乳もでなかった。幼い女の子が死んだ。戦没者調査員が来た時、読谷村の男性（六一歳）は、妹が生きていた証を探した。戸籍にはなく、戦後つくられた仮の戸籍や臨時戸籍（配給台帳）をめくっても見つからなかった。

よく泣いていた。お腹をすかしていたのだろう。母親が戦後、早く遺骨を取りにいこうと父親に訴えていたことを覚えている。

「名前は啓子でいい。間違いない。一九四五年五月ごろ、国頭村辺土名。栄養失調。生年月日は不詳」。調査報告書にそう書き入れた。戸籍にない子の名が刻まれることになった。

■家族は、臨月を迎えていた母親と収容所で別れた。戦後、家族のもとに母親の死と女の子を産んだ、という風の便りが届いた。家族は見ぬ子に「ハツエ」と名をつけ、戸籍を届けた。昭和二十年六月二十五日生まれ。同年死亡。三十三回忌も終えた。
■真栄には妹がいた。文子。出産祝いには蓄音機を借りてきて、親戚隣近所が集まって騒いだ。四五年六月、糸満の防空壕で父が負傷。「いくさが終わったら会えるから」という母の言葉に後押しされて、真栄は家族と別れた。文子とはそれっきり。調査名簿には名がなかった。戸籍には不明として届けてある。生きているかも、とこだわる兄を説得した。「五十年もたった。区切りの意味でも名前を載せてもらったほうがいい」と。

戦乱の中で役所の戸籍など書類はほとんど焼失し、家族は離れ離れとなり、戦後の混乱もあって生死さえわからぬままの人も多い。親や兄弟の心のなかだけでひっそりと「生き続けてきた」幼子たちが、「名乗り」をあげた。生存を祈りたい気持ちのなかで、供養する最後の機会としてやむなく刻名を承諾したという証言もあった。

「○○の長男」と名もないままに刻銘された墓碑銘が、幼子たちの「生きていた証」となった。

一家全滅の家族が、市町村から字、区単位へと丹念に調べていったことで名前が確認された例も多い。『礎』の刻銘とあわせて全県で行われた戦没者全数調査は、沖縄戦の記憶をよみがえらせ、悲しみを伴いつつも事実を掘り起こし、多くの県民が追体験する機会ともなった。

◆除幕式での痛烈な批判

九五年六月二十三日午前十時、「平和の礎」の除幕式典は行われた。村山富市首相、衆参両院議長、最高裁長官のほか、ウォルター・F・モンデール駐日米国大使、韓国、北朝鮮、台湾の代表が参列。県内、国内の遺族や米国からは遺族とともに退役軍人らが戦友を偲んだ。

県内に住む米国、韓国、台湾、そして沖縄県の四人の子どもたちが「平和の火」を灯し、大田知事は「五十年前の鉄の暴風を平和の波濤に変え、この地から温かい平和の息吹きが世界に波及することを念願する」と述べた。その模様を英BBCの極東特派員は「長崎、広島、八月十五日の終戦記念日はいずれも日本人だけのセレモニーであり、礎除幕式は外国人も参列している点で意義深い」と語った。

訪れた人々の声を、当時の新聞から拾う。

■「少佐だった夫は糸満市で戦死したが、その場所は昨年、元部下の話で初めて知った。名前も刻んでもらい、やっと安心しました。これで私もあの世へいっても主人と話ができます」(東京都・八二歳の婦人)

■「兄が六月二十五日に南部で戦死。朝出撃したまま夜の集合場所に来なかったらしい。沖縄は初めて、やっと来れた。兄の名前を見て感無量。長男は字は違うが、兄と同じ名前」(北海道・六二歳の男性)

■「刻銘された友がどのように死んでいったか不明のままだ。彼の名前を前に、胸が詰まる思

いで言葉が出ない。なにかしゃべってくれと言いたい」(米国カリフォルニア州・七七歳の男性)

■「戦友の名前を捜すため五十七人のリストをつくって息子と一緒に来た。私と同じ弾を受けて死んだ戦友のことは特に忘れられない。たった一歩、立つ位置が違っただけで生死が分かれた」(米国・七二歳の男性)

■「農林健児隊の同級生の名前を四、五人見つけた。苦しく、悲しい思い出だが、年をとるとますます鮮明に思い出す」(沖縄県那覇市・七〇歳の男性)

その日、刻まれた夫や子ら家族、同級生、戦友の名を見つけては泣き崩れる姿が碑のあちこちで見られた。大理石に刻まれた名を何度も指でなぞり、花をたむけ、無言のまま合掌する。孫に一家の物語をするお年寄りの姿もあり、体験を語り継ぐ場所ともなった。

多くの人垣がなる「礎」のなかで、人影もまばらに大理石にもわずかな名のみで「空白」が広がっていたのが韓国、北朝鮮、台湾の碑だった。平和を誓う追悼のメッセージが続く中、日本の過去を厳しく糾弾したのが在日大韓民国民団沖縄地方本部の全泰慶(チョン・テギョン)団長だった。

「当時沖縄で、不義の戦争の犠牲になった同胞の本名を探し出せた方々は数十人に過ぎませんでした。忘れてならないことは、犠牲者の遺家族の中で永代の恥辱であるとの理由で刻銘を拒んだ方々がおられるということ。第二次世界大戦中、沖縄で犠牲になった韓国人の正確な数が今日に至るまで明らかになっていないことは、日本政府の無誠意、責任感の欠如を全世界にさらけ出したものです。平和の礎の序幕によって、そのような責任が果たされたとは思ってはなりません。その解明作業が促進されなければなりません」と痛烈だった。

ことし（九八年）の六月、「礎」には新たに名前が判明した日本人戦没者五百七十一人、韓国人戦没者九十二人の合わせて六百六十三柱が追加刻銘された。韓国からは十六人の遺族が訪れた。

夕食時に夫を連行されたという婦人は「やっとあなたの前に来たよ。子供たちも一緒、なにか返事をしてくれ」と語りかけた。そして「日本への恨みは消えない」と言葉をついだ。県の依頼を受け、調査を続けているソウル市の洪鐘佖・明知大教授は「朝鮮から連行された人々は一万五千人から二万人いるといわれているが、現在、厚生省の名簿ではたった四百五十四人しか分かっていない」と作業の困難さを語っている。

私は九五年除幕式典の日、取材に当たっていた。翌日の朝刊に次のように書いた（本書350頁参照）。

「この言葉（全団長の挨拶）を、政府とともに、私たちへ向けられたものとして考えたい。無刻の石が浮き彫りにするのは、朝鮮や台湾の日本の植民地支配であり、そこから延長するアジアへの侵略の歴史だろう。

県出身者の刻銘対象を一九三一年にさかのぼり、十五年戦争で出征し、外地で死亡した兵士を加えた。このことによって、私たちは、彼らの死の向こう側にあった、アジアの人々の死をも、見ることになった」

今、言葉を付け加えるならば、沖縄戦の犠牲者として被害の側にいるとともに、日本国民の一員として加害の側にもいた、ということを、県民は「礎」を通して認識せざるを得なくなった。「平和の発信地」という「礎」の理念は、今後の沖縄の人々がなすべき方向を示しているように思える。

◆太平洋戦争と近代戦、二つの縮図

沖縄の慰霊祭はなぜに国家、民族を超えて、「慰霊」とともに「平和への希求」を強くイメージするものとなってきたのか。それは、沖縄戦が、日米両国の軍人の戦いにとどまらず、住民、さらには朝鮮から強制連行されてきた人々、台湾の兵士も含めて、この国が起こした太平洋戦争の縮図であったこと。もう一点は、大空襲や原爆と同じく、地上戦としての沖縄戦が軍人、民間人の区別なく、多くの人間が死んでいくという近代戦そのものであったことだ。このような沖縄戦の実相は県民が体験し、戦後も学びとってきたことから導き出された。

沖縄戦において、友軍は作戦遂行のために自国民をも犠牲にしたことは知られている。国家と国民を守るために兵士たちは戦った。しかし、作戦の遂行にあたって軍は、住民に「共生共死」を強要した。その中にあって、「沖縄の言葉（方言）」を使うものはスパイと見なす、といった差別をも内包し、そのことによる住民の犠牲があったことは負の歴史として記憶されなければならないだろう。

さらには、国家が本土決戦への時間かせぎとして「捨て石」作戦をとったことは、この地で犠牲となった住民と日本兵全てに対して、戦後の私たちが記憶すべきことだといえる。

「平和の礎」を歩く。二十三万人余りの一人ひとりの名が、訪れる者に迫ってくる。碑から海側へと向かうと、摩文仁の断崖から青い太平洋が開ける。眼下にはリーフに打ち寄せる白波が見える。一人ひとりに夢や希望が、人生がありえたのだろう。波の音に乗って、無言の石碑から「生きていたんだ」

という叫びが聞こえてくるようだ。その声に、耳を傾ける。「慰霊の日」は、そのようにして続いていく。

（別冊歴史読本『太平洋戦跡慰霊総覧』　１９９８年）

社説
10・10空襲　いまに続く「戦時下の空」

◆「基地の島」のはじまり

六十年前のきょう、沖縄は「戦争」の残虐さを知った。

一九四四年「10・10空襲」—。米軍の本格的な攻撃は、翌四五年三月に迫った沖縄戦の序章だった。それだけではなく、この年を、いまに続く「基地の島」のはじまりとして記憶したい。

沖縄戦末期に激戦地に変わる南部、真壁国民学校の校舎は四四年六月から、兵舎に変わった。教員だった中村音子さんは「教科書が鍬やショベルに変わり、毎日防空壕掘りに精出した」と子どもたちの様子を語った（『沖縄の慟哭』那覇市史）。

空襲のその日、当時商業学校二年の仲本将成さんは、勤労奉仕で高射砲陣地の壕づくりに行く予定だった、という（本紙十月五日、特集）。

四三年まで大本営は、沖縄の防衛を重要視していなかった。戦況悪化のなか四四年に入り、南西諸島の基地建設は一挙に進むことになる。

同年三月、沖縄守備隊の第三十二軍が編成され、沖縄本島を中心に奄美を含め本土防衛のための軍事拠点として明確に位置付けられていく。

並行して県民の暮らしは戦時色へと塗り込められていった。

子どもたちは、遠足を行軍、ランドセルも敵国の言葉として背嚢と言い換え、学年や学級は中隊、小隊と呼ぶようになったという。

二月、政府は決戦非常措置要綱を決定、県庁は本土や台湾への疎開を進め、町村では防衛隊の編成がはじまる。五月からは中学生らも陣地構築に駆り出され授業は中止された。

郷土防衛と鼓舞され、「基地の島」は軍民一体の中で形を整えていく。

「国のため」に行動することに疑いを持つことが許されない時代だった。

本土侵攻を視野に、米軍もまた軍事的拠点として南西諸島を重視した。

米軍機の空襲は午前六時すぎから五次にわたり、延べ千三百九十六機。

沖縄本島と周辺離島、大東地域、宮古、八重山、奄美―の広範囲におよび、住民三百三十人、兵士二百十八人が犠牲となり、那覇は九割が焼失した。

◆引きずられる側の責任

沖縄戦の体験を経て、私たちは「二度と戦争を起こすまい」「子どもらを戦場に送るまい」と決意した。

しかし基地は存在し続けた。東西冷戦時代の「太平洋の要石」から七二年の施政権返還後も日米安保条約の下、在日米軍の主要基地として残った。

一方で、国内では「戦後の終わり」という言葉が聞かれるようになった。

戦争への反省から、武力の行使を禁じた憲法の改定の動き、個人の尊厳に目標を置いた教育基本法にも「愛国心」が再び書き込まれようとしている。

有事法の整備は、国民や地方自治体に協力を求めている。日米同盟の特に軍事面での緊密化は、イラクへの自衛隊派遣となって表れている。

何が再び始まろうとしているのか、しっかり見定めたい。

昨年六月、「有事法制下の慰霊の日」で紹介した仲宗根政善氏（ひめゆり学徒の引率教師・故人）の言葉をあらためて引用させていただく。

「戦争が容認へと傾く。次に肯定、さらに賛美ですよ。絶対に引きずられてはいけない。引きずられる側にも責任がある」

◆平和への願い込めた大綱

七一年十月十日、戦火で中断していた「那覇大綱挽」は復活した。

「圧巻だった」と、本紙はその熱気を伝え、復帰不安、ドル・ショックと相次ぐ社会不安の圧迫感をはねのけるかのように―と続く。

旗頭や古式にのっとった行列・支度（したく）の再現は、伝統への誇りを表現した。

なにより沖縄戦、米軍政、復帰へと苦難の戦後史を歩んできた県民の、平和を願う思いの表れだった。

きょう、大綱は万余の市民で引かれる。しかし10・10空襲から六十年、米軍機の飛ぶ空に変わりない。

◇　◇　◇

沖縄の「戦時下」は遠い過去のものとなったのだろうか。

復帰前に求めた「自治や人権」、復帰後に目指してきた経済振興による「豊かさ」、は実現したのだろうか。いまも語られる「自立」は。

社説では二〇〇五年にかけ「戦後60年」をテーマに取り上げる。未来を築く課題を、読者とともに考えていきたい。

（『沖縄タイムス』２００４年10月10日）

あとがきにかえて

ここまで本を読んでいただき、深くお礼を申しあげます。

「新聞が見つめた沖縄」などジャーナリズム論をのぞいては、主に１９８０年代から90年代後半までの記者時代の拙稿をまとめている。ここでは時を越えて現在の地点から、沖縄メディアの沖縄戦取材、そして大田昌秀、翁長雄志両知事について、私の考えを記してあとがきにかえたいと思う。

新聞、放送のメディアを問わず沖縄の記者にとって、沖縄戦は取材の柱の一つとなっている。１９８２年、文部省の教科書検定によって高校歴史教科書から「日本兵による住民殺害」が全面削除された。沖縄戦の実相をめぐる政府とのせめぎ合いのはじまりだった。

「虐殺現場を見た」という体験者の新しい証言が新聞社に次々に寄せられた。なぜ真実が、沖縄の体験が否定されていくのか。その憤りは激しく、証言は悲しみに包まれていた。日々の紙面は新しい証言と怒りで埋まった。私たちは取材班を組み、連載を始めた。日本兵による住民殺害の事例は数多く知られていたが、体験者の取材を通して事実の再確認を目的とした。当時は多くの体験者がおり、戦後、一度も語ることのなかった重い口を開いてくれた。政府は沖縄からの強い反発と示された事実を認め、日本兵による住民殺害の削除を取り下げた。

その後も政府の教科書検定による沖縄戦記述の改定が続いている。その都度、県民は激しく反発し、新聞は「沖縄戦の実相」に迫る努力をし、つかんだ事実を根拠に政府へ反論してきた。

そのような報道のなかで1980年代の連載「100万人の語り部」から現在まで沖縄タイムス紙では「慰霊の日」（6月23日）に限らず日々の紙面に体験者の証言が掲載されている。特定の時期の特集ではなく、暮らしの中に戦争体験を語り、読むページがある。すべての証言が未来への大切なメッセージであり、体験の継承が普段の紙面を通してなされていく。政府の教科書検定への沖縄の人々の反論となっている。

ここからは、今後の取材への期待を含めて考えを述べたい。

戦後50年の1995年、糸満市摩文仁の平和祈念公園に「平和の礎（いしじ）」は建立された。日中戦争が始まった31年以降の県出身の戦争犠牲者を刻銘している。当時も書いたが、日本のアジア侵略の歴史が浮き彫りとなり、県戦没者の名の向こうにあるアジアの人々の犠牲と私たちは結びついた。空白が目立つ朝鮮の無刻の碑を通して、日本の植民地政策とつながる。沖縄戦を越えたイクサの風景を「礎」は可視化している。

沖縄メディアは1949年の『鉄の暴風』取材以来、沖縄戦の事実を追及することで戦争の実相を明らかにする作業を進めてきた。この作業を朝鮮や台湾、さらに県出身兵が戦った中国大陸へと広げる必要を「礎」は教えている。

もう一つの群れなす刻銘がある。6万5000人余の他府県出身兵士たちの「声」を聞いていくのも沖縄メディアの役割だと思っている。

敗戦が決定的となった44年以降に投入された沖縄守備軍第32軍の兵士たち。地上戦ばかりではない、陸海軍の特別攻撃隊も戦艦大和も沖縄をめざした。全ての「死」がこの地で、あるいはこの地を目標になされている。彼らの「死」を、住民側から沖縄戦を見つめてきた沖縄メディアの目で取材する。

沖縄戦研究の石原昌家さん（沖縄国際大学名誉教授）は「軍隊は住民を守るどころか、軍事優先の結果、住民を直接殺害したり、死に追い込んだりする」（『世界』2007年7月号）と沖縄戦の特質を語ったなかで、教科書検定の狙いを、軍は住民を守らないということを知る沖縄は「反靖国の視座」を持っているからだ、と述べている。

日本兵たちは「軍事優先の結果」住民をスパイとみなし殺害した。壕追い出しや住民を強制集団死へと追い詰めた。住民の証言から、軍隊の本質が浮き彫りになった。

では「礎」に刻銘された他府県出身兵士たちの沖縄戦は、私たちになにを告げるのだろうか。この声を「反靖国の視座」でとらえ直すことはできないのだろうか。県民の悲劇としての沖縄戦をさらに日本兵を包み込み、沖縄戦の意味を全国へ伝えることに結びついていくと考える。

中国新聞編集局長、広島市長を務めた平岡敬さんの言葉を思い出す。「被爆地・ヒロシマと軍都・広島」の二つの顔を広島は持っていたのではないか、という私の質問への答えだった。

広島の陸軍第五師団は中国戦線で戦果をあげ、小学生だった平岡さんは南京陥落を祝う提灯行列のなかにいたという。「酷だけど被爆者に言ったことがあるんです。あなた方も戦争を賛美したんじゃないですか」。踏み込んだ話だった。言葉をついで「戦争を否定するためには、自分たちの歴史をもう一度考えなくてはいけない」（沖縄タイムス「東奔西走・編集局長インタビュー」２００７年8月26日付）。沖縄の地から国家と国民による戦争を問い直していく。過去を見据えることが未来を切り開いていくものだとしたら、その役割を沖縄のメディアは負っていると思う。

１９９５年以降の「沖縄の異議申し立て」を背景に、雑誌ＥＤＧＥで連載「沖縄の選択」を書かせてもらった。大田昌秀知事の政府との対決と98年知事選で稲嶺恵一氏に敗北するまでをつづる形となった。

その98年知事選について次のように書いた。

「正反対の基地カードを切る知事を、県民は交互に選んだ。基地と経済との間で振り子は動く。見方を変えるとその振り幅は、地球から逃れることのできない月と似て、政府の引力から離れることのできない地方の姿そのものかも知れない。大田知事は『沖縄の心』という歴史的体験と、『アジアとの接点』という未来への遠心力で突き抜けようとしつつ、強力な政府の磁場の中で失速した。ここで必要なのは失速の要因を、地方の理念による抵抗を評価しつつ、その限界を考えることだろう」

この文から20年余りがたった。大田県政について簡単に振り返り、その後について考えてみたい。

大田県政が残したものとはなんだろうか。

国際都市形成構想は沖縄振興開発計画とは異なり、県政の独自プランだった。県内で百家争鳴のごとく議論が起こり、現実を見つめつつも未来の夢を語った記憶は沖縄社会に残っている。基地返還アクションプログラムにみる段階的基地縮小論には従来の県内保革を越えた現実主義があった。安保再定義への批判を根拠とした基地維持反対論は、沖縄の視点による安全保障論議の可能性を示した。

これらはまったく逆の評価をともなっていた。

国際都市形成構想と全県フリーゾーンやオープンスカイなど県政の打ち出した振興プランは、県経済に壊滅的な打撃を与える、拙速すぎる、など強い批判があった。つまりは「非現実的」と見られた。基地アクションプログラムは普天間基地返還で結実するかに見えたが、県内移設条件の前に頓挫した。安全保障と沖縄基地政策の論議は政府、司法ともに国益を盾に封じた。

賛否はおいて、これだけの「論議」を大田県政は残した。

しかし大田県政には弱点があった。財源と制度改革において国の理解と支援が必要だった。これは沖縄県に限らない中央政府と地方の一般的な関係ともいえようが、異なるのは沖縄の県政は国と対立する案件として基地問題を抱えていることだ。96年9月の県民投票直後の公告縦覧代行応諾が象徴的だった。大田知事の「知事が代行拒否を貫けば何かができる、と思うのは錯覚でしかない」発言は、国と沖縄（地方）の関係を如実に示していた。

拒否と要請、一つの県が二つの手法を持って政府と向かい合う。このバランスこそ大田県政の推進力だったが、最終的に民意に沿い辺野古移設拒否を表明、政府との対決を選んだ。政府は経済支援のバルブを締め、県政不況が知事選で唱えられ敗北へとつながる。だが民意に基づく辺野古反対の姿勢は、その後の県政に楔を打つことになった。

大田県政は失速したが、理念を持った抵抗は評価すべきだと考える。基地問題、振興策の両面において独自の構想力を持って政府に挑んだ。そのような県政を支えたほんとうの主役は「異議申し立て」の民意だった。政府の磁場から逃れられない地方の課題は、引き続き県民と新たな県政の課題となった。

「チルダイ（虚脱）」してはいられない。辺野古新基地建設を中心とする基地問題は沖縄の未来を賭けたテーマに変わりはなかった。

今、続きを書くとしたら新しい登場人物は翁長雄志前知事（故人）だろう。

県政は保守の稲嶺恵一知事、仲井真弘多知事と続いた。稲嶺知事は辺野古新基地について15年間の使用期限と軍民共用などを条件にあげた。結局、これらの条件は政府によって反故にされた。続く仲井真知事は大田県政の副知事を務め普天間基地の県外移設を表明したが、2期目の2013年12月、辺野古の埋め立てを承認した。政府の沖縄予算増額を評価した「いい正月を迎えられる」発言は、政府の磁場に落ち込んだ沖縄の一つの姿だった。政府の基地政策と振興策のリンクがあからさまになった瞬間だった。

それぞれの知事に「苦渋の選択」はあっただろうが、政府の磁場から逃れられない共通の姿を見せていた。

大きく変えたのが2014年、仲井真知事をやぶり登場した翁長知事だった。政治家・翁長雄志は、磁場を超える可能性を持っていたと思う。

彼の発言を当時の新聞記事や『戦う民意』（著者・翁長雄志、角川書店、２０１５年12月）にたどり直した。翁長知事は政府や本土の人々への主張の根底に、復帰運動や復帰後の革新が唱えた日本国憲法・反安保ではなく、保守の経済振興策でもなく、「戦後民主主義」をすえた。

「沖縄の民主主義は、本土のように連合国軍最高司令官マッカーサーの時代に与えられた自治や人権の中で発想するものではありません」と、戦後の歩みの違いを語る。米軍政下にあって闘って「獲得した」民主主義だと県民に訴える一方で、戦後日本の歩みを「与えられた」ものと指摘した。

基地を集中させ辺野古新基地建設を強行する政府に、「日米安保体制の名のもとに、自由、人権、平等を守る民主主義国家にあるまじき現実が沖縄で繰り広げられています」「日米同盟はもっと品格のある、誇りを持てるものであってほしい」と主張した。

翁長知事は、沖縄への差別的な政策を糾弾する根拠に戦後民主主義をおいた。私には、レイシズム（人種差別主義）に対する闘いの様相を帯びていたように感じられる。

13年1月27日「オスプレイ撤回・東京要請行動」は、県選出の自民党を含む国会議員、市町村長、超党派の県会議員らでおこなわれた。翁長氏は当時、那覇市長。県代表団は銀座でプラカードを持って訴えた。巨大な日章旗、旭日旗、それに米国旗を手にした団体から「売国奴」「琉球人は日本から出ていけ」「中国のスパイ」と暴言を浴びせられた。翁長氏が見たのは、普通に買い物をして素通りしていく人たちの姿だった。

安倍内閣の菅義偉官房長官との会談で辺野古新基地建設反対を伝え、「沖縄県民には『魂の飢餓感』がある」と語った。「大切な人の命と生活を奪われた上、差別によって尊厳と誇りを傷つけられた人々の心からの叫びです」と言葉をついだ。菅長官の答えは「私は戦後生まれなものですから、歴史を持ち出されたら困りますよ」だったという。加えて菅長官は記者会見で「戦後は日本全国、悲惨な中で、みんなが大変苦労して豊かで平和で自由な国を築き上げてきた」とも語った。

翁長氏は「この溝の深さ、言えば言うほど異端扱いされるような寂しさをどう表現すればいいのか」と書いている。

戦後の県内政治を主導した西銘順治元知事（故人）は「沖縄の心は」と問われて、「それは、ヤマトンチュー（大和人）になりたくて、なり切れない心だろう」と語った（『新人国記』朝日新聞、1985年連載）。本土と沖縄の間にある淵の深さがうかがえるよく知られた発言だが、同じ思いを翁長氏ももったのだろう。

二人はともに保守政治家であり、国の安全保障政策として日米安保体制を認めている。西銘知事は県民には安保の必要性を語りつつ、本土に対しては「巨大な米軍基地の存在、負担の重さを国民は知ってほしい」と訴えた。85年に初めて訪米要請をしたのも西銘知事だった。「広大な基地が振興に大きな障害となり、75％の集中が住民に被害を発生させている」と、米国防総省でワインバーガー長官に直接語った。

翁長知事は西銘氏の路線の延長にあるが、辺野古新基地建設に反対し政府・自民党との対決を明確にした点では大きく異なる。ここに祖国復帰の余韻の残る時代に振興策を優先した70年代後半から80年代の西銘知事（任期は3期、78年～90年）と、95年以降の「沖縄の異議申し立て」の民意を背景にした翁長知事（2014年～18年8月死去）の違いがある。

県民が保革の枠を越えて、基地の過剰負担に対し「ノー」の意思を明確にしてきたことと深く繋がっている。

「今の自民党は日米安保、日米同盟が最優先です。『日米安保体制があっての日本』という発想は、本土の自民党の考え方です。そこからは沖縄県の民意は完全に抜け落ちています。歴史的にも心情的にも抜け落ちて、生きているのは『領土としての沖縄』だけです」

「領土としての沖縄」の指摘は鋭い。沖縄戦を想起させるにとどまらない。辺境の地の防衛という位置づけは、現代において米軍に代わる自衛隊の拡大を予測させる。

多くの県民の共通した思いを翁長知事は発信した。72年復帰以降の「新たな差別と疎外」の根源を言いあてると同時に、「沖縄から見える日本」の矛盾を浮き彫りにした。「磁場」を乗り越える可能性は、沖縄を一つの方向へまとめる力と、差別構造を含めて日本の戦後民主主義を射程にしたことにあった。日本国民との開かれた議論へ広がる可能性もここにあった。

大田氏、翁長氏はともに「沖縄から日本」を見すえたことで共通している。二人のバックボーンは県民の戦後の歩みであり、現在に続く「異議申し立て」だった。沖縄への米軍基地集中を国是とし、辺野古新基地建設に反対する「民意」を徹底して拒否する安倍、菅の両政権の対応。翁長氏には、日本の戦後民主主義が底の抜けたバケツだ、と証言しているように映ったのではないだろうか。

沖縄の戦後の歩みの力強さと確かさを翁長氏は体現した。1995年以降の「沖縄の選択」は、広く深く沖縄社会に「学び直し」を起こし、国家の磁場を超える可能性を蓄えつづけている。

◇　◇　◇

敬愛する大城立裕さんと米須興文さん、真喜志勉さんを偲びつつ、結びとさせていただきたい。「新聞が見つめた沖縄」の扉に引用させたいただいた米須興文さんは、アイランドの詩人イエーツの国際的研究者として知られた。沖縄戦について、沖縄、日本、米国の三つの異文化接触ととらえるなど、刺激的で示唆にとむ論考を書いている。扉文を再掲しつつ、私流にひもとく。

「詩人の想像力がいとも簡単にナショナリズムの熱狂の中へ取り込まれることを私たちに教えています」

「詩人といえども、自らを新しい歴史的経験の文脈に見出さない限り、既成の思考の枠組を無意識に受容してしまうことがよく分かります」

（米須興文『文学作品の誕生』）

戦前の沖縄新報の記者たちは「いとも簡単にナショナリズムの熱狂の中へ取り込まれる」だけではなく、そこでは積極的に宣伝する、煽るというメディアの性格が加味されていった。

戦後の新聞人たちの再出発を次のように思い描いた。

沖縄戦の体験により「既成の思考」の正体を知り、足元の沖縄文化に「新しい文脈を見出す」。沖縄新報の消滅も、戦前までの思考の枠組を捨て去ることを容易にしたのだろう。戦前と戦後の「不連続性」は、沖縄の新聞人たちに新しい文脈と実践の場を与えた。

むろん「ナショナリズムの熱狂」への誘惑は、現在の私たちにもあてはまる。

表紙の絵は、部屋に飾っている画家・真喜志勉さんの作品。「Henoko as Iojima」で「JAPANESE MARINE CORPS」が日の丸をまさに立てようとしている。2007年の作。黒のやや厚めのマチエールで縁取られ、中央は硫黄島で星条旗を立てる米海兵隊の写真そのままの構図。中央で旗を掲げる兵士らに強いタッチの線が斜めに走る。太平洋戦争時の硫黄島の米海兵隊のように、辺野古にジャパニーズマリンが日章旗を掲げる。すでに自衛隊は宮古、八重山へ拡大している。アーティストの眼は近未来を確実にとらえている。

この絵に並んでハガキ一葉。「籠の鳥でも知恵ある鳥は　人目忍んで逢いに来る」の川柳に、カゴの中にはオスプレイが1羽。個展への案内状で2013年。

時折ジャズを聴きながら、TOM・MAXの絵を眺めている。

作家の大城立裕さんの色紙は机の左隣にピンで止めている。

「島に　風が絶える　ことはない　立裕」

島と風と絶の3つの漢字はやや大きい、淡々とした筆致である。受賞記念かトゥシビー（生年）祝いでもらったのだろう、記憶は定かでない。

本をまとめている昨年10月、訃報が届いた。1925年生まれ、享年95歳。壁の色紙に目がいく。

「風」とは台風であり、鉄の暴風であり、さらには国家からの理不尽とも言える疎外と差別、が思い浮かぶ。しかし、気負いのない書き方からは、厳しさだけではない響きが感じられる。「シダカジ(涼風)」もこの島には吹いている。

唐からも、ヤマトからも、アメリカからも風は吹き込んできた。でも、私たちはこの島で生きている、生きていく。南島の風土に託した言葉が、確固たる自信にも、島の自立宣言にも読める。

この本の全てをイメージする言葉だと思い、お借りさせていただいた。

大城さんは5年前に死んだ母と同世代。「艦砲ぬ喰ぇーぬくさー」の人々は戦後を生き、新しく沖縄を形づくった。この戦中派の人たちが確かにいて、今の私たちはいる。

コロナ禍2年を迎えた2021年1月7日、那覇市首里自宅にて

『新聞が見つめた沖縄』関連年表

本書で取り上げた事項と新聞社説を年代順に並べた。社説の年月日は掲載日。社説は細ゴチック表記で、新聞名のないものは『沖縄タイムス』の社説である。事項と社説の一番下の数字は本書で取り上げた頁を意味する。

1937年

8・14 改正軍機保護法が公布 20

1938年

4・1 国家総動員法が公布 20

1940年

12・18 『琉球新報』が終刊の社告掲載

12・＊ 軍部の新聞統制により『琉球新報』『沖縄朝日新聞』『沖縄日報』の3紙統合して『沖縄新報』創刊 21

1941年

5・28 日本新聞連盟が自主的統制団体として結成 20

1944年

2・25 政府、決戦非常措置要綱を決定 370

3・22 南西諸島に大本営直轄の第32軍新設 369

10・10 10・10空襲。宮古島でも被害 319、369、370

1945年

2・16 社説「郷土を護れ　戦うのみだ」(沖縄新報) 31、32

2・19 県下男女中等学校単位の防衛隊結成 358

3・＊ 『沖縄新報』、首里城本殿裏の留魂壕に移る 23

3・26 米軍が慶良間諸島に上陸。同時に軍政の施行を宣言（ニミッツ布告） 323、353
4・1 米軍、沖縄本島に上陸 353
4・8 波照間島住民の西表島強制移住がはじまる。その後3人に1人がマラリアで亡くなる悲劇 300、303
4・29 社説「壕生活の組織化」（沖縄新報） 24
5・25 「陣中新聞」づくりを終え『沖縄新報』解散
7・25 『ウルマ新報』創刊 27
8・15 敗戦を知らせる玉音放送。その日の新聞は午後から配達 25
8・15 社説「一億相哭の秋」（朝日新聞） 25
8・20 米軍政府、石川市に沖縄諮詢会設置（委員15人、委員長・志喜屋孝信） 159
11・＊ 石原雅太郎平良町長が住民の窮状を訴える手紙を米軍政府宛に出す 320
12・9 東京で沖縄人連盟結成 160

1946年

2・24 日本共産党第5回大会「沖縄民族の独立を祝う」メッセージを採択 160
2・27 魂魄之塔、摩文仁村米須に建立される 355
4・26 「米軍政府はネコで沖縄はネズミ」とワトキンズ少佐が発言 160、161
4・＊ マラリア禍の波照間島に本格的な救助活動が始まる 310
5・22 この日付で『うるま新報』が米軍政府・沖縄民政府の機関紙として指定を受ける 28
5・29 『ウルマ新報』が改題し『うるま新報』へ 28
9・＊ 瀬長亀次郎が『うるま新報』社長に就任 29

1947年

4・1 うるま新報が民間企業として軍から許可を受ける。その後、有料の販売制へ移行 29
7・20 沖縄人民党結成。幹部にうるま新報の瀬長亀次郎ら 29、160
9・22 天皇メッセージが米国務省に伝達される。79年4月にこの文書の存在が明らかになる 108、320

1948年

4・＊　沖縄民主同盟の機関紙『自由沖縄』が発行停止命令を受ける　62

6・29　創刊前の『沖縄タイムス』が「通過切換断行さる」の号外発行　29

7・1　『沖縄タイムス』創刊　29

7・12　『沖縄毎日新聞』創刊　28

7・14　社説「焦土のなかに起上る」　61

9・27　ハワイ更生会から贈られた豚537頭が到着

12・1　社説「法制審議会の使命」　64

12・8　社説「民主化を阻むもの」　61、70

1949年

2・16　社説「今こそ政治力の発揮」　61

3・2　社説「自主的判断と行動」　34

8・5　瀬長亀次郎がうるま新報退社、この日の新聞に声明掲載　37

10・27　米琉球軍政長官にシーツ少将就任　39

11・11　コリンズ米陸軍参謀総長「沖縄の無期限保持、在日米軍の長期滞在」を言明　277

12・3　この日のうるま新報にフランク・ギブニー「忘れられた島―沖縄」が掲載　38、162

12・3　社説「善意の実現」（うるま新報）　40

12・12　『沖縄ヘラルド』創刊　28、67

1950年

1・12　アチソン米国務長官「米国の防衛ラインはアリューシャン列島、日本、沖縄、フィリピン」と声明　40、217

1・21　琉球放送局（AKAR）放送開始　40

2・12　『琉球日報』創刊　28

4・27　社説「ト大統領の演説」　64

5・26　社説「米琉親善を祝う」　42

5・26　初の米琉親善日　42、154

8・12　『沖縄タイムス』に「大弦小弦」が初めて掲載　15

8・22　社説「対日講和への関心」　70

9・12　米軍政府、『人民文化』を発禁処分　62

9・17　沖縄群島知事選、平良辰雄当選　50

10・＊　『琉球日報』が米国郡政府から名誉棄損などで告発される（琉球日報筆禍事件）　62

1951年

2・1 『沖縄ヘラルド』が『沖縄新聞』に改題

2・2 社説「沖縄は国連信託たるべし」（琉球新報） *54*

2・3 社説「琉球の帰属」 *51〜53*

2・4 社説「琉球の帰属（再）」 *53*

2・6 社説「何故国連信託を主張するか」（琉球新報、〜9日） *55*

2・14 奄美で日本復帰協議会結成、署名開始 *54*

2・＊ 琉球日報筆禍事件で米軍政府裁判所、投稿者と記者に有罪判決 *62*

3・18 社大党・人民党、党大会で復帰運動促進を決める *160*

3・19 沖縄群島議会、日本復帰要請を決議 *54、160*

4・29 日本復帰促進期成会結成。沖縄群島有権者の72％の署名を8月までに得る *54、160、165*

8・3 「祝祭日の実施に就て」が各市町村長、学校長に通達 *83、167*

8・28 沖縄群島知事・議会・議長が吉田首相、ダレス米特使らに日本復帰要請を打電 *68*

9・8 サンフランシスコ講和条約調印、日米安全保障条約調印 *50、277、296*

9・10 『うるま新報』が『琉球新報』に改題 *57*

9・10 社説「講和成立と日本の将来」（琉球新報） *68*

9・17 西銘順治が社長に復帰し『沖縄新聞』は『沖縄朝日新聞』と改題。『沖縄ヘラルド』から2度目の改題。54年7月1日に『沖縄新聞』に再改題する *67*

10・21 社説「新聞週間に当りて」 *73*

10・21 戦後初の新聞週間 *73*

1952年

1・21 社説「琉球と日本と米国」（琉球新報） *69*

2・29 布告13号「琉球政府の設立について」・布令68号「琉球政府章典」公布 *71*

3・6 社説「琉球憲法と軍の拒否権」 *71、89、157*

4・1 琉球政府発足（米民政府、初代行政主席に

比嘉秀平を任命）

4・28　サンフランシスコ講和条約発効。沖縄、奄美など米軍政下に置かれる　165

4・29　社説「歴史の峠に立ちて」　160、161、278

4・29　立法院で日本復帰の請願可決　160

5・6　米民政府、立法院の労働関係法審議に対し法案の成立を見送るよう勧告　65

5・15　米軍用地特措法が施行　240、242

5・26　沖縄教職員会が国旗掲揚を主席に要請　325

8・19　ビートラー民政副長官、立法院へメッセージ「人民党の主義・目的は国際共産主義と同一」　64、157

8・21　社説「共産主義の排除」　65、157

8・24　社説「ビ少将の声明を通して琉球処分を思う」（琉球新報）　65

8・25　社説「言論封鎖の前兆」（沖縄朝日新聞）　66

10・1　社説「真実な報道と自由」　67

11・1　米民政府布令「軍用地の契約権について」を公布。土地問題が表面化　46

12・29　社説「実質的復帰への道」（琉球新報）　69

1953年

1・10　沖縄諸島祖国復帰期成会が結成。17日に第1回祖国復帰総決起大会を開催　63、165

4・2　土地収用令公布。強制接収が本格化　46、278

4・4　米民政府、天願朝行の立法院補選当選決定保留を指示（天願事件）　62〜63、78

4・20　社説「植民地風景の一駒を見る」　78

5・20　社説「親善を増進するもの…」　43、157

5・20　米琉親善週間（〜26日）。「ペルリ百年祭」との位置づけ　43

5・26　社説「悪い統治制度と民族性」　44、132

8・15　社説「みんな揃って戦列につこう」　70

8・16　社説「事実上の一体化を進めよう」（琉球新報）　69

10・1　社説「新聞週間に当って」　67、131

10・24　ダレス米国務長官、奄美群島返還協定調印に際し「極東の脅威と緊張が続くかぎり沖縄・小笠原両島を保持」と声明　156

12・25 奄美諸島が日本復帰 156

1954年

1・11 オグデン民政副長官、「復帰運動は共産主義者を慰めるだけ」と声明 63

3・15 米陸軍、「沖縄で軍用地1万8000ヘクタール買い上げ、3500世帯を八重山へ移住」と発表 46

3・17 米民政府、軍用地料の一括払い方針を発表 46

4・24 米民政府、「メーデーはマルクスの誕生日で共産主義者が主導、非共産主義者は参加しないよう」勧告声明 46

4・30 立法院、軍用地処理に関する請願を全会一致で採択。土地四原則を打ち出す 46、158、278

8・30 米民政府、米軍情報機関入手の「日本共産党の対琉要綱」を公表 64

10・6 瀬長亀次郎ほか23人が逮捕（人民党事件） 64

1955年

1・13 朝日新聞が「米軍の『沖縄民政』を衝く」を掲載 47、65

1・13 社説「沖縄民政について訴える」（朝日新聞） 47

2・11 宜野湾村伊佐浜に武装兵が出動し軍用地域の整地を開始 46

3・14 米軍、伊江島の軍用地接収を開始 46

5・22 軍用地問題解決促進住民大会 44、158

5・24 行政主席ら、四原則による土地問題折衝のため渡米 44

5・24 社説「米琉親善の要諦」 45、158

7・17 米軍、伊佐浜の強制接収開始 46

9・3 由美子ちゃん事件（米兵による幼女暴行殺害事件） 114、195

10・2 社説「われわれ新聞人を監視せよ」 73

10・23 米下院軍事委派遣のプライス調査団が沖縄着。26日まで調査 48

1956年

6・8 プライス勧告発表。土地問題四原則をほとんど否定 158

6・19　社説「忍従の極限にきた抵抗」48
6・20　プライス勧告反対・軍用地四原則貫徹住民大会（56市町村で開催、島ぐるみ闘争へ発展）48、278
7・16　比嘉行政主席、主席緩衝地帯論を表明（島ぐるみ闘争分裂のきざし）
8・7　米軍、コザ地区へのオフ・リミッツを発表 49

1957年

4・7　当間主席、立法院への就任メッセージで「主席代行機関」説を表明 163
7・1　沖縄タイムスが新社屋落成。前日の6月30日には祝賀の花火大会開催 49
7・10　『沖縄タイムス』が「条約三条のもとで」連載開始（～8月22日）163
9・27　立法院、教育基本法など教育四法を三たび可決。翌58年1月7日、モーア高等弁務官が承認し、10日公布 87、89

1958年

6・10　土地問題解決渡米代表団出発。7月7日、土地問題に関する琉米共同声明発表。島ぐるみ闘争決着へ 81
9・16　B円からドルへの通貨切り替え 81
10・4　日米安保条約改定交渉開始（条約適用地域に沖縄を含めるかが焦点のひとつに）

1959年

6・30　石川市宮森小学校に米軍機墜落（死者17、負傷者121人）79、195
7・1　社説「Z機墜落事故について」80
7・1　社説「宮森小学校の惨事をいたむ」（琉球新報）80
7・2　『沖縄日日新聞』創刊
7・4　社説「事故を極力防ごう…」82
9・30　琉球開発金融公社設立 81
12・2　社説「民政官のマス・コミ批判は素人の理想論」（琉球新報）70

1960年

2・9　立法院、宮森小米軍機墜落事故損害賠償の要請決議を行う 82
4・28　沖縄県祖国復帰協議会（復帰協）結成

5・23 米下院、琉球経済援助法可決（法に基づく米の沖縄経済援助の確立） 79、83、165
6・19 アイゼンハワー米大統領、2時間の沖縄訪問。アイク・デモ 82
6・23 改定日米安保条約が発効 82

1961年

2・＊ 中距離弾道ミサイル・メースBが米本国から移駐。3月13日に米空軍は「沖縄にメースB基地4カ所を建設」と発表 82
6・24 キャラウェー高等弁務官、祝祭日に限り公共建築物での日の丸掲揚を認める声明。62年1月1日より実施 84
6・16 立法院、「住民の祝祭日」を新たに制定。天皇誕生日と体育の日が加えられる 83、168、174、326

1963年

3・5 キャラウェー高等弁務官「自治権神話」発言 161

1965年

1・13 佐藤・ジョンソン共同声明。軍事上、沖縄の重要性を日本の首相が初めて確認 86
2・7 米、北ベトナム爆撃開始（北爆） 87
4・9 立法院、「住民と祝祭日に関する立法」を改正、憲法記念日が加わり、慰霊の日を6月22日から23日に改める 84、167、171、194
5・3 社説「憲法記念日と沖縄」 85、171、194
8・19 社説「佐藤首相にのぞむ」 85〜87
8・19 佐藤首相、沖縄を訪問。那覇空港で「沖縄の祖国復帰が実現しない限り、日本にとって戦後は終わっていない」と声明 85、86、163、279、327
8・20 社説「戦後完結の努力を望む」 163
8・21 復帰協、「佐藤首相に対する抗議声明」 87

1967年

7・2 社説「過小、軽視される沖縄」 91
7・4 社説「戦後二十二年と復帰懇」 92、109
11・14 佐藤・ジョンソン首脳会談。沖縄返還は継続協議も、共同声明では従来より踏み込んだ内容が盛り込まれた 91、175

1968年

2・1　アンガー高等弁務官が主席公選実施を表明　93

2・2　社説「主席公選と住民の立場」　93

2・5　B52が嘉手納に飛来駐機。10日、立法院が撤去決議　91

4・24　全軍労が10割年休闘争　97

10・19　社説「沖縄の人権を考える」　173

11・10　初の主席公選。屋良朝苗が当選　91、94

11・12　社説「初の革新主席実現」　94

11・19　嘉手納基地内でB52が墜落　91、94、126

11・20　社説「B52墜落事故の意味」　94

12・7　いのちを守る県民共闘会議結成　91

1969年

2・2　いのちを守る県民共闘会議、幹事会で2・4ゼネスト回避決定　95、272

2・4　社説「大衆運動と労働組合」　95

3・29　沖縄教職員会が日の丸斡旋中止を決める　328

4・16　米空軍、150人の解雇を発表。基地労働者の大量解雇はじまる　96

5・2　米軍、ベトナム行き船員に乗船拒否すれば全員解雇と警告　97

6・5　全軍労が全面スト突入。ピケ隊と米兵とのトラブルで銃剣による負傷者も出る　97

6・6　社説「米軍の銃剣を批判する」　97

11・22　佐藤・ニクソン会談、72年の沖縄返還で合意　98、183、196

11・22　（夕刊）社説「歴史の転換のなかで」　98〜99、182、184〜186、197

11・22　米軍、毒ガスを来春までに撤去と発表　126

12・14　米国防総省、メースBを沖縄から撤収すると発表　81

12・18　布令144号改正24号により日の丸掲揚を禁じた条項が撤廃。施行の70年1月1日から自由掲揚へ

1970年

11・15　戦後初の国会議員選挙実施　100

12・20　コザで反米暴動発生（コザ騒動）　100

1971年

1・13 第1次毒ガス移送完了。住民5千人が避難 100、126
5・19 返還協定粉砕のゼネスト決行 100
7・15 第2次毒ガス移送(~9月9日) 126
8・15 米、ドルと金の交換停止を発表、ドル・ショックへ。9月1日、ドル危機から県民生活を守る県民総決起大会開催 100
10・10 那覇大綱挽が36年ぶりに復活 371
10・16 「沖縄国会」始まる。11月17、衆院沖縄返還協定特別委で強行採決、閉幕は12月27日 100
11・10 ゼネスト決行。社会機能がマヒし、一部過激派集団と機動隊の衝突で警官一人が死亡 100

1972年

5・3 社説「改めて憲法を考える」 187、188
5・9 社説「ベトナム戦局と沖縄」 188
5・15 社説「現在の歴史の時点で…」 101、189~191
5・15 沖縄施政権返還 100、189、296
5・22 自衛隊の移駐第1陣が那覇空軍基地に到着

1973年

102

5・15 社説「押しつけられた状況…」 101、102

1975年

7・20 沖縄国際海洋博覧会(海洋博)開幕 102

1977年

6・23 社説「平和の問題を考える」 192
6・23 沖縄戦没者追悼式。三十三回忌にあたる慰霊の日 108

1982年

7・4 高校教科書の沖縄戦での「日本軍による住民虐殺」の記述が、検定で全面削除されていたことが報じられる 330、336、374

1985年

8・5 西銘知事が初の訪米要請。7日まで米国務省などで米高官と相次いで会談 381
9・5 文部省が日の丸掲揚・君が代斉唱を「徹底すること」と各都道府県教育長に通知していたことがこの日までに明らかに。同時に実態調査結果も明らかに 330、331

10・18　経済学者、玉野井芳郎氏死去　136

1986年

3・1　日の丸・君が代実施で卒業式が混乱　331

1987年

5・22　総合保養地域整備法（リゾート法）可決・成立　148

9・20　海邦国体夏季大会開幕（～23日）。秋季大会は10月25日～30日　151、333

10・26　海邦国体会場で日の丸焼き捨て事件　334

1988年

2・9　第3次家永教科書訴訟の沖縄出張法廷開催（～10日）　335、340

10・1　那覇まつりの中止が正式決定（自粛ムード）　110

1989年

1・7　昭和天皇死去　105、145、151

1・8　社説「天皇のご逝去を悼む」　106

6・22　県議会に慰霊の日休日廃止を盛り込んだ条例案提出される　174、359

10・3　第3次家永教科書訴訟で判決。検定制度は合憲判断も一部の書き換え指示は違法と判断　344

1990年

3・27　慰霊の日休日廃止問題で県議会企画総務委が条例案を審議未了、廃案を決める　174

11・2　リゾート法に基づく沖縄トロピカルリゾート構想、県が国に承認申請　149

1993年

4・23　全国植樹祭。天皇として初の来沖　151

1995年

2・27　東アジア戦略構想（ナイ・レポート）提出。米軍兵力10万人維持を明記　262、280

6・9　衆院が戦後50年決議を採択　206

6・23　平和の礎が除幕　214、273、281、349、361、364、375

9・4　米兵による暴行事件発生　112、127

9・28　米軍用地の未契約地主に対する強制使用で、大田昌秀知事が手続き代行の拒否を公式表明　113、206、270

10・21　暴行事件糾弾と地位協定見直しを要求す

る県民大会開催。8万5千人が結集　113、204、206、281、282

11・20　沖縄に関する特別委員会（SACO）が初会合　113

1996年

1・30　県が基地返還アクションプログラムと国際都市形成構想素案を政府に提出　212、243、261、270、377、378

3・25　代理署名訴訟で県敗訴の判決　114

4・12　橋本首相とモンデール駐日大使が共同記者会見。普天間飛行場の全面返還を発表　120、199、216、224、252

4・14　社説「新たな日米関係に向けて」（読売新聞）218、283

4・15　SACO中間報告　217、224、254

4・17　橋本・クリントン会談で日米安保共同宣言。範囲が極東からアジア太平洋地域に拡大　199、283、291

8・28　代理署名訴訟上告審で最高裁は上告棄却。県敗訴が確定　115、225

8・29　社説「最高裁も沖縄を拒んだ」（朝日新聞）116

8・29　社説「沖縄の訴えにどう応える」（毎日新聞）116

8・29　社説「『判決』に沿い沖縄解決へ努力を」（読売新聞）116

8・29　社説「沖縄差別に目をつぶった司法」（北海道新聞）116

8・29　社説「司法は沖縄の心にこたえたか」（中国新聞）116

9・8　県民投票。投票率は59・53％。賛成が投票者数の89％　117、222〜229

9・9　社説「橋本首相は沖縄に答えよ」（朝日新聞）118、227

9・9　社説「苦悩の選択にどう応える」（毎日新聞）118、228

9・9　社説「県民投票を歩み寄りに生かせ」（読売新聞）118、119、206

9・9　社説「沖縄県民の意思を生かそう」（中国新聞）119、227

9・9　社説「沖縄は基地のない平和な島を選んだ」（北海道新聞）　119、228

9・13　大田知事、米軍用地強制使用手続きにかかる公告縦覧代行の応諾を表明　223、230、378

12・2　SACO最終報告を日米2プラス2が了承　223、232、235、265、283

1997年

1・21　名護市、海上ヘリポートの事前調査要請を拒否　236

4・17　改正米軍用地特措法が成立　239〜241

7・24　県が設置した規制緩和検討委が全県フリーゾーンの提言をまとめ報告書提出　247〜250

8・29　第3次家永教科書訴訟上告審判決。沖縄戦記述への検定意見の違法性は認めず　347

9・23　日米防衛協力のための指針（ガイドライン）が改定。防衛協力の対象を周辺事態に拡大　199、283

12・21　名護市民投票。反対が過半数　120、251、259

12・22　社説「名護市民の意思を生かす道」（朝日新聞）　120

12・22　社説「ヘリポート建設へ現実的判断を」（読売新聞）　120

12・22　社説「市民は苦渋の選択をした」（毎日新聞）　120

12・22　社説「名護市民の選択にこたえる道」（中国新聞）　120

12・22　社説「カネで買えなかった『沖縄の心』」（北海道新聞）　120

12・22　吉元政矩副知事の再任案を県議会否決　271

12・25　比嘉鉄也名護市長が海上ヘリ基地受け入れと辞任を表明　260

1998年

2・6　大田知事が海上ヘリ基地反対を正式表明　257、261、271、378

2・8　名護市長選、岸本建男が当選　181、260

8・6　野中広務官房長官が大田知事を「人の道に反する」と批判　272

11・15　県知事選で稲嶺恵一が大田昌秀を破り当選　180、267

1999年

4・29　サミットの沖縄開催が発表される　284

5・24　周辺事態法など新ガイドライン関連法成立。米軍への後方支援が可能に　200、283

11・22　稲嶺知事が普天間飛行場代替地を辺野古と発表。27日、岸本名護市長が条件付き受け入れを表明　285、286

2000年

7・20　「人間の鎖」で嘉手納基地包囲　285

7・21　沖縄サミット開催（〜23日）。クリントン米大統領が平和の礎で演説　275、276

2001年

9・11　米中枢同時多発テロ　121

10・7　米英、アフガニスタン・タリバン政権に報復攻撃を開始　121、198

10・9　社説「米英がアフガン攻撃　先の見通しはあるのか」　122

2003年

3・20　アメリカ主体の有志連合がイラクを攻撃（イラク戦争始まる）　122、200

11・25　ブッシュ米大統領が米軍再編に向け同盟国との本格的協議に臨むとの声明を発表　289

2004年

8・13　沖縄国際大学に米軍ヘリが墜落炎上　181、288

10・7　小泉首相、日本の首相として初めて在沖米軍の本土移転に言及　292、293

12・10　政府が新「防衛計画の大綱」と次期中期防衛力整備計画を決定　295

2007年

9・29　教科書検定意見撤回を求める県民大会、復帰後最大規模の参加者　347

2013年

1・27　オスプレイ配備撤回、県内移設断念を求めて東京要請行動。28日は「建白書」を安倍晋三首相に手渡す　381

12・27　仲井真弘多知事が辺野古埋め立てを承認　379

2014年

11・16　県知事選で翁長雄志が現職候補を破り当選　379

著者略歴

諸見里 道浩（もろみざと みちひろ）

1951年那覇市生まれ。山形大学理学部化学科卒。

1974年沖縄タイムス社入社。編集局社会部、学芸部、宮古支局長、編集委員、政経部を経験、沖縄戦、基地問題から文化・伝統芸能など取材。コラム「大弦小弦」「今晩の話題」を担当。2000年九州大学大学院に助教授として1年出向。論説委員長、編集局長、文化事業局長を経て専務（15年退任）。沖縄タイムスサービスセンター社長（18年退任）。

新聞が見つめた沖縄

2021年4月14日　　初版第1刷発行

著　者　諸見里道浩
発行者　武富和彦
発行所　沖縄タイムス社
〒900-8678　那覇市久茂地2－2－2
TEL098-860-3591（出版コンテンツ部）
印刷所　サン印刷

ISBN978-4-87127-280-3 C0000